U0077327

戴國煇全集 

書評與書序卷

◎書癡者言
◎未結集：殖民地史料評析

目次

contents

書癡者言

輯一　日本人的中國見聞録

打破台灣統治的「神話」／林彩美譯　005
——《現代史資料・台灣Ⅰ、Ⅱ》
殖民地統治與人性的破壞／林彩美譯　009
——吳濁流《黎明前的台灣》
「大和心」與「中華之心」／林彩美譯　015
——嶋倉民生《北京日記》讀後感
應該承認有「他分」的世界／陳鵬仁譯　021
——《日本人與亞洲》序文
《日本人與亞洲》後記／陳鵬仁譯　029
等待已久的「通史」／林彩美譯　031
——藤村道生《甲午戰爭——東南亞近代史的轉折點》
廣泛獨特的採納／林彩美譯　033
——伊東昭雄等《中國人的日本人觀100年史》
近代日本與台灣／林彩美譯　037
——台灣留學生前輩的台灣研究

讓我們一同描繪在亞洲新生與轉生的構圖／劉靈均譯 045
——《新亞洲的構圖》代序
美國對亞洲的擴張主義生態／林彩美譯 051
——讀《侵犯亞洲》
中國人的自立才是根源性課題／林彩美譯 055
——安藤彥太郎《日中關係的觀點》

輯二　台灣民族運動

飯塚浩二先生所留下的課題／林彩美譯 061
——從和魂洋才到日魂日才的觀點
應重新檢討「大東亞共榮圈」的幻影／林彩美譯 065
——戰前・戰中・無戰世代的三本書
《境界人的獨白》序／林彩美譯 073
兩本「遺著」／林彩美譯 075
——尾崎秀實與瞿秋白
我的研究並為本書之刊行而記／林彩美譯 081
——《台灣與台灣人》後記
關於霧社蜂起事件的共同研究／魏廷朝譯 087
——《台灣霧社蜂起事件》序
《台灣史研究》跋 095
《台灣往何處去》後記 097
評徐正光編《徘徊於族群和現實之間》 101
葉榮鐘先生留給我們的淡泊與矜持 103
——《葉榮鐘全集》序文
評王曉波〈日據下台灣民族運動及其兩條路線〉 109

未結集：殖民地史料評析

輯一　尋根

旗竿之家與三里灣／林彩美譯　117
——讀趙樹理《三里灣》筆記
東大中國同學會會報《暖流》代創刊辭／林琪禎譯　123
我與《日本帝國主義下之台灣》／陳仁端譯　125
解明美國經援台灣始末／劉靈均譯　129
——評介賈克貝《美國對台灣經濟援助的評價》
一、作者生平與本書介紹　129
二、本書的架構與分析方法　132
三、援助與開發關係之評價　135
四、從援助台灣得到的教訓　144
開創了不一樣的台灣研究／陳封平譯　147
——葛伯納《小龍村：蛻變中的台灣農村》
台灣史研究札記／林彩美譯　155
——介紹《台灣警察四十年史話》等珍本
了解故鄉食品的有趣事典／劉靈均譯　163
——《中國食品事典》
血脈相通的中國近代百年史／林琪禎譯　165
——韓素音《悲傷之樹》
探索台灣獨立運動之「根」／林琪禎譯　171
——《現代史資料21・台灣Ⅰ》
永不褪色的問題意識、執著的結晶／林琪禎譯　175
——尾崎秀樹《舊殖民地文學的研究》
作者自己的長征／林琪禎譯　179
——韓素音《轉生之華》

讓「體驗」說話的新世界／劉靈均譯 185
——評新井寶雄《日中問題入門》、淺海一男《新中國入門》
重視對庶民階層的聽取／蔣智揚譯 189
——黃枝連《馬華社會史導論》
楊振寧博士的〈中國印象記〉及其影響／蔣智揚譯 195
追求台灣獨立的合理性／劉靈均譯 205
——戴天照《台灣國際政治史研究》
了解「殖民地體制」的好資料／劉靈均譯 209
——《現代史資料22・台灣II》
運用豐富的文獻／林琪禎譯 213
——評須山卓《華僑經濟史》
憂慮新亞洲主義的抬頭／林彩美譯 217
——《討論日本之中的亞洲》代序
分析進入新階段的日本企業／林琪禎譯 229
——宮崎義一《思考現代日本企業》
《東南亞華人社會之研究》序文／劉靈均譯 233
以科學實證法批判日本殖民政策／孫智齡譯 235
——矢內原忠雄《日本帝國主義下之台灣》、《滿洲問題》
台灣殖民地經營的個人經驗／孫智齡譯 239
——後藤新平《日本膨脹論》
反軍國主義的思想結晶／孫智齡譯 243
——細川嘉六《殖民史》
吳濁流《黎明前的台灣》及其他／孫智齡譯 247
提示另一種觀點／李毓昭譯 251
——《戰後台灣經濟分析：從1945～1965年》

輯二　讀華僑

質詢何謂「國際交流」／孫智齡譯 255
——田中宏《與亞洲人的相遇》

溫故知新功效極大／孫智齡譯 259
——橋川文三《黃禍物語》
為雪冤而戰／孫智齡譯 261
——杜斯昌代《東京玫瑰》
「政治犯」的八路軍根據地體驗／林琪禎譯 263
——平井巳之助《老根據地》
對理解第三世界有助益／孫智齡譯 267
——列那多·坤斯丹地諾《菲律賓民族主義論（上下）》
《台灣近現代史研究》創刊號補白／李毓昭譯 269
《梅苑創史錄》緣起／蔣智揚譯 271
從特殊觀點寫出的「東南亞」／劉靈均譯 275
——三浦朱門《從東南亞洲看日本》
對印度的地主制形成等有新觀點／孫智齡譯 279
——《亞洲經濟的發展結構》
喚醒書癡感性的美麗書籍／孫智齡譯 283
——小笠原莊子《旅衣》
開拓華僑論的新境界／章澤儀譯 285
——《華僑：商才民族的原貌與實力》
序：寫於池田敏雄先生追悼紀念特輯／孫智齡譯 289
《台灣及南支那視察日誌》簡介／孫智齡譯 293
誌面有感 301
紀念出版與贈書緣起 307
對相互交流的獨特建言／蔣智揚譯 311
——昆頓·印塔拉泰《日本與東南亞的明天》
視野擴及台灣而適切／林琪禎譯 313
——岡田晃《香港》
熱烈提倡「內在的超越」／蔣智揚譯 315
——板垣與一《現代國家主義》
《更想知道的台灣》序／林彩美譯 317

輯三　中・台之間

從艾科卡的自傳《反敗為勝》談起　321
漫談「自傳」學　325
以充滿波折的宋家人為題材／林琪禎譯　329
——史特林・西格雷夫《宋王朝（上下）》
我的三本書／孫智齡譯　333
對許倬雲〈調整朝野關係，落實民主運作〉的一些淺見　335
另一種「日本論」／孫智齡譯　341
——謝新發《誰也寫不出來的日本人》
豐富且新鮮的資訊／劉靈均譯　343
——矢吹晉《文化大革命》
刻畫出轉換期台灣的問題點／蔣智揚譯　347
——戶張東夫《台灣的改革派》
祝賀與期待　351
——慶祝《中國時報》創刊40周年
那不是印刷的錯／孫智齡譯　355
——《廣辭苑》與我
《更想知道的華僑》代序／雷玉虹譯　359
裸體、裸體照與裸體像之差異／林彩美譯　365
——評芳賀徹〈西洋畫的命運——中國與日本〉
介紹與期待／劉靈均譯　371
——《岩波講座・近代日本與殖民地》
立教大學《東洋史學論集》創刊辭／孫智齡譯　373
推薦蔡仁龍《印尼的華僑・華人》／林彩美譯　375
小澤一郎與他的《日本改造計劃》　379

輯四　台灣現代史課題

歷史中的照片、照片中的歷史／蔡秀美譯 391
——《台灣殖民地統治史》代序
台灣現代史上一個重要的課題 399
——林照真《覆面部隊——日本白團在台祕史》序
台灣現代史的深層／林彩美譯 403
評呂實強教授〈孫中山先生析論馬克思主義的歷史意義〉 407
讀平川祐弘〈為何有「漢奸」而無「日奸」〉
有感／李毓昭譯 411
【附錄】
平川祐弘討論會／林彩美譯 416
評何耀華〈論孫中山的民族主義〉 419
第二屆孫中山與現代中國學術研討會第四場總結報告 425
掌握與分析印尼華僑動態／林彩美譯 429
——唐松章論文審查筆記
由生活者意識出發的華僑研究 439
——唐松章博士論文推薦辭
第三屆孫中山與現代中國學術研討會第三場
（思想組一）總結 443
探索《台灣警察沿革誌》有感
——《台灣抗日運動史》中譯本出版代序 447

譯者簡介 452
日文審校者・校訂者簡介 455

戴國煇全集 17

書評與書序卷

書癡者言

翻　　譯：林彩美・陳鵬仁・劉靈均
魏廷朝
日文審校：林彩美
校　　訂：呂正惠

輯一

日本人的中國見聞錄

打破台灣統治的「神話」

——《現代史資料・台灣Ⅰ、Ⅱ》*

◎ **林彩美譯**

對於我們讀書人，みすず（Misuzu）書房給人的印象，是不「拚命掙錢」、有良心、踏實且更是用心從事需要長時間的出版工作，為數甚少的出版社之一。在出版洪水中，長年持續地編纂刊行如《現代史資料》類書，因此出版社所付出的物與心兩方面的努力不難想像是極不容易的。尤其是研究者稀少，對台灣問題的根源完全不給予正面關心的日本目前狀況下，著手出版「台灣」的みすず書房相關人士的辛苦，筆者特別表示感謝。

這長年勞苦的結晶「台灣」，不必贅言是由日據時期台灣的統治當局以及日本本國的特高警察等之手寫成，所謂「台灣抗日實錄」的集大成。

一直以來註上「祕」字而被隱藏住的《日本共產黨台灣民族支部東京支部員檢舉始末》〔《日本共産党台湾民族支部東京支部員検挙顛末》〕、《台灣共產黨檢舉的概要》〔《台湾共產党検挙の概要》〕等的輯錄是對台灣近現代史研究的貴重參考資料

---

* 山辺健太郎，《現代史資料》21、22，東京：みすず書房，1971年。

之故，特感難能可貴。

筆者於近年一有機會，便不斷指摘在日本的中國研究缺漏台灣的不當性。所幸已獲得一部分先生們的支持與少數年輕友人們在研究實踐上的積極反應，我暗自歡欣。然而從大局上看的時候，微小如我之指摘，猶極為無力之狀況仍未改變。

特別是中日問題的最大焦點是所謂台灣問題，雖稍嫌遲了些，受到外部（絕不是內發性的知覺）發言的啟示——而終於有「哦哦……真是粗心大意」開始察覺的先生們，但也很難有積極可預期的戰後日本與台灣關係的研究成果。因為在此中日兩民族樹立真正平等互惠的芳鄰關係之際未產生，以此做為自己問題的一部分去積極掌握的態度的結果。如果不是我的誤會，毋寧是那些守護日本的「國家利益」，日夜處心積慮於要把台灣今後也持續地編進日本資本主義全體系之中的先生們，比較「費心」且拚命地把台灣做為他們自己的問題。自殖民地時期以來的大部分舊台灣相關人士到1960年代之初，猶一邊感到某種內疚，一邊對台灣抱著鄉愁，現在卻已到以日圓信用貸款的供給與廉價勞務輸出為目的，仗恃著經濟大國日本的進入，不只對日本政府也對台灣當局施行「台灣留置財產請求」運動的地步。

受所得成倍增長與觀光景氣加上台灣本地資產階層善忘的美德之助，在日本熱潮之中以為或許可沾到些利權的不光明行徑，招待與訪問舊台灣相關人士也非常頻繁（當然我不否定其中也有少數是基於單純的師生情的存在）。

這些可視作是善意的人們，受台灣特殊情況下所孵出的台灣獨立運動者的「日本比國民黨好，台灣被日本人近代化」等等討好甜蜜的耳語之影響吧，忘卻了「殖民地統治絕對不能產生善行」的鐵則，一味陶醉於台灣的美女、美酒、山珍海味之中。

暫且不提訪問、觀光、陶醉全部皆惡的無趣的話。但不要忘記微笑的內部深處，沉澱著歷史沉重的堆積物，我願在此提醒一句。

「良藥苦口」比喻得好。《現代史資料·台灣（Ⅰ、Ⅱ）》在某意義上可說是日本過去的當局者與他們主觀的意圖無關地做為歷史的證言（殖民地統治的傷痕）留給我們的「良書」。只因為是「良書」，我擔心目前的日本很遺憾有被惡幣驅逐的可能性很大。如對台灣的歸屬想做有效的預見之士，勸君務必將本書與《台灣問題重要文獻資料集》〔《台湾問題重要文献資料集》〕全三冊（龍溪書舍）、《台灣社會運動史》（龍溪書舍復刻刊行），以及最近在台灣出版的《台灣民族運動史》（台北市《自立晚報》叢書編輯委員會）一併閱讀。又想了解真實亞洲的一個前提是，我認為要把這苦澀的「良藥」讀透讀懂，首先必須來打破「在台灣日本軍國主義沒做壞事，或台灣的殖民地統治是未曾有過的成功例子」的神話，不知讀者諸君如何作想？

本文原刊於《日本讀書新聞》，1972年3月13日

殖民地統治與人性的破壞

——吳濁流《黎明前的台灣》[*1]

◎ **林彩美譯**

日語的表現有「自他所共許」，或者是「自他所共認」是常見的，但不知為何「自他所共知」卻是見識膚淺的我所未曾見過的。自他的「自」不必說也是「自分」〔譯註：日語中指「自己」之意〕的自，但「他」卻只有「他」而沒「他分」[*2]一詞。

前些日子，在《中日新聞》的座談會「討論・1970年代的睿智」（1972年4月17日）上，筆者唐突地向堀田善衛先生確認日本人有沒有「他分」的詞語與想法。堀田先生躊躇而說「不！自古就沒有。沒有」。（詳細請參照堀田善衛、長洲一二、戴國煇等共編《討論日本之中的亞洲》，平凡社，頁48）〔參見《全集20》・自分與「他分」〕。

為什麼有自分而沒有「他分」？說不定是不能容許「他分」，所以真正「自分」的確立也不容易吧。

＊1 吳濁流，《夜明け前の台湾：植民地からの告発》，東京：社會思想社，1972年。本文係針對此日文版的書評。

＊2 「他分」是著者的造詞。因日語只有自分。戴國煇提醒日本人應關照到「他分」。

因為沒有「自分」的確立，所以自己和他人所共知的表現與想法都不容易產生吧。甚至於不是據「理」與他打交道的圖式，而是對他移入自己的「依賴」——心知肚明、默契、閒靜與古雅，或是感傷——把與他的關係一直置於曖昧、硬使自己信服的吧。

說起來我開始這樣想，是知道相當多數的日本人肯定台灣的殖民地統治，深信「與其說做了壞事，毋寧是為其進行了近代化，根本沒做壞事」之故。這個差距是多麼地大呀！本來所謂殖民地統治應該是：個人無論如何想做好事，都不會被容許，也是不能做的體制。

這暫且不說，面臨此轉換期的苦惱之故，日本論、日本人論引起出版界的大流行，是因為經濟動物、黃色膚的美國佬、反對日本軍國主義復活等反彈的聲音高升的時機，而出現「來做受歡迎的日本人吧」動向的出現。

然而任何這些在「他分」的亞洲人眼裡映入的，只是「自分」世界裡的諸手續，並非明確地承認有「他分」的世界之後，做「自分」定位的努力。

對台灣所抱持的「台灣人在懷念我們，日本替台灣進行開發」云云，我以為日本的老百姓的感情正在上述思考樣式的延長線上。

面對著這情景，「他分」之方的感情是如何呢？

在此要介紹的吳濁流著《黎明前的台灣》，恐怕是我們現在能夠到手的、要想知道台灣老百姓感情最好的書。

作者吳濁流在1900年，亦即日本占領台灣五年後出生於台灣中北部的新竹，今〔1976年〕以完成長編《台灣連翹》與漢詩2,000首（現在1,900首）為目標，目前仍在從事創作的73歲作家與漢詩人。又據聞，吳先生在等同於文化沙漠的近日台灣，撥出私人財產（吳先生並不富裕）擔任季刊雜誌《台灣文學》的發行工作，並且還設置文學獎，要培養做為中國文學一部分的鄉土文學，傾注其「年輕」的熱情。

本書正文包含〈無花果〉與〈黎明前的台灣〉，前者占了大半，後者是短文的隨筆。附錄有中國文學研究家飯倉照平所編的作者年譜與適切的註解，還收錄有尾崎秀樹簡潔、清楚而有看頭的解題「吳濁流的文學」等，成為一本厚實的書。

首先讀年譜之後再讀〈無花果〉，便可立即知道文中姓古的老人是作者吳先生的分身。

作者並不是為了告發日本人而寫〈無花果〉（據我的查詢是，副題的「從殖民地的告發」是由出版本書的相關人士們的命名，因此是原書所沒有的）。依本書開頭的陳述目擊二二八事件（復歸祖國後的1947年2月28日，為反抗國府陳儀的施政而發生的台灣民眾暴動）為數不多的新聞記者，因辭世、隱居或轉業而不留紀錄之故，恐怕今後真相有更被扭曲之虞，遂將真相「打算大膽率直描寫看看」而開始寫作。

從而可設想為日本人讀者最表關心描寫殖民地時代，被統治者台灣人與殖民者日本人心理糾葛的部分，說起來是為了弄清楚二二八事件的遠因之故而寫。

作者誠實、不擺姿態不誇耀、淡泊而穩重圓熟的寫法，應可打動讀者的心吧。透過戰前、戰後四次的日本旅行與擁有許多日本朋友之故，我可以讀出他對日本也極為公平。

「風雪能鍛鍊人」指的就是這個吧。能幹而硬頸，內部深處根深柢固地懷著民族的矜持之故，對傲慢殖民者之歧視與凌辱發出抗議。反抗雖是極微小，但報復是相繼的被降職，最後在學生與群眾面前遭受郡（處於縣與鎮之間的行政單位）督學打了頭部而辭去教職的一段，應使得有心的日本讀者的心絞痛吧。對日本人的確是沉重的讀物。但是文中隨處插入的作者的漢詩（竹內照夫教授譯），是讓我們嘗嘗在嚴酷風雪中無限的「人的故事」並稍作歇息。

說到台灣人的聲音，就只聽到台灣獨立運動者之聲音的人們、至今猶認為日本人在台灣統治沒做壞事的老好人們，我想都可透過本書，深深地知覺殖民地統治是如何地伴隨著人性的破壞。

如能同時判讀出台灣獨立之運動者不外是日本統治所生下的「存在」〔譯註：鬼胎〕，作者也會感到高興吧。

現在，不能那樣判讀的話，終究是不能發現「他分」世界的存在，也聯繫到不能正確認識亞洲人與中國人，如尾崎秀樹在解題上所說「與亞洲諸民族的友好也不成立」吧。再者，《無花果》是在台灣島內第一個「大膽率直」寫二二八，也因此受到禁賣處分。

補記：譯成日文的吳先生著作，除本書之外還有下面二書：

《泥濘》〔《泥濘に生きる——苦悩する台湾の民》〕（社會思想社）

《亞細亞的孤兒》〔《アジアの孤児》〕（新人物往來社）

本文原刊於《中央公論》，東京：中央公論社，1972年9月

「大和心」與「中華之心」

——嶋倉民生《北京日記》*讀後感

◎ **林彩美譯**

我書架中的「暫時不用」架，大約已有百冊吧，各種各樣日本人所寫的中國（當然包含台灣）旅行記的同類書。

有蒐集舊書癖好且有些乖僻的我，以為不屬於「正統」且是所謂的「落穗」之中，或許有人類的「遺失物」，我寄夢於此，孜孜不息所蒐集的雜書之山就是為了這個。

那麼，又何故「堆積」在「暫時不用」架呢？或許會有對此感到不解的朋友。

本來，「暫時不用」與「堆積」都不是我的本意。

想想，我們這些1920年代以後出生於台灣的中國人，不能堂堂正正去自己父祖之地，涉足中國大陸是不容易的事。不！那狀況現猶持續著。

在日本帝國主義下的台灣時代，為促進固定台灣與大陸的分割，殖民者當然地妨礙我們的前輩與大陸往來，監視、限制，且惡劣地利用。

---

* 嶋倉民生，《北京日記》，東京：日本経済新聞社，1972年。

八一五的終戰，台灣回歸祖國，雖只有三至四年之間，曾帶來台灣海峽的自由化。但正值戰後的混亂期，往來的人不多，例子也稀少。

1949年秋以降以至今日〔1973〕的狀態，大家都已知道吧。封鎖台灣海峽的是美國的艦隊，而以在日出身台灣的華僑來說，是日本政府在做梗。因為到最近，出身台灣的華僑與大陸的往來，只許可「近親訪問」的案例，而許可數也極少。如果日本當局不准許「再入（日本）國」，他們就失去在日本的生活基礎，所以不得往來。

可說未體驗過民族的分割與嚴苛的壓抑體驗和風雪的民族，幾乎不能理解，既不是社會主義者，又不是共產主義者「享受著充足物質生活」的華僑階層，也在內心渴望往來大陸的心理與現實。

不好意思要涉及私事，東京奧運前一年，因患不治之病而倒下的在日華僑的次兄——他曾被強制志願學徒出陣，日本敗戰後是帝國陸軍波茨坦中尉——臨終前他說的「我終於不能看到父祖之地與祖國的山河就要死啊」的悲痛流淚情景，我讀到《北京日記》的「做一個能堂堂正正、大闊步行走世界的人，莫忘大和之心」（松村謙三【1883～1971，政治家，早稻田大學政經系，由記者而縣議員，第一屆普選當選眾議員，除1945～1949年遭公職追放外，共有35年議員生活。並歷任厚相、文相、農相。戰後扮演聯絡中日兩國間管道的角色，在貿易聯絡事務所的開設、交換記者、文化交流傾其堅忍的努力；在內對日本農地改革等卓有貢獻】先生的揮毫）的一段而想起，無法阻止熱淚盈眶而出。家兄既未能「大闊步」，因其屬於常受日本人強制忘記中華之心的「失落世代」中的一位。但是他對父祖之地的思念是炙熱的，民族愛的根基從未動搖。

言歸正題。我們對自己父祖之地、祖國山河是不熟悉的。二哥和我不是社會主義者，何況更不可能是共產主義者。頂多是在自己的內部與「殖民者所強給的價值體系」一邊對決，一邊嘗著不可言喻的辛酸與努力，重新取回民族的自覺與尊嚴。換句話說，只是苦鬥過來、「膽小的」台灣出身一庶民而已。

因只是這般庶民的一分子之故，對中國大陸的風物、在那裡發生的諸事很關心。

我們透過外國人，特別是日本人的眼光與見聞來逕自描繪祖國之像。我是比較幸運的。由於殖民統治而被剝奪的自己的語言與文字，經過費盡心血取回，還可藉由中文文獻來畫祖國的像，比起我們這一代，家兄以及其同世代以上，幾乎全部的台灣人，無法取回被剝奪的文字與語言才是事實。「殖民地之傷痕」可說猶深。

日本人所寫的中國見聞記、旅行記之類書，多到氾濫的程度。因為此氾濫的資訊，家兄的世代也是失落的世代，我有一天突然發現，他們幾乎被這些資訊淹溺的事實。

我驚訝他們所描繪的中國像，顯著地像日本人畫的。我與家兄世代的意識偏差，將之擴大引申，便是我與日本人的中國像的偏差。

所以，想到把日本人的中國見聞錄的類書盡可能蒐集，有朝一日以自己的眼睛，看祖國的山河，以鼻子聞祖國大地之氣味，可以做確認時，我想試將這些類書所描繪之像加以分類做分析。這是「堆積」的理由。

《北京日記》不是我買的書。是作者嶋倉民生的贈書。

嶋倉兄是我所奉職的研究所同事。他怎麼看我，我未問過，但至少我是把他當知己的。

我們的友誼是1965年夏（當時我從研究所畢業到亞洲經濟研究所擔任約聘人員參加研究工作。他比我早些，也在那年春天由農林省派來的）以來的事。這中間他被派駐香港、北京共約四年，所以實質上的交友期間算算是約三年。但是我的感覺並不像三年那麼短，像是長久長久的知己。

有如此不能以數字計算的感覺所培植下來的，大概是因為他的人品好之故吧。在此人心荒廢、人情味淡薄，可說少能相信他人善意之困難世間，他墨守誠實，對人生準備要以正面相向，旗鼓相當地對峙，降低身段，擺正常態勢的好人物。

他在自著之中，把自己規定為「日中友好促進運動」的「運動員」，而絕不是所謂的「中國仲介」之類。

一讀《北京日記》即可知他不是「主義者」或左翼。

嶋倉兄敬愛孫文，因他是被動員去建設王道樂土「滿洲國」的一位農學者之子，所以以民生主義之「民生」為他取名。

讀了《北京日記》令我吃驚的是，不在他所述的中國的改變、中國的人們、中國的諸多事物，而是「滿洲之子」嶋倉民生的改變，做為中國研究者其識見踏實的擴大。

言歸正題，我預想《北京日記》今後會繼續被閱讀，而也如此期待。

我如此預測並期待的理由無他，是以一個中國人研究者的我，至今所讀此類書中，可以說幾乎沒有不協調感而可讀完的一本書。

《北京日記》寫的透徹、寫的成功，與他的人格有很大的關係是不待說的。

應該可想成從他的人格衍生出來的。他用自己的話，而不是用頭腦，是通過自己的身體來理解並談中國與中國人。他也不讓人感覺到不愉快，顯出自己的本色在撰寫，都造成這本書的「可讀性」。

他當為這本書作者的成功，可想做因為他不是中國的專家（現在已是無可否定的堂堂專家之一）而意外地幫了他。日本的很多外國研究者，完全不懂自國的事，像斷線的「風箏」，一意追求稀少價值來主張自己的存在，不站在自己的場地來看外國。嶋倉兄不是這樣，我認為他大概因非專家（原諒失禮）之故，而避免一般人所會墜入的陷阱。他是農林省的菁英官僚，因此他熟悉日本的農村、日本的政治、日本執政黨的體質。這令他加深對中國、中國人的洞察力，常與日本的比較從表面與背面，斜面凝視著中國與中國人。

他溫暖的人類愛、豐富的人情味、對文學與詩的愛好之心，使《北京日記》有詩情，把中國的歷史與人、自然與人，讓讀者忘卻時間，沉溺其中而心滿意足。

嶋倉又站在故松村謙三與岡崎嘉平太〔譯註：1897～1989，東大法學部畢業，由日本銀行轉上海華興銀行至日本戰敗，戰敗時以上海大使館參事官與中方折衝，盡力於日本人的遣返事務。

中國人民共和國成立後，一貫採取中日國交正常化的立場，為中日恢復國交扮演重要角色。歷任池具鐵工、丸善石油、全日空社長〕。嶋倉的「莫忘大和之心」的民族主義立場（我期待此「莫忘大和之心」能同時也能知道，容納愛奴之心、琉球之心，更伸展到在日朝鮮之心，而成長發展為真正的日本民族主義），而在此中又導入社會科學分析的觀點，他的中國論就有說服力。因此未墮入「靠攏」論與「貶低」論，抱持不忘自我批判的對象批判之確切眼光，這一貫姿態，而可得到很多讀者的同感吧。

在毛澤東加上主席、周恩來加上總理的尊稱就以為是親中國的自慰的人們，又，不管對什麼事都要穿鑿，不貶詆就不能正確描繪中國之像的傲慢人們（不用多言，貶詆並非批判）占多數的日本今日狀況下，嶋倉兄的《北京日記》是可貴的。

可期待圓熟的大和之心，有朝一日能與嶄新的中華之心相知之時。可是那日之到來，絕非形式上的國交，以及在中華料理宴席上口頭的友好辭令所能保障的。民族間相互認識的深化才是那日到來的前提之一。做為認識中國、中國人深化的手段之一，我向日本人的大家推薦一讀《北京日記》。

本文原刊於《中日新聞》，1973年1月7、14日，第26頁

應該承認有「他分」的世界

——《日本人與亞洲》序文

◎ 陳鵬仁譯

資本主義陣營的金融危機，通貨膨脹的不斷惡化，公害、資源乾涸等問題開始明顯化時，曾經不斷地對人們講述充滿希望仙境的部分日本未來學者便噤聲悶在其書房內，其他的一部分人則轉而沮喪而改說現今的危機是「世界性規模」、「全球性規模」問題，而拚命提出警告。

但這個故事是，自始就由已開發國家傲慢的人所界定和灌輸為「被動的」、「停滯的」、「與北方的差距越發擴大不爭氣的南方」，與「落後」的亞洲毫無關係的故事。我想這樣也好。

但所謂危機，是自己所屬體制危機的各種表象，頂多與「南方」的有錢人直接有關係的問題，不能說是「全球性規模」或「世界性規模」的大問題。

培育出用了就丟、穿了就丟，一邊擔心心臟病和糖尿病，還繼續享用美食生活結構和習性的人們代表，今日卻想拉扯只過著1,600卡路里以下生活的「落後的人們」為夥伴，而大肆警告資源乾涸為「全球性規模」的問題，實在是匪夷所思。

南方的有心人知道資本主義體制下的商品和資本輸出，正在借經濟援助之名進行。東南亞的人也看出：自我本位的高度（經濟）成長政策，只以GNP的提升為自我目的的經濟活動帶來和擴大公害，這個公害將轉嫁於「被動地區」東南亞的事實。

有人描繪如下的圖表，即美國與中國接近，中國與日本建交，越戰的停戰，可預見美國撤退（越南）後的亞洲情勢，有人預測東南亞將成為三個中心勢力或五個中心勢力下的真空地帶，即將成為「中日競爭的舞台」和「中日對決的場所」。

這個聽起來好像有道理的圖表所說的「中心勢力」，當然沒有包括東南亞。雖然把東南亞當作真空地帶，如講得極端，這簡直沒有把這個區域的國民放在眼裡。

關於中國會不會站在強權政治的立場來行動暫且不談，在倡說中日兩國「競爭」與「對決」的論者眼中，大概看不到東南亞的人與自己一樣血脈流通，是與自己對等、同格的活生生的人。

主張此種邏輯的人，往往愛斷定比諸日本需要亞洲，亞洲更需要日本，否則他們無法生存。他們的任何立論，皆在根據日本與東南亞各國的貿易收支表的數字和貿易依賴度這一點，很奇怪，都是一致的。但這些論者，一開始看貿易收支表，即在他眼中非對等、非同格的東南亞人，都可以對等和同格來看待。

由於這些邏輯中經常沒有人的存在，因此他們不能發現貿易收支表下面，東南亞一般大眾深藏的生活方式和價值觀，與自身的有所不同。當然，從一般大眾的層次所看到的日本與有關國家的相互依賴度，從收支表既無法正確測出，也無從比較的，可是卻仍然在玩弄數字的魔術。

住在高牀式以椰子葉作屋頂的房屋，不必買「時間」可以睡午覺，很會享受大自然生活的東南亞人生活方式，與受「現代化」機制的束縛、幾乎不能直接接觸到大自然的日本人，每天忙於「時間」的買賣，沒有汽車、瓦斯、電就不能過日子，煩惱精神上壓力之已開發國家日本大眾的生活方式相較，其差距之大，從論者先生們喜歡使用的指標和圖表是看不出來的。我相信他們完全不知此種情況。

這些傲慢的人們卻仍然在說大話，東南亞貧窮，很是落後。因此主張已開發國家的日本人，必須援助東南亞。

知日派的東南亞人覺得奇怪的是，愛好小小野花、以為一寸的昆蟲也具有五分靈魂的日本人，為什麼不把存在野花和田園昆蟲之上的東南亞人放在視野裡。日本人個人以謙讓為美德，與外國人接觸時，對白人無意中很謙卑，但對黃色亞洲人卻很自大。

至少在明治時代，尤其是中日甲午戰爭以前的日本人不是這個樣子。

所以在歐洲帝國主義者的殖民體制下，忍著痛苦的東南亞各國領導者，未看透在日俄戰爭中打贏俄國的是日本帝國，卻有日本大眾勝利的幻覺，以為黃種人可以打勝白人，甚至於忘記了在日俄戰爭所流的血，大多是做為「滿洲」戰場的中國人「無告之民」的血，誤以為日本的勝利是自己夥伴（黃種人）的勝利。

抵抗歐洲帝國主義的亞洲知識分子，爭先恐後地訪問日本，欲學習明治維新。他們曾經因以同樣皮膚顏色、類似的相貌、種稻以米穀為主食，一廂情願把日本人認作自己夥伴，而未能正確認識逐漸成為資本主義國日本之冷靜透徹的行動原理，以為與日本人「連帶」能夠恢復自己的尊嚴和自己國家的主權。另一方面，日本人卻想與歐洲為伍而提倡脫亞論，企圖隨意控制亞洲而大倡興亞論。

不用說，脫亞論和興亞論，可以說只是同根但欲追求霸權之日本帝國主義的同卵雙胞胎。但如果說，主張興亞論的日本人，在主觀上完全沒有善意是言過其辭。日本的論者不知不覺中陶醉於自己所提倡的興亞論，而且，被日本帝國主義急速高漲的波浪推擠中，而被推上這波浪的日本一般民眾，也陶醉於他們的美麗詞句。陶醉於「興亞」這個詞彙的不只是日本人，我們知道我們的前輩也被迷惑，而以搶搭巴士的心情，苟且搭乘的史實。

霸權的邏輯，歸根究柢只能導引出弱肉強食的行動原理。在這一點，國家之間的道義和公理，只是強者欺騙用的裝飾品而已。這首先驗證於歐美帝國主義的侵略和殖民體制的壓迫之下，其次直接受害於認為是夥伴的日本人之帝國主義侵略時，親身體驗而理解到。

二次大戰後的日本，從敗戰後復興到新打扮出發的脫亞論，以美國民主主義為師，開始民主化，以迎頭趕上歐美的現代化為口號，在國內爆發其前所未有的精力，所以在短暫時期，還不能返顧到亞洲。但日本政府於1965年版經濟白皮書宣稱「已經不是戰後」，因「1960年安保」取代岸信介出任首相的池田勇人，在國會公開說「日本是大國」那一時點，其情況開始變了。

由之，日本與東亞的關係，也形成了一個模式。在因高經濟成長政策資本相對不足的情況下，一方繼承和履行岸內閣的賠償援助政策，但在另一方面，開始以美國的資本、日本的技術、亞洲的資源這個模式，與亞洲建構其關係。由於推動高經濟成長政策的結果，從1960年代後半尤其是進入1970年代以來，日本國內的勞力市場有其結構性變化，已經不再需要美國的資本，而以日本的資本和技術、亞洲的勞動力和資源的新模式，與亞洲建立更深的關係。

在民間，有過剩的美金外匯，因而掀起外國旅行風潮，其旅行對象地區的一部分是東南亞，於是日本人對東南亞的見聞有史以來大大擴展。雖然如此，日本人的亞洲觀基本上沒有太大的改變，我覺得非常可惜。

的確，戰後的日本人對於二次大戰很是後悔，所以主張以武力為後盾的南進論一時雖銷聲匿跡，可是到了1960年代，以經濟外交為支柱的亞洲進入論卻又開花了。但被稱黃皮膚美國佬、經濟動物，泰國的排斥日貨運動，新加坡的排斥日本企業一開始，由於經濟也是一種「力量」，因此引起只以赤裸裸的經濟前進是不行的反省，乃開始提倡要促進文化的交流。

雖然為數不多，日本的有識之士也開始主張應該尊重東南亞人的生活習慣與風俗，接受其價值觀的差異。但連這些少數有識之士的主張，卻仍然停留在主張去除島國根性，要其同胞養成做為國際人的教養，以更謙虛的心情與「當地人」接觸，並學習他們等，大致僅止於「修身論」。

從上述東南亞真空地帶論，只是「被動」地區的東南亞，只是中日競爭與對決場所的東南亞等主張，與「修身論」共存在引導日本人的亞洲論這種現況看來，「修身論」充其量只是欲緩和東南亞各國反彈和反感的對症療法藥方、「貼橡皮膏」的議論，這是今日東南亞有心知識分子的感受。

就是欲促進文化交流的想法，也不是從視鄰居之東南亞人為對等、同格的人，與日本人一樣具有自己文化，和世界的一切人類一樣，為共同改寫世界史不可或缺的中堅分子，肯定其為歷史主體的這種想法出發，是很可悲的事。

日本的某位教授曾經這樣反省過：「正如最近的經濟動物的議論所示，日本的影響力太偏於經濟，在文化面的影響很弱。如果領取不伴隨文化上的影響力即鮮有永續性這個歷史教訓的話，對於今後東南亞的活動，應該極力重視文化面」，與「在經濟層面積極活動的同時，亦應該積極推動文化層面的影響。因經濟也是一種力量，故如果只偏重於這方面，勢必將重演只靠力量的過去錯誤，日本對東南亞的影響力，或又將欠缺永續性」。這樣充滿善意的主張，因為是善意的建言，反而不容易感覺自己所陷入的陷阱。

岡倉天心〔譯註：1862～1913，美術評論家。原名覺三，天心是別號。橫濱出身，東京大學畢業。東京美術學校第一任校長，創辦《國華》雜誌。後來出任美國波士頓美術館東洋部長，往來於美日之間，以英文著有《東洋的理想》、《日本的覺醒》、《茶道》等書，馳名國際〕曾經把多樣且多元的廣大亞洲硬說成「亞洲是一體」。他甚至自負不忌憚地說：「要將這複雜統一，明白地實現是日本偉大的特權」，「擁戴萬世一系的天皇這個無比的祝福，從未被征服過的民族自豪與自恃，將祖先傳來的觀念和本能，以犧牲其擴大而固守下來的孤立島國，這使日本成為亞洲思想和文化的真正儲存庫」。這個邏輯，日後被利用於「大東亞共榮圈」構想，這是大家都知道的。

日本人習慣於縱向社會（自己人；內部的）的規範，由於生活在以此為優先的社會，所以日本人的字彙裡只有「自分（自己）」，沒有「他分」一詞。因此「在文化層面的行動」，只能是由日方片面強加諸於人的文化交流。我認為，沒有承認「他分」為前提的交流，這個時候的文化與經濟一樣也是一種「力量」，對其他民族的衝擊還是很大的。

搭配《聖經》與大砲，美國民主主義與B52〔譯註：美國轟炸機〕對其他國家、其他民族的「行動」，其大義名分可以想出和主張有如山那麼多，但這畢竟是「多管閒事」。其最後皆為失敗的事實，近現代史已有活生生的教訓。所以我要大聲疾呼：日本人必須承認有「他分」的世界，並以此為前提去摸索如何與亞洲各民族建構新的關係。我認為，不承認「他分」者，是無從確立真正的「自分」。如果無法確立真正的「自分」，則日本人不但在亞洲，在世界都只有成為「孤兒」流浪下去。

本文原收錄於戴國煇，《日本人とアジア》，東京：新人物往来社，1973年10月15日，頁7～14

《日本人與亞洲》後記

◎ **陳鵬仁譯**

本書集最近二年應邀隨意所寫的雜文類，包括啟蒙性論文乃至隨筆、雜文而成。

回想起來，我來日本已經第18年了。

由出生在日本殖民地時候的台灣，以及在日本生活下來（不要說奮鬥下來這樣動聽的話）僅以時間來說，我似乎大有資格說我是中日兩國的「境界人」。

從未跨足中國大陸（不包括九龍半島），或許是一個缺陷，……不，正因為這樣，我才具有「境界人」的資格。

在日本過生活的「境界人」的我，不是因自己的選擇（這樣說法或許有點不負責任，欠缺主體性，但請能寬容），在不知不覺之中，被「壞」編輯者的朋友們，給賦予「境界人」的角色，至少在發表言論的立場上，我有被硬推上之感。既然是被推上，我腳下應該有「梯子」。這個「梯子」何時會被撤走，或保持著它，完全要看我與狀況的緊張關係今後如何展開而定。

我自己雖然被推上變成「境界人」，且這個「境界人」的角色是滿重的，但最近逐漸覺得這個角色也不錯，這是目前真正的感受和心境。

我不但堅決主張中日之間不能再有戰爭，而且希望在論壇努力要使驕傲的「文明人」，接受在亞洲甚至一切仍然受壓迫、苦於桎梏之人們有「他分（己）」的世界。

而本書所收入的文章，也可以說我這個「境界人」基於此種意圖所做努力的一點成果。

如果各位讀者諸賢能接受並與我共有這個成果的話，我將喜出望外。

望外之喜當然是因為能報答並致上謝意給那些鞭撻懶惰的我，且給想像力貧乏的我以諸多啟示的亞洲經濟研究所的各位前輩和「壞」朋友們，以及編輯諸兄姊的提挈。

如果沒有恩師東畑精一、神谷慶治，以及給我無上盛情厚意的穗積五一諸位先生的不斷鼓勵和鞭策，不可能有本書的誕生。於此謹表感謝。

1973年8月15日

戴國煇

本文原收錄於戴國煇，《日本人とアジア》，東京：新人物往来社，1973年10月15日，頁276～277

等待已久的「通史」

——藤村道生《甲午戰爭——東南亞近代史的轉折點》*

◎ 林彩美譯

如作者自己所說，《甲午戰爭》是「亞洲諸民族同夥間的戰爭，因此把全亞洲開放給近代帝國主義來分割競爭，也是日本民眾自身被牽繫於帝國主義化日本國政府梓故契機的『應該深為痛歎的戰爭』的全體像，在東亞洲的歷史之中做綜合的整體觀」的嘗試，「紀念甲午戰爭80周年，祈念東亞洲諸民族真友好的達成而寫的」書。

坦白地說，評者有著很強的期望、等待很久的書終於「晚產」出世之感。出版景氣、歷史景氣蔚為話題已過了數年，至今方看到成為東亞史更是全亞洲史轉折點的甲午戰爭通史的刊行，才是問題。

很多日本人現在還深信甲午戰爭是場「勝利」的戰爭，與日本帝國主義對中國侵略或亞洲侵略的起點在「滿洲事變」（九一八事變）」。

* 藤村道生，《日清戦争——東アジア近代史の転換点》，東京：岩波書店，1973年。

最近對田中總理之訪問為契機、排日運動群情騷然的東南亞情勢的理解，頂多也只把原因歸諸於近年經濟投資的人為多。

如果閱讀本書便可發覺，日本的行動方式，做為組織與亞洲接觸的實際情況意外地少有變化。在此意義上，這是一本讀法如何，而可得無限啟發的傑出之作。

作者一邊嘗試盡可能客觀地把甲午戰爭定位在當時世界史階段的國際關係之中，同時也沒漏看在戰爭的戰禍中所嘗到的塗炭之苦，站起來反抗侵略、反封建的朝鮮民眾；再者，是對美其名為「割讓」侵略抗戰的台灣民眾整體的動向，成功掌握到相當的程度。

特別是作者以甲午戰爭為契機「日本民眾自身被牽繫於帝國主義化自國政府之桎梏」，對於亞洲民族，此戰爭是「應該深為痛歎的戰爭」來接納的姿態，令我們有無盡的同感。

又本書與同類書不同，正確地以台灣民主國防衛戰爭為甲午戰爭的最後一幕，與評者長年主張的觀點一致，因此特別高興。但不知是否受其他研究拖累之故，看漏了台灣抗日鬥爭的原動力應是開拓農民與地主的聯合勢力，這是很可惜的。

再，日本方的台灣割讓主張與「台灣出兵」（1974年）的關聯則論及，甲午戰爭是決定琉球歸屬的其中一個因素，是否也有必要論及此，是我所要賜教之處。

本文原刊於《東京新聞》夕刊，1974年1月19日，第3頁

廣泛獨特的採納

——伊東昭雄等《中國人的日本人觀100年史》*

◎ **林彩美譯**

讀著本書《中國人的日本人觀100年史》我想起先父所說的話。雖很不好意思涉及私事，但看在先父也是中國庶民之一，而有所寬容。

曾因消極的抗日而有過牢獄經驗的先父，理所當然對日本帝國以及日本人抱有諸多批評與非難。但他對日本人的愛清潔、守紀律且對外團結，個人每日試著反省勤修養三點，評價為日本人的優點。評價反過來即是對自己缺點的批評，對幼小的我們兄弟苦口諄諄地曉諭要學習日本人的優點。

想想試著反省而勤於修養的教誨原本是從《大學》的德目「修身齊家治國平天下」來的吧。問題是在當時的中國，此德目已空洞化，而在日本尚存活力。不，明治維新以來，在日本個人與家、社會、國家有得以一致行動的狀況，是否適當，此另當別論。所以在上位者對老百姓要求此，而善良的老百姓也願以「修

* 伊東昭雄、小島晉治、光岡玄共著，《中国人の日本人観100年史》，東京：自由国民社，1974年。

身」報君國的吧。

因此德目存在的緣故，自明治41至42年（1908～1909），實際有全二卷、3,224頁的《歐美人的日本觀》〔《歐米人の日本觀》〕由大日本文明協會編纂，以非賣品發送。以歐美為師、敬仰的當時日本人前輩，想將以前如對《論語》般，把歐美人之聲當「天聲」聽吧。遺憾的是處於破竹之勢的大多數大日本帝國朝民，已不具聽「人語（人的話）」的耳朵。

外受列強、內受封建勢力壓迫痛苦掙扎的中國大眾，正是拒絕了「天聲」，發出「人語」創造出自己的近代，嘗試向現代飛躍。可以說此態度之不同，使日本與中國的近代走向全然不同的方向。

也不是沒有感到此書出版稍嫌遲了些，到「昭和50年（1975），希望日本民族轉生的中堅學者小島晉治等人編譯了中國的「人語」問世，就是本書。

本書的前史以近代以前的中日關係與中國的日本觀為序章，輕輕地帶過，本史分為鴉片戰爭——甲午戰爭、甲午戰爭——第一次世界大戰開始、二十一條要求——山東出兵、中日十五年戰爭期、抗日勝利剛過後、中華人民共和國以降之六期，並附上簡潔的內容簡介，把中國人近百年間的對日言論編譯，提供給讀者。

採納從右到左，更關照到學生的言論是很獨特，又把以往缺漏台灣之弊補填之處，是既具卓見又很珍貴。

如果恕我進一步要求的話，從近代中國第一部的《日本研究叢書》（上海特別市黨部宣傳部編輯，世界書局印行，1928年）

的主編，陳德徵的序言、夏衍的《日本的悲劇》（1937年）、魚返善雄編註《中國人的日本觀》〔《中国人的日本観》〕等也有所採納，而且林語堂的《日本必敗論》（宇宙風社，1938年）如有被與其他同種的論文比較檢討的話，則「人語」便更豐富多采，而在對應日本侵略的中國人言論立場之諸情況，也更鮮明活躍地被再現而傳給讀者吧。

又解題說吳濁流：「悄悄地……繼續寫自傳要素很濃的小說《無花果》」（頁302），應是《亞細亞的孤兒》之誤。請訂正。

本文原刊於《公明新聞》，1974年9月9日，第8頁

近代日本與台灣

——台灣留學生前輩的台灣研究

◎ **林彩美譯**

1970年元月，我在東南亞調查旅行的歸途順路降落在那霸。目的是去見聞復歸（日本）前的沖繩經濟，以及去訪問雖是舊知、但未有機會親聆雅教的《琉球新報》社長池宮城秀意先生。

在接受池宮城先生款待的席上，我詢問：「殖民地統治本來必然地伴隨所有罪孽，但將其結果在日後——特別是自殖民地統治獲得「自由」之後，不以感情論而以邏輯歸根究柢，也不必然只有負面，那麼沖繩的情況是如何呢？」在這裡我所說的「也不必然只有負面」的主張，當然不能成為正當化殖民地統治的論據，更不希望那樣。

池宮城先生回答：「正如您所說。如要指出正面的東西其最大的是，自琉球處分〔譯註：琉球被併入日本領土〕以來到最近，透過琉球人・沖繩人的全階段，我們大多數人在內部都不抱有堅定的信心。但可說不幸中之僥倖吧。以世界「最強」的資本主義國美國為敵，踏實地積累了勝利，基於民眾體驗的自信，逐漸培養出沖掉沖繩人一直以來所抱持的自卑感此事。」心想果然如此，我還記得接著問他：「今後或許有虎頭蛇尾地消失之虞，但『沖繩問題』、『沖繩學』如此地喚起關心，出版品問世也可做為『成果』之一舉出吧。」（池宮城先生的發言是依據我記憶，故文責在筆者）

「邊疆之地」的情況，如很多史實所示，只要不發生「問題」的範圍內，或「中央」需要邊疆服從自己意志的必要發生，始會喚起中央的關心，才會被進行研究是人世間之常情。

台灣以往的例子也不例外。拿進入近代以降的台灣來看，如近年台灣喚起世界規模的關心，研究書籍的刊行如此興盛的時期，除了最近是沒有過的。說起來是「台灣問題」尚儼然繼續存在之故，而出現這種狀況。

有圍繞台灣的這種狀況與特異的政治「氣候」，而且日本從「台灣出兵」事件（1874年）以來，儘管實際長達百年之久以侵略、殖民地化為中心持續有極深的瓜葛，可是戰後日本人的台灣研究即使恭維也不能說是盛行。又對中日雙方十分有建設性、且經得起歷史考驗與可評價的成就，包含論文、單行本也不超過十指吧。在如此的研究狀況下，做為異色的存在、徐徐呈顯其風采的是，戰後從台灣來的留學生諸兄的台灣研究。

從1953年開始來日的留學生之中，「正經」志於社會科學（包含人文科學）的人，特別在1950年代為數不多。是悲劇或喜劇今後的歷史會為之下判決，本來在台灣專攻「社會科學」的不少同學，又改變方向去學自然科學尤其是醫學的領域。而相反的例子可說幾乎沒有。想想，那心情一方面是對「政治」的恐懼；另一方面，本來留學的主要動機並不在「歸去」為目的的留學，正是為了留下為目的的留學之故，為了「留下」目的的前提做準備之一環，而多多少少拋棄自己的知識關心，嘗試轉變方向才是實際情況。

留在社會科學系的同學，也不得不背負著「學問・文化沙漠」的負荷與尾巴而面向日本的社會科學狀況。因此之故，大部分的同學便避開純粹理論，而嘗試可輕易把自家人隨割隨賣、容易取得學位的實證研究，尤其是台灣的事例研究。

但是也不忘記挑戰「正經」的社會科學，或者抱有敢於嘗試挑戰勇氣的人，在寫好碩士論文，喘口氣後，領悟到切割自家人零售的非生產性與界限，為了另一階段的飛躍而嘗試思想性營為。以時期來講，就是1950年代末到1960年代前半。

同一時期，美國為了對應蘇聯的斯普特尼克號〔譯註：太空船〕成功以後的，而且是呈顯劇烈變動的國際情勢之故，進入外交政策全面的重新檢討。做為檢討資料之一，把「兩個中國」論提出的《康隆報告》（Conlon Report）公開發表（1959年秋）。受美國動向的刺激吧，以往據《自由中國》（1949年11月創刊，1960年9月停刊）委婉地對體制加以批評的舊世代親美自由主義者反體制知識分子與一部分政治家開始為組成「反對黨」（在野黨）而集結力量（未問世即挫折）。

《自由中國》雜誌以政治、經濟、社會問題為中心，對之以在文化面的「新潮流」誌為目標的《文星》（1957年11月創刊，1965年12月停刊）受前誌停刊與反對黨運動挫折的全面影響，確實地增加讀者，提高影響力。受《自由中國》的末期與《文星》最興旺之期「時潮」洗禮的當時大學生，因有當局限制出境的緩和政策吧，1960年前後大舉出國留學。

他們現在當了「新潮流」的旗手，做為新世代反體制知識分子以歐、美、日為中心開始活動。新的旗手們內部隱藏著多樣的思想嘗試發言。發言與研究生活之場所幾乎放在「自由世界」，特別發「光」的不外是志於台灣獨立者的發言，研究也是（美、中接近，日、中恢復國交為契機，台灣獨立運動進入低潮期，現在〔1975年〕據說已四分五裂）。

台灣獨立運動家專攻社會科學的留學生諸君，把整個1960年代，用於發掘與構築自己運動原點為主要目的，傾力於台灣近＝現代史的研究。他們要把做為獨立的根據來利用的民族自決論正當化之故，嘗試創造「台灣民族論」。做為其思想行為的一環是把做為「台灣人」的自我認同對自己強加質詢設定中心課題（暫且命名此為第一類型）。

這些台灣獨立運動家的動向，相對的有以中國統一為目標的諸多動向。此動向特別自尼克森訪中前後開始明顯化，是眾所周知的吧。但依管見，劇烈地以中國統一為目標的動向，在日本的旗手的台灣研究好像未以明確的形式問世，因此很遺憾本稿不能提及。

那麼，留學生諸君的另一個思想行為的類型（暫且命名此為第二類型）如下。他們不但不贊同「台灣民族論」，而且認為台灣人本來不屬於與中國人相對立的範疇。於是他們對「台灣民族論」使一部分人懷彷彿存在的「幻覺」原因與狀況，再是嘗試重新發問其歷史過程。做為其一環，他們也問：「你，亦即台灣人來說，到底日本的侵略統治是什麼？」又1950年以降，在美國遠東戰略的架構內，所實行介入台灣海峽的意義做總合掌握為中心課題。隨著這種課題追求而產生的台灣研究，比起前面所舉台灣獨立運動家研究的「閃耀」，一般是踏實而厚重。

這暫且不說，東京大學出版會自1970年夏天以來，一直在出版的台灣關係學術書——1.黃昭堂著《台灣民主國研究——台灣獨立運動史的一斷章》〔《台湾民主国の研究——台湾独立運動史の一断章》〕（1970年7月）；2.許世楷著《日本統治下的台灣》〔《日本統治下の台湾——抵抗と彈圧》〕（1972年5月）；3.江丙坤著《台灣地租改正事業的研究》〔《台湾地租改正の研究》〕（1974年3月）；4.劉進慶著《戰後台灣經濟分析》（1975年2月）；5.涂照彥著《日本帝國主義下的台灣》〔《日本帝国主義下の台湾》〕（1975年6月）等說起來，可看成是前述時代背景與思想行為中，所產生出來的成果。不止於此，此五書全是作者們向東京大學研究所提出請求博士學位的論文增潤所成。

前二書不必我指出，是屬於第一類型的思想行為產物。作者黃、許兩先生均為在東京的台灣獨立運動年輕世代的代表領導者是眾所周知。他們雖是運動的實踐家，但把自己的政治主張極度地壓抑而以研究成果問世，即使有學位請求論文的制約，大致要給予評價。我也做為研究對象相同者之一，對於他們發掘資料所費的勞苦也應給以肯定。但是，他們正是屬於第一類型的留學生之故，把自己對問題的認識縮小，而其認識的狹窄也昭然呈顯於字裡行間。因篇幅的關係，詳細的評論留待別稿，在此姑且止於指出幾個重要之處。

要把「台灣民主國」做為問題的時候，應該把清末的洋務運動與台灣的社會結構，尤其是地主制放在視角裡，但在黃著卻把這些問題全部看漏未提。洋務運動與南北洋閥的關係，再是台灣的洋務運動與駐在台灣的清朝上層官僚的關係，如不能明確定位的話，筆者認為不可能解明與「台灣民主國」對應的清朝各派動向。在此意義，作者稍嫌過於依賴人脈論的分析，對全面的解明沒有有效地關聯。

接著移到許著。如許先生在序裡所寫「台灣人是什麼？」而再進一步「我是什麼？」一邊詰問著一邊寫完此書。但是恭讀此書，他所要詰問的「台灣人」形象卻完全不能明確地浮現出來。不是統治的客體，而是抱著追求做為政治主體的「台灣人」軌跡為中心思想，然而對高山族的起義與抵抗不只幾乎未提及，而連不提及的明確交代也沒有又是為何？讓人疑念不盡。又，普遍地說，許先生的敘述，與其說分析，不如說稍嫌過於羅列資料。要定位台灣左翼抗日運動的時候，雖然究明共產國際對殖民地問題的掌握法是必須的，然而他卻以介紹特高資料來塞責即完事，真令人惋惜。

第四本的劉著與第五本的凃著是以經濟分析為中心的著作之故，與我所說的思想營為的痕跡並不一定明確地出現。雖然那樣還是可從字裡行間讀出此兩著都無疑是第二類型所產之一部分。沒有時間讀完凃著的全文，但僅限讀凃先生在先前發表的「日本統治下的台灣殖民地經濟」〔〈日本統治下における台湾植民地経済〉〕（《思想》，1972年6月號）來看，「對台灣經濟而言日本統治意義」作者的反問，對上部結構把握不充分之故，不夠鋒利。與此有關聯吧，對矢內原忠雄批判也有需進一步之感。關於劉著我的讀後感是五本書之中最洋溢熱情、精力豐沛的成果。

第三冊的江著是，按我的說法，是我完全看不出其思想行為的唯一著作，這樣說諒不為過。那是因為，他不但是體制內留學生，本來他自身就是國民黨的土地行政官僚。他做為國民黨地方官僚與參與台灣農地改革，在此延長線上，問題認識在論文寫作上投下濃厚的影子。這更使他雖然自著的中心思想是「日本帝國主義在台灣的土地掠奪過程」，然而書名卻命名為「台灣地租改正的研究」吧。話雖這樣說，長期被埋沒的台灣總督府當局編纂的《台灣土地調查始末稿本》，被他從倉庫裡發掘出來的功績不能說不大。

不管怎樣，上記五著是台灣近＝現代史研究貴重的里程碑。作者的政治立場、思想行為的類型，也不拘其深度如何，他們的成果是今後的研究不可或缺的有效墊腳台，是無庸贅言的。

本文原刊於《UP》31號，東京：東京大学出版会，1975年5月5日，頁11～16

讓我們一同描繪在亞洲新生與轉生的構圖

——《新亞洲的構圖》代序

◎ 劉靈均譯

日語俗諺有云：「十年一昔」。我在日本的日子即將進入第20年，可以說是第二昔了。筆者在舊日本帝國主義的殖民地台灣出生，到初中二年級為止被迫忍受殖民統治，可以說是站在與日本人相對的那一邊，和八一五這個日子有著深切關係。

離八一五一轉眼也就要30周年，也就是三昔。時光流逝如此之急。以八一五為起點，我在這個可恨戰爭雙方（挑釁方與被挑釁方）洗滌記憶的「時光河流」中，前10年在台灣、後20年則在日本與日本的各位一同度過。

這段期間，我的腦海裡一直有個疑問揮之不去：為什麼日本人對於亞洲民眾的加害者意識是如此稀薄？其緣由到底是什麼？

現在日本人對亞洲人的戰爭責任完全付諸闕如的問題已經不止於此，簡直就連日本人自己的戰爭體驗都要隨著時間而日漸淡化。因此為數雖然不多，但有些有心的日本人正感歎並提出警告，稱八一五的紀念活動至今已經流於儀式，已空洞化與淡化的情況愈來愈嚴重。

此外感到焦慮的有識之士，則往往自嘲舉出自己所屬民族的短暫性性格、沒有定見、一心服膺權威，甚至說是以健忘為美德的特技等等。

有時候這樣的言論、言詞激動之處，甚至會咒罵自己領袖層級的人厚顏無恥，或者無忌憚彈劾愈來愈多不讓不知道戰爭的世代了解史實，甚至是阻止別人傳達史實的機制。

但是，或許是乘著高度經濟成長的順風船「日本號」已經太習慣了吧，或者是從這艘「日本號」上分享了太多東西吧，大和日本的國民們大多對這些有識之士的「歎息」、「警告」置若罔聞。

不只如此，甚至還可以毫無加害意識痛感的前往台灣、韓國進行色情極樂之旅，或者是去東南亞參加全包辦旅遊，最近聽說還有新一種的東南亞戰爭遺蹟之旅，連這種感傷之旅都開始流行起來。

本來透過旅遊進行國民外交是一件好事，我們不該說什麼。他們也可以翻臉說：「我是去那裡灑我的外匯，有什麼不對？」的心態。

但是，在八一五以後，日本已經重生為一個民主主義國家；日本人已非過去唯上命是從，羔羊一般的國民，如果能夠如此自負，那麼做為民族和解的一個小小的試驗，是不是也應該抱著審視戰爭另一方傷痕的態度呢？

除了觀光當局與觀光業者，無告的亞洲人民大多緘默不語，但他們看到只為享受剎那歡愉，以及在戰爭遺蹟確認自己的存在，只安慰自己死去的同伴之靈，獨自沉浸在感傷的「異國人」們，他們〔譯註：指無告的亞洲人民〕的胸口說不定正也在隱隱作痛。

本來日本人一般而言較為害羞，比起喜劇更喜歡悲劇。在戰後不久，雖然也曾有過一億總懺悔、一次放諸流水的心境，因此就連有心者，都往往無法整理戰爭責任的邏輯結構。

此外，想想在這條順風船順利搭上潮流前進以來，就連站在民眾這邊，總結戰爭經驗的一些先生們，也都基於自己的被打壓經驗與史觀，而將其全盤塗滿成被害者經驗的顏色。民眾對於悲劇的喜好以及原爆的被害體驗，總括在前述的被害者經驗，與經濟成長的進展一起擴大了。於是每年到了夏天，日本的大眾媒體就會一致重問戰爭的意義，在戰爭經驗的宣傳上面花了相當大的能量。但是這樣消耗的能量，並沒有辦法得到相應的本質性成果，又移到次年再繼續而持續至今。

那是當然的，因為在垂問戰爭的意義時，大眾媒體完全不對受害的一方，特別是東南亞那邊的體驗一事上用心，或者是有用心但並沒有成功。

或許也是這個狀況的反映吧。在街上氾濫著戰爭電影或戰爭故事，還有體驗記之類的作品，對加害者的一面更加令之模糊，導致欠缺對戰爭另一面的真實，其缺漏變多了。

這些作品就是被觀看、被閱讀，作品本身可能會因過去的戰果讓人們陶醉，也恰巧成為年輕人桌上的戰爭遊戲、美化戰爭的勇壯感的素材，或者讓體驗者喚醒自己「悲慘」的青春，只會帶來自閉性的、感傷性的效能而已。

而以侵略與統治做為媒介，日本與亞洲民眾的隔閡只會日益加深，而真正能夠與亞洲人民共有的戰爭體驗太晚做定位，也讓本來可以成為歷史教訓的戰爭體驗無法好好地傳給後世。

確實就像菊地昌典所指出的，日本人對亞洲民眾的戰爭責任之所以會付諸闕如，其中一個原因就是把戰爭體驗當作被害者體驗綑綁在一起的緣故吧。

除此之外，我認為還要加上一個原因，就是日本人至今仍然毫無誠意，去站在亞洲人這邊，重新思考從甲午戰爭到八一五戰敗日本人對亞洲人的所作所為究竟對亞洲人是何意義。

此外，如果可以的話，現在我希望日本人可以重新詰問自己從甲午戰爭至八一五戰敗這段期間一連串的邏輯結構。

現在的亞洲民眾看著中國與中南半島的重生，而日本人在八一五戰敗之後仍然以歐洲的近代為模範，追求近代日本再生的至今日本人的作法，甚至還想要再回歸到亞洲來，恐怕是不會受歡迎吧。

包括台灣和韓國，亞洲的民眾所希望的不是近代日本的再生，而是日本人的轉生。因為民族的和解與個人層次的友情一樣，是不容許絲毫虛偽的存在。亞洲民眾對日本人的期待，不是在嘴巴上說說「連帶」而已，還希望日本人能好好反芻殖民地主義與侵略戰爭破壞人性的罪愆深重，並且盡快與亞洲人能夠共有沒有虛偽的戰爭體驗。而且希望能將戰爭的教訓放進自己的歷史，一起描繪未來的構圖，讓我們能盡快、早一步兩步也好，朝向我們遙遠的亞洲前進。

事實上，從石油危機以來已然觸礁的「日本號」，除了完成轉生以外，恐怕不管是要從糧食、資源等諸多危機中脫離，或者是再度回歸比較沒有摩擦的亞洲，恐怕很難才是。

從1970年春天以來，我為了日本與亞洲應該要構築的芳鄰關係，雖然微不足道，但也不恥於才疏學淺，試圖發言至今。本書內容就是從這些發言中選擇編輯出來的。

雖然可能招致自以為是之指責，但我意圖在這裡為年輕的朋友提出接近亞洲時的「另一個觀點」。然而我仍然相當不安，不知道這本書能不能真正達到我希望的「架橋」的功用。

希望讀者賢達能夠不吝指正與批判。最後，我對於我所敬畏的內村剛介教授能夠為我寫解題，感到無上光榮。也要感謝提供我發表場所的各大報刊雜誌負責編輯的諸位兄姊。

本文原刊於《読売新聞》夕刊，1975年8月16日。原題「戦後三〇アジアからの視点」。後經增補收錄於戴國煇，《新しいアジアの構図》東京：社会思想社，1977年6月15日，頁3～7

美國對亞洲的擴張主義生態
——讀《侵犯亞洲》*

◎ 林彩美譯

恰好聽我課的大學生拿著《侵犯亞洲——新殖民地主義的生態》這本書，我便問他買這本書的動機。

他的回答極其單純而明快。因為書名好而喜歡之故。屬於漫畫世代的他對書名感到有如《平凡Punch》〔譯註：《平凡パンチ》日本的漫畫雜誌〕般「挑撥」，如果繼續讀，而能從內容得到新鮮智慧的刺激，那麼作者與譯者們也會感到望外之喜吧。但是對外國的關心度是當該國與自己日常關係深淺的比例來決定比較多。

因此，挑撥性題目是否直接發揮實效性是可疑的。這姑且不談，本書是寫出精心之作《革命中的中國：延安道路》（日譯本由筑摩書房出版），做為CCAS（關心亞洲問題學者委員會）的中心人物，從事越南反戰運動、也曾旅居日本、具訪中經驗的美國新嶄露頭角的中國學者馬克・塞爾登編*Remaking Asia:Eassays*

---

* 馬克・塞爾登（Mark Selden）編，武藤一羊、森谷文昭監譯，《アジアを犯す：新植民地主義の生態》，東京：河出書房新社，1975年。

*on the American Uses of Power, 1974*的主要六篇論文的全譯所成。

日譯本是由塞爾登〈前言〉，亨利・馬格多夫（Harry Magdoff）的〈序論〉、馬爾科姆・考德威爾（Malcolm Caldwell）〈在東南亞的石油帝國主義〉、切里爾・倍雅（Cheryl Payer）〈國際通貨基金與印尼的債務奴隸化〉，斯科特（P. D. Scott）〈越南戰爭與CIA＝財界體制〉、默羅伊（W. J. Pomeroy）〈菲律賓——有關新殖民地歷史的一事例〉、戴瑞福（Ralph Thaxton）〈泰國的近代化與農民抵抗〉，與監譯者武藤一羊、森谷文昭〈後記〉所構成。又各篇論文內容是與其標題相稱且充實的。

讀後感到本書的特徵可整理如下。第一，本書是從越南反戰運動的實踐所產生對亞洲新研究的結晶，因此其視角是新鮮的。

第二，意圖對既存研究的批評與挑戰，作者們強烈志於批判與克服「事後諸葛亮」之愚與「把玩理論」之空虛，但對美國向亞洲的干涉、擴張從歷史的脈絡去掌握，拒絕教條主義、公式主義、圖式主義樣式的理論解明為目標，收到相當成功的效果。

第三，雖然他們的分析有志於從實踐立場的究明，但是沒有大聲疾呼語調的標語，也可說完全沒有輕易的高「格調」對連帶〔譯註：指越南反戰運動聯合〕的呼喚，貫徹了冷靜而透徹的實證研究。

第四，站在廣闊的視野，然後，把時與空間以及社會事象相互間的結構關聯完全掌握，嘗試簡潔的整理。最後，作者們徹底地把「內面」的問題正確地定位之後，應可說是在「外」的研究對象一方以實地勘查而逼進，另一方操作有關當局方資料做充分的消化，結果是實證的把美國新帝國主義論描繪出來（稍欠精緻），特別是在東南亞顯現的實際狀態出示給我們。

接著是內容，〈序論〉的美國擴張主義的歷史性展開與其重點，指出不僅止於蠶食北美大陸或墨西哥領土，原住・美國人（印地安人）的征服，西海岸地域併吞的背面是向太平洋的進展統治，再者是朝向亞洲的擴張，在亞洲的美國帝國主義力量的行使，絕不是偶然的事件，也非本意等等的部分受教良多。特別是：

> 在此重要的是，不要以爲此擴張主義根源於美國人國民性固有的何種神祕力量。擴張絕對不是那樣的東西——擴張是在歷史各階段扮演重要角色，促進了新經濟結構與文化環境的形成，從形成的新狀況被賦予再擴張的能源。云云。（頁22～23）

此引述指出，可供至今猶以總懺悔迴避分析責任，或對東南亞的抗、排日運動嘗試以精神主義來應付的先生們，做為很好的參考。

又讀者之中，對作者所出示因美國的「力量的行使」所惹起的東南亞諸國現狀，與現在人們日比一日被逼迫「甘受悲慘命運與伴隨而來的人類生命的浪費，或為了滿足人民真的必要充分利用勞動為目標起步走」，二選一的不得不做選擇的嚴酷狀況等等的結論，或只以常識接受，的確結論是明快的，但是引導出結論的過程，例如泰國等的事例研究所出現的具體敘述，在目前的日本是很難求得到的事例。在此意義上，希望本書能廣為日本人的相關人士所讀。

本文原刊於《流動》第7卷第12號，1975年12月1日，頁198～199

中國人的自立才是根源性課題

——安藤彦太郎《日中關係的觀點》*

◎ **林彩美譯**

作者早稻田大學教授安藤彦太郎是日本的現代中國研究家代表者之一。

我聽說安藤先生貫通戰前與戰後，不但積累了與中國人留學生與在日中國人（大部分已歸國）的私人交流，而且也是中日友好運動的實踐者。

教授也是受中國科學院近代史研究所，以「客員研究員」被接納的第一位日本人教授。1973、1975年兩年的春天，以吉川勇一、鶴見良行等反戰市民運動家，公害反對運動旗手宇井純，朝氣蓬勃的少壯中國研究者小島麗逸等傑出論客所構成的日本文化界友好訪華團，做為團長，率團完成有特色的中日交流，此事在相關人士之間是很有名的。

本書可說是研究者也是教育家、運動實踐家又是在新中國的研究生活體驗者，再者是處於不幸的中日關係夾縫裡，憑良心生存而掙扎苦鬥過來、做為生活者的教授，透過反芻與自省，不斷

* 安藤彦太郎，《日中関係の視点》，東京：龍溪書舍，1975年。

補強自己據之而立的立足處所寫成的論文、隨筆，挑選編成一冊的評論集。

就讀後記的領域，作者並沒有衝著「八一五」30周年而刊行本書的形跡，但結果我認為真是很合時宜的公開發行。

把近來世態比擬為1930年代之議論行之已久。本年又正好是戰後30年，做為一個段落也很恰當吧。

再者受石油危機、中南半島劇變的餘波瀕於觸礁的「戰後日本號」轉換期的社會情況深化、顯露有關吧，圍繞重問戰爭責任，戰爭體驗如何傳遞給「冷漠」的世代的問題，受無力感折磨、有點虛無的議論，被當作「悶熱長夏」的助興之花，無精打采地開著。

不是當作助興的花，而是將來應該使之結果，作者把自己的體驗連接到「現代」，針對年輕世代寫的就是第三部的「我內在的中國——我的『昭和史』」。

與同世代以一錢五釐〔譯註：貼在「徵召令狀」上的郵資〕受徵召的「死者」〔譯註：戰死者〕怨念的對決感很薄，又不是把自己的體驗與時代的結構——特別包含早大的中國研究，同研究者們的行徑——深深搓捻的敘述或許使同世代的讀者感到不滿。但是，受「大眾社會狀況」的重壓而變為越乎冷漠的校園風潮下，以不擺架子、平易、淡淡的敘述，能把一盞燈與年輕世代共燃下去的執著與勇氣也是必要的吧。我要表敬服。

作者曾在第一次日本文化界友好訪華團訪中時，與中國方的幹部人民圍繞日本人民的主體性戰爭責任，激烈地討論過。

以當時的紀錄為資料，把中日交流應有的狀態與戰爭責任作論述，構成本書的第二部。

克服故作嚴肅的嘴皮上戰爭責任論，做為真正抵抗者的戰爭責任，在邏輯上嘗試骨肉化的作者的氣魄，也傳遞給讀者受教良多。

恕我進一步提出要求，恢復國交時，放棄賠償的邏輯結構，把帝國主義與人民做區別的中國方邏輯的有機關聯，真希望有一分析介紹。

如中南半島戰爭的抗議與反戰的事例也可看到，不管侵略方、被侵略方的民眾任何一方，一直以做為老百姓安住，沉溺於被害者意識之中，是不配為重寫歷史的主體是洞若觀火的。

做為第一部中心的兩論文，〈批林批孔〉與〈宮島大八和二葉亭四迷〉〔〈宮島大八と二葉亭四迷〉〕，是登載在《朝日ジャーナル》時，即已獲得高度評價的精心之作。

特別是前者附有「鮮活的走向社會主義的路標」〔「生きた社会主義への道標」〕的副題，集中表現在批林批孔的現代中國問題與其方向性、循歷史的脈絡，把運動本身在思想史上嘗試定位的形式做了整理與解明。對批林批孔覺得有謎團，或者有所批評的讀者也請讀一讀。

二葉亭四迷不待說，是日本近代小說的創始者。他有《滿洲實業指南》〔《満州実業案内》〕的「模範」調查報告書，與那惡名昭彰的支那浪人〔譯註：指戰前戰中，日本遊民到中國狐假虎威、做盡壞事的人〕川島浪速也有不淺的因緣，透過本書才知曉而驚訝的讀者也不少吧。

又，現今猶以民間中文教育機關存在，善鄰書院的創設者宮島大八的生涯藉本論文回溯，以確認近代中日關係牽扯不清的「孽緣」，做為溫故知新的食糧之一也可。

即使如此，深感被說完講盡的日本人分裂的中國形象——對古典文化的尊崇與對現代中國的侮蔑——何時能被正面的統一。

我對安藤教授為首的有心日本人的努力，由衷肯定，更希望中國人不要忘記新生的初衷，把懶散墮落的芽苗在事前邊摘去邊完成自立，除此以外無他。讀本書重新深深地做了確認。

本文原刊於《朝日ジャーナル》第17卷第53號，1975年12月12日，頁61～62。原題「安藤彥太郎：日中関係の視点——中国人の自立も良心促すの書——」

輯二

台灣民族運動

飯塚浩二先生所留下的課題

——從和魂洋才到日魂日才的觀點

◎ 林彩美譯

1973年8月，我們從平凡社出版《討論日本之中的亞洲》。因題名與普通的「亞洲之中的日本」不同，而是「日本之中的亞洲」之故，令未細讀之前的讀者諸賢感到某種的唐突感吧。友人之一問我是否與「飯塚浩二先生打對台戲？」

老實說，本書名提案者的我，並非意識到飯塚著《亞洲之中的日本》〔《アジアのなかの日本》〕而做這樣的提案，我不是要顯示奇特，或故弄玄虛而命名。恕我冒昧解釋一句話，圍繞亞洲的議論，內部問題與外部問題的有機結構關聯，很少引起注意，被把握的事例也很少的目前風潮下，我期望能給予些許刺激而做的小小嘗試而已。

飯塚先生也和我們同樣是「人」之子。「人」之子很難超越歷史，在自己被囚於生存與共的狀況下，不能百分之百自由。依我所看，飯塚在戰後民主化運動的具體狀況下，展開他較具精采的1950年代有關亞洲認識的啟蒙議論。做為其一環的尼赫魯（Jawaharlal Nehru）的介紹與禮讚，更寄託於尼赫魯，向日本做形勢性發言。

而且，大概是他的高雅氣質與出生於江戶的秀才教授的局限吧，竟在剛50歲出頭的年富力強之期，說出「後生可畏」之語，早早即萌生交棒給年輕世代的念頭吧。

又他所寄託的尼赫魯也褪了色之故吧，再者是圍繞日本的狀況，與剛戰敗後的「黑白分明」不同，日比一日複雜性加乘，泥濘的情況更加深，他已跟不上狀況，不，應看成是已失去追趕的氣力。他的亞洲議論在1960年代以降已逐漸失去魄力。

那麼他精采的部分在哪裡？

據我稚拙的整理來看，歸根結柢，飯塚是近世・近代日本所追尋的、或想追尋的和魂漢才到和魂洋才，到戰後是和魂美才（雖是少數，有一部分向和魂蘇才與和魂中才傾斜）的軌道，嘗試將之修正為和魂和才、為數不多的日本人社會科學者之一吧，目前我願這樣看待。不必待我指出，這裡所說和魂和才的「和」當然不是日本對外封閉、國粹的東西。

他的發端於本來應表現為洋書講解的課程，一直以來被稱作原書講解不合理性的指摘，歐洲中心價值觀的批判，與對日本的學問應有狀態的反省與批評。再者是與此相關聯形式、透過西歐之眼所形成，橫行的亞洲觀虛構的痛擊等等，是給我他強烈志向於和魂和才的深刻印象。重新著手檢討正面的民族主義，再者是沒個性就絕對聯繫不到原本意義的普遍命題還存在為前提，我對和魂和才的傾向表示贊成。

假設我的整理大致正確，做為和魂和才的一環，飯塚提議日本人應按程序走應走的路線，謀求回歸為亞洲的一員，從亞洲內部重新看亞洲。他又表示，不透過自己眼睛的事實認識，與不經過抽象化操作的概念形成極度的不信任感。到此為止大概做為亞洲認識最低的出發點，我想可獲得人們的同感。

又至今猶對國際分工論的合理性存在價值不挾入半點疑念，在論述日本與亞洲的經濟關係者不絕於後，而相較之，飯塚於1956年階段早已批評米高揚（Mikoyan, 1895～1978，蘇聯政治家）的國際分工肯定論（蘇聯第20次黨大會），指正亞洲應克服的最大課題是殖民地遺制在今天還是要肯定之點。

他又在民主化運動與強化安保體制戰後史的各個狀況下，喜歡引述甘地（Mohandas K. Gandhi）、尼赫魯、泰戈爾（Rabindranath Tagore）、魯迅，嘗試提出有關日本人的自我認識與亞洲認識的警句。

然而到最後的最後，他終於未找到自己的「神」，或者沒有成功地造出。在此意義他與被他批評的人們可說都終結了沒有多大差異的認識生涯。

他發覺透過西歐之眼所掌握的亞洲像是虛像，但是透過尼赫魯之眼所掌握的形象也只不過是不完全的形象。尤其是日本人錯誤的亞洲認識所依據的一個規定要因——近代日本應有的狀態，在此延長線上與亞洲的牽涉方法——對此重新檢討不夠充分好像較少被發覺。

他的亞洲認識結構之中，日本人自身圍繞殖民地的問題明確缺漏一事可做證明且足足有餘。

在此意義可說飯塚未將在「亞洲之中的日本」的對立位置，經常運作著的「日本之中的亞洲」在有機的結構關聯挖掘出來以做定位的課題留下來。

除非接下來的世代發現與創造出不是借來而是自己真正的「神」，再者是把以和人為中心對內部自閉的和魂和才，昇華到更高次元的對內部（愛奴、琉球人等的異質者）也開放的日魂日才等為己任擔起，不然就不能說是真正從內部、以日本人自己的眼睛去向亞洲嘗試接近與認識吧。

本文原刊於《飯塚浩二著作集》月報7號，1975年12月

應重新檢討「大東亞共榮圈」的幻影

——戰前・戰中・無戰世代的三本書

◎ **林彩美譯**

即使是龍年（有上升寓意），看樣子今年對日本民族還是一個「混亂與考驗」的一年。不！更嚴峻的可說是真正的「轉折點」，日本人就被迫站在這裡的感覺，令我今天有既深又廣的感受。

想想，這30年之間，日本人過於忙碌，工作過了頭。曾經是軍國主義，對外侵略不惜投入的精力，現在將之傾注於重化學工業生產，一瞬間讓敗戰國日本浮上成為「經濟大國」。

「時勢」是很恐怖的。滾得過於龐大的雪球最後會支撐不住的歷史教訓，人們不知何時便忘了。

東南亞的反日運動、石油危機、中南半島劇變，使動輒又回到戰前的慣性，很可能走回曾經走過之路的戰後日本對東南亞的干預方式，一時似乎給了人們重新考慮的契機。

但是狀況的進行過於迅急，連令雪球滾動的領導者都不知如何是好，惶惑地佇立於「轉折點」。

現在已不是考慮如何把日本定位在亞洲新構圖上那麼簡單的問題。

雪球目前賴在「轉折點」上不僅不動，在轉滾過程中沾上的「污垢」裡外都開始顯露，使滾轉的中心人物自身也感到困惑。

事情看你要如何想。摸索日本與東南亞應有的牽連法現在或許是最好時機。

雪球在「轉折點」動彈不得，際此又變大滾向東南亞之前，停下來努力做一次溫故知新也不壞。

要溫故知新滿適當的第一本是剛出版的《某科學家的戰中日記》〔《ある科学者の戦中日記》〕（富塚清著，中公新書）。

老實說，富塚清博士尚健在令我驚訝。第二次大戰末期，在殖民地台灣捱過初中一、二年級的筆者，被動員去飛機場刈草等義務勞動，一邊被打入腦裡的軍國主義「科學」教育之中，博士的「講話」是不可或缺「菜單」的一部分。因此之故吧，富塚清的名字至今記憶猶新。

博士生於1893年，所以現年83歲。他是東京大學航空學系的創立者之一。

如他自己講明，大戰中對大政翼贊會〔譯註：1940年10月，第二次近衛內閣之下，為了推進新體制運動而組成的國民統制組織〕，大日本言論報國會以自然科學領域出身的「代表者」參與，「好像被誤認為主戰或右翼的神靈附體【超現實】的人」（該書後記）。

暫且來聽聽作者的感歎與刊行的說明吧。他首先言道：

> 日本人，受此敗戰之苦，達到「再也不敢」的自覺，應會走至正當的路吧，在那裡我夢見微微之光。然而戰後如何呢。出乎

我意料地很快復興與繁榮。物質上正是如此。但是，因此敗戰窮乏的教訓，有完全歸零之觀。

發抒一番感歎之後，他接著說：

現在戰後30年，物質的繁榮就已出現影子，反省的徵兆。在此排除輕浮的繁榮感，好好地思考國家的前進是合時宜的事。那時，回想在戰中每位國民都歷經苦悶與辛苦。再者是日本人對自身缺陷的自覺，與想出其解決辦法等，也並非無用。（同前書）

如作者自身的說明，本著是從其龐大《日記》的「重點」抄錄。中心是十五年戰爭最終階段的「大東亞戰爭」，而且是日美戰爭，做為航空學專家所擁有的「特異」地位與伴隨而得的情報，依自己的學識，斷定敗戰的必至。嘗試和平與日本的重建而開始行動（只是極溫和的），結果是無功而返地迎接八一五。

以自然科學家、神靈附體的鹿子木員信為始，批評右翼或軍部的亂七八糟，東鄉〔平八郎〕元帥、德富猪一郎、陳璧君（汪精衛夫人）等的人物評，作者自己與東亞聯盟石原莞爾的接近交流，在外務大臣官邸的「思想家懇談會」（略稱為三年會，會員是主持者加瀨俊一，和武者小路實篤、安倍能成、志賀直哉、和辻哲郎、谷川徹三、山本有三以及作者等）有關的記述做為昭和史側面資料，既貴重又很有意思。

如果是穿越狂暴的法西斯主義體驗者的話，大概會不吝對記錄者的勇氣給予掌聲吧。但做為中國人讀本書時，對博士周邊的實際情況認識是如何地天真淺薄而感到驚訝應是一般的反應吧。當然對過去的《日記》吹毛求疵也沒有多大意義。

但是那認識的根至今還存活著的話，重新提出來議論才是做為鄰人應盡到的親切。

一例是前述三年會團體招宴時，由重光葵外相的發言可看到。他說：

> 軍隊在滿洲事變就停止，那完全滿分。但是，在那裡停不了可說是歷史的必然吧。只有北支那還好。到那裡我們可以同意，英國也這樣說了。但是停不了，從那之後眞是發瘋了。應該打垮那發瘋者……美方是這樣想的。（頁84）

其實不止重光發言。貫通本《日記》的全編，日本敗戰的對方是美國，日本輸給美國的科學與物量的看法，實在既堅固又一貫。

未輸給中國人與亞洲人，更以「人之名」完全沒有敗北的認識是令人驚訝的。

戰後至今，日本人的這種認識幾乎沒有變化，因此一個人在生悶氣，打著孤絕的譴責戰已有20年的，是1925年出生的高崎隆治。戰前派的富塚與學徒兵出身的高崎相較下，係屬道地的戰中派。

高崎說：「這國家所有的人，在自己的責任，應以做為人努力而為的戰後處理課題，躲在GNP背後，如幻影般好像消失了。」（《戰爭文學通信》〔《戦争文学通信》〕，風媒社，頁

197）僅以此斷定點來看，好像與富塚的感歎有一脈相通之處，但讀下面激烈的「獨白」就知道絕不是那樣的，是一本可讓我們亞洲人十分「畏懼」的書。

他說：

> 我討厭日本這個國家與日本人這個人種。在戰時中，我雖曾經是大學的劍道部正式部員，但因沒有志願預備學生與特甲幹員，有幾個人痛罵我是「國賊」。以微不足道的事捉捕我的特高，以「非國民」的標籤貼在我身上。但是想想，的確我好像是非日本人的日本人。我所看到的日本與日本人，在戰中與戰後完全沒變。（略）這國家戰後太過於不負責任，太過於邋遢吧。（略）說不定，那十五年戰爭也是百年戰爭，只是換了領導者，改變形式，現在還繼續著。（略）並不是說這國家對亞洲各國進行著經濟侵略因此戰爭還繼續著。我以爲國家權力的本質未被變革，此國家人們的意識些許也未被改變之故而戰爭繼續著。（頁179～180）

簡直是令人「畏懼」的人物與著作的出現，我仔細讀著不只一度陷入深思。這「不合乎常理」的日本人正在挑戰的，不是什麼而是他自身，他的親人、夥伴，尤其是在十五年戰爭的所作所為、表現（特別是作家在寫作上的），束之高閣而不反省的領導者或知識分子。再是允許此實情，或者現在還在允許的民眾與狀況，因此令我感到那手術刀也間接地刺進亞洲人胸口的氣魄。我正在這樣想的當兒，讀過本書的東南亞來的留學生某氏也跟我說：「我們也同罪。」他又說，如果繼續出現如高崎先生的日本人，那麼「可愛的日本人，愛依賴的日本人」就減少，而可能變得不大好玩，但一面增加了好鄰人，不是「臭鄰」而是「芳鄰」也是很令人愉快的。又說好對手的出現，可變成正面的刺激等，出乎我意外地留下了樂觀的看法而離去，讓我感到遠遠不如。無戰派亞洲人也滿可取，是筆者的實際感受。

那麼無戰派日本人在想什麼呢？

針對此事，有新露頭角、前途無量的少壯研究者小林英夫（1943年出生）長達545頁的著作《大東亞共榮圈的形成與崩壞》〔《大東亜共栄圏の形成と崩壊》〕（御茶水書房）。

作者的第一目標是把「十五年戰爭」時期，日本帝國主義的殖民地統治實際情況，在包含東亞，再是東南亞諸地域全體之中來做掌握。

他又判斷：「終極地走向『大東亞共榮圈』『建設』的這個時期，日本帝國主義對亞洲諸國的侵略與掠奪，向這些國強求了不可衡量的犧牲，又，對這般日本帝國主義的殖民地統治曾展開了激烈的民族解放鬥爭。」

但是日本近年的風潮，可說是相反的見解，亦即留戀於「大東亞共榮圈」的幻影，對作者所指出的「否定此明白的事實（侵略與掠奪，與對此的抵抗）的議論或美化的動向正在產生」是實際情況。

要打破此實際情況，以「事實的科學分析」嘗試去對應就是作者此舉的第二目標。事實上，作者傾注精力想找出社會性、歷史性意義。

我們的確可說，能共有此龐大的實證研究，已相當程度把日本在十五年戰爭期伴隨軍政經濟統治的實際狀態給弄清楚了。

那麼，作者如能夠把各階段的戰爭特性明確規定，分析的手術刀便更能表現得利落吧。

日本帝國主義走向八一五之路，的確始於台灣殖民地化，可用近代日本魯莽從事的慣性歸結來掌握。應去掌握分析手術刀立場的我們，必須從日本帝國主義領導層，理所當然的魯莽從事慣性下手。如果被體制方的慣性所吞沒那就沒法子啦。

又作者太急於做統一、總體的把握之故，具體的分析和總結上，用語前後不一，令人惋惜。

例如有「十五年戰爭期的殖民地統治」總括起來的敘述，在嚴謹意義上，殖民地與占領地不同，殖民地權力的統治與占領軍權力所行使的軍政之間，性質當然不同。從而，被統治者方的諸情況不只依民族、階級、階層而產生差異，應看成正是依個別權力的具體統治狀況而受規制並顯現出相應的差異。

那麼，作者說「大東亞共榮圈」崩潰的基底有「日本帝國主義在殖民地沒有可創造出買辦勢力的那麼強有力，也沒有可與土著經濟機構對立將之一掃的強力」下斷定，可說是過於性急、單純化的論斷。說不定，只是幻影的「大東亞共榮圈」，作者不知何時以為彷彿是有實體的東西，無意識中自己變成牢囚而做了如此的結論也說不定。

這暫且擱下。從無戰世代之中，出現戰前、戰中世代一直都不願嘗試對「大東亞共榮圈」幻影開始重新檢討的研究者，我想可說是應該慶賀的事情。

以此為契機擴展研究，從以往不使用資料，沒有實證研究做保證的，以難解的抽象語不容分說對「大東亞共榮圈」斷罪的非生產境地，有心人們能一步、兩步向前進就更可喜了。

在此時機，大致相前後，可看到有戰前、戰中、無戰的三世代對十五年戰爭「反省」書籍的刊行，真可說是適合時宜的事情。

不待指出，把「臭」的過去蓋住，心照不宣的握手是產生不了構築芳鄰關係的相互信賴。

「大東亞共榮圈」幻影的重新追究，應是各個民族想辦法以自己的手，再生與轉生的，除此之外，沒有人能幫忙。相互做了確認之後進行作業是較具生產力的。

但是至今猶說，「大東亞共榮圈」的意圖正確，作法不高明沉浸於自我陶醉之夢未醒的「老好人」，我們從外面協力來搖醒，從亞洲方的研究或資料的相互核對，我想也是必要的。

那嘗試之一已由「近代日中關係的基礎研究」的團體（加藤祐三、小島麗逸、松澤哲成等人）銳意進行中。

第一個作者最近以《近代日中關係史第一集——中國因日本帝國主義的侵略所蒙受諸損失的有關資料與解題》〔《近代日中関係史料第一集——中国が日本帝国主義の侵略によって蒙った諸損失的にかんする資料と解題》〕（小島麗逸編輯與解題，龍溪書舍）刊行。敬請參照。

本文原刊於《朝日ジャーナル》第18卷第9號，東京：朝日新聞社，1976年3月5日，頁59～61

《境界人的獨白》序

◎ **林彩美譯**

對應著時局與潮流，我在報紙雜誌所撰小文，比如有關處於「殖民地」統治最底層而泰半受「命運」所注定、現今猶在呻吟的人們問題的論文，或者是付託於亞洲關係問題的諸著作等等，書癡的我的「夢話」，不知不覺中已積累到一冊之量。

可說這全部，都還強烈地執著於民族籍貫，但現在，我在生活時間、空間上已不得不站在中日兩民族之間，可說是境界人＝我的獨白的小集成。

我很感激這本境界人的獨白能編成書出版。

趁著「社會狀況」所允許，已經出版了兩冊評論集的境界人＝我，第三次承蒙「日本號」大家的好意，在此試編第三冊評論集。

然而，「日本號」所處的狀況已明確有所改變。

前二冊的時候，可說「日本號」正在順風裡行駛，而今日的「日本號」老實說是逐漸在擱淺的順風號。

瀕臨擱淺的「日本號」船員們是否願意第三次豎耳聽我這乘客的獨白呢？出版日期迫近的現在，我感到一絲不安。

如果是真實的友人、鄰人所處「狀況」是順境也罷，逆境也好，必說的就應該說，我考慮之後想再提供給大家討論的資料。敬請有所寬容。

最後要向提供我獨白場所的相關期刊報紙諸兄，尤其對三浦昇（前新聞三社聯合編輯部長、《東京新聞》文化部次長）、米濱泰英（《思想》編輯部）、間谷幹彥（前《展望》編輯部）表達由衷的謝意。

又筆者奉職亞洲經濟研究所時，於公於私均受薰陶的東畑精一老師、小倉武一博士，和常不吝賜給溫暖的批評與指教的、以瀧川勉學兄為首的諸前輩與同僚諸兄姊，由衷表示謝忱。

對於不小心易脫軌的我，以嚴肅的眼光從旁關注的畏友小島麗逸兄給我過獎的解題，我將銘記於心，當作我貫徹初衷之糧秣。

1976年3月末日

於亞洲經濟研究所退職之日　戴國煇誌

本文原收錄於戴國煇，《境界人の独白——アジアの中から——》，東京：龍溪書舍，1976年8月15日，頁5～6

兩本「遺著」

——尾崎秀實與瞿秋白

◎ **林彩美譯**

不知從何時開始，我把尾崎秀實與瞿秋白連結在一起，進行許許多多的思考。1955年秋天來日的我，在翌年即早早地讀了《愛情如流星雨》〔《愛情はふる星のごとく》〕一書。在台灣，讀了從我二哥書架上取來的《現代支那論》，受到很多啟示，後來又不知在哪裡讀到伊藤律問題〔譯註：可能指《戰後史中的日本共產黨——歷史的真實與伊藤律問題》，1961年，日本共產黨中央委員會出版局〕，從而促使我買了《愛情如流星雨》來讀的。

《多餘的話》自不待言是瞿秋白的「遺著」（日譯本有丸山昇的《言わずもがなのこと》，「中國革命文學10，革命回想錄」所收，平凡社）。這暫且不說，我讀《多餘的話》是在1963年春天，在司馬璐著的《瞿秋白傳》的附錄本，即中文本上。

瞿秋白（1899～1935）是新聞記者出身的中國人政治家，也是文學家。瞿比尾崎年長兩歲，出生於江蘇省常州市的書香門第。他們兩人雖是同時代之人，卻有中日間之差別，且與前者出生於破落的「書香之家」相比，後者則是有出生於雖然不大、但在殖民地台灣保有「威勢」的書香門第。兩者出身也還像是有共通之點。

尾崎為直屬共產國際的諜報團一員，共產主義者。瞿為草創期中共之領導者，曾一度負有擔任中共總書記（1927年7月～1928年6月）重責的人物。

據說《多餘的話》為瞿於1935年2月，在從瑞金到福建省長汀南部的山地移動過程中，被國民黨軍宋希濂部隊逮捕，到同年6月18日被槍殺之間為止所寫的遺著。

想把經歷過極為坎坷多舛生涯的瞿秋白與尾崎，特別是在極限的狀態之下，他們被迫所寫或自動寫的「遺著」重疊起來思考的，應不只筆者一人吧。

自中共政權成立後，有關瞿的正式評價，首先可從1953年，由北京人民文學出版社的《瞿秋白文集》全八卷四冊之刊行窺知。

他被讚頌為不屈不撓的共產黨員，永遠的革命烈士。但此評價並未持續很久。1964年遭受第一次批評，然後因文革的關係，1967年又可看到更激烈的批評展開。批評者集團以《多餘的話》為根據，斷定瞿之背叛共產黨，最後斷定秋白為真正的大叛徒（此間的經過詳見井口晃〈讀《多餘的話》——轉向、瞿秋白的情況〉〔〈《余計な事》を読む——転向、瞿秋白の場合——〉〕，《文學》，1976年4月號所收）。但是，對井口的見解我有幾點不能苟同之處，待以後願另外撰稿論之。

當對瞿的批判也傳到日本時，在我腦際立即浮現出的是，假如日本共產黨政權成立之時，對尾崎是否也會有同樣的「鞭屍」

之事發生呢？雖然兩者在各自國內政治中所占的地位相當懸殊，這是不言而喻的。

坦率地說，由評價到批評，尤其是文革中所牽涉到的背叛批評的脈絡之中，我感到某種異常的「政治的臭味」，並為從做為我們中國人「自家人」，身上可窺見到不容易跨越的人的「卑劣」或「罪孽」，而感到很難受。

我讀了《尾崎秀實著作集》〔《尾崎秀実著作集》〕（勁草書房刊）的第四卷，將包括「上申〔譯註：呈報〕書」（一）、（二）在內的尾崎的「遺著」重讀了一遍。兩人著作最大的共同點是對馬克思主義或共產國際的批判一行，不，連一句都沒有，對此令我感到驚訝……。

我不太清楚，人在被強行求死，而且是在受到「預告」面臨死亡的情況下，一般是會對家族吐露愛情的吧。秋白與秀實也不例外。但我認為吐露言語深處所隱藏的意識結構，存在著相當大的不同。尾崎像是尚未從明治維新以來，被再編強化的家族主義「負荷」中獲得自由似的。與之相比，瞿是五四運動的主導者之一，因此受過儒教批判的大運動洗禮，又是破產的舊讀書人家庭出身，所以家族主義的「歷史包袱」在他腦海裡，可能留不下痕跡。

秋白是將對獨生女（係妻子帶來的孩子，本人沒有親生子，但據說對其疼愛有加）的祝福，徹底地與對所有幸福的孩子們的祝福同時提及的。（原文是：「這美麗世界的欣欣向榮的兒童，『我的』女兒，以及一切幸福的孩子們，我替他們祝福。」又著重點【引用者所加】的部分是否也可解讀成他所指望的「約定之地」、「約定之社會」，我一時萌生出這樣的想法。）

其次，兩人對「體制」的認識也好像相當不同。承認有使用「奴隸」的語言做為前提，尾崎的國家觀、對體制的「迎合」言辭，與前面所提「家族主義」的「負荷」應不會完全無關吧。對尾崎不是天皇崇拜者的看法，我無意插進異議。但非崇拜者，與秀實在精神上不是天皇制的「囚犯」這一點，應看成是具有不同意義的。

儘管那樣，好像秀實在獄中，也在「鬥爭」、積極地「要活下去」。

與秀實相比，僅限於讀秋白的《多餘的話》，他把「文人」限定為無用之物，把自己定位為無用的「文人」之一，「徹頭徹尾」的穿插著「自虐」的詞句，吐露「已疲倦」，渴望著「甜美的休息」，將被授予「偉大的」休息的心情。

他，秋白，的確被「士紳意識」、「士大夫意識」所囚囿，自認為「怯懦」、「優柔寡斷」、「兼具典型的『弱者的道德』」，所以自己連「最低的革命者資格也不具備」，說自己實係早就應該被剝奪黨籍的懦弱無用之人。

秋白的這種自我分析，我知道有將之照單接收的人；但是我想嘗試用別的讀法解釋。他承認自己被國民黨「俘虜」，但沒有將國民黨當成「體制」來意識的跡象。我想秋白所意識到的「體制」是半封建、半殖民地的體制吧，而且他透過體驗，知道這種體制是相當脆弱的。這一點很重要。在他看來國民黨只不過是在中國革命中的對手，是附著於「半封建、半殖民地」體制上的附庸而已。

以上的看法如果能被接受，認為在秋白的內心不存在秀實身上所能看到的強力「體制之敵」是有可能的。因為強力的「體制之敵」不存在，所以他可休息、想休息吧。

換個說法，我認為他是要以做為無用的「文人」，企圖韜光養晦。因為有陳獨秀（1931年被逮捕，關到1937年）的前例，他對自己被利用或被國民黨擬做交易的「客體」的可能性，應該是完全可預知的。為了貶低自己的「商品」價值，所以有前述對自己進行「自虐」式分析的嘗試；也可解讀為他把所有責任都加在做為個人，無用的「文人」自己身上。對自己分析的內部化愈徹底，就愈可貶低「商品」的價值，對組織的負擔便愈可減輕，這樣的想法過於穿鑿嗎？正因為他的這些努力有了成果，所以才遭受判處死刑的命運。陳獨秀是保持了自己的「商品」價值所以得以存活下來，出獄後積極展開攻擊中共的評論。陳因為存活下來所以「死」了，瞿卻因死而甦「生」，不是嗎？至少到1950年代前半為止，我想中共當局是如此評價他的。

秋白因患了結核，不難想像他的確是變得怯弱了。另一方面，他樂觀地認為中國的大眾可以憑自己的力量打造他所意識到的「體制」，而且他的夥伴們也可以給予充分的指導，這是可以想像的。

我覺得在秀實的情形是，他認識到僅以自己內部的力量，到底是無法促成「體制之敵」崩潰的，他走向只有貫徹敗戰主義，才是能夠打倒他自己所意識到的龐大「體制之敵」之路的跡象很濃厚。所以他積極地掙扎、嘗試著存活下去。

我認為兩者不同，除了個人的資質之外，也是受中日兩國

「近代」結構不同、很大制約的前提下顯現出來的，不知事實到底如何。

這暫且不管，對秀實執行死刑的日本軍國主義體制，吃了兩顆原子彈而「崩潰」；處死秋白的國民黨軍部則「逃」進孤島台灣。兩個死刑，執行者到底得到了什麼？一切都只是「虛」的。活在同時代的有心無告之民，被奪去能發揮出擁有稀有資質的優秀知識分子的才能，積極地將其運用到歷史進程中的機會。

人們現今猶在重複其愚行。巴基斯坦前總統布托（Zulfikar Ali Bhutto）的處刑，伊朗伊斯蘭革命的種種處刑，我們到底要等到什麼時候，才可超越此野蠻的世界呢？想著秀實與秋白的「死」，讀其「遺著」令人格外感慨。

本文原刊於《尾崎秀実著作集5》月報，東京：勁草書房，1979年7月

我的研究並爲本書之刊行而記

——《台灣與台灣人》後記

◎ 林彩美譯

對於四分之一世紀時間的區劃，最近感到有無限之重。1955年秋，因留學來日，最初的十年在東京大學，接下來的十年在亞洲經濟研究所，然後自1976年4月以來在立教大學史學科的東洋史（擔任近現代史）研究室獲得研究與教育的場所。

將第一次系統的研究成果，寫成《中國甘蔗糖業之發展》（1967年）付梓以來，我開始嘗試著進行有企圖地「亂射」。雖說是亂射，但我有在心中一直保持著目標與工作「核心」的打算。

第一個目標是設定寫好《中國甘蔗糖業之發展》的續編，並將其彙總為「中國甘蔗糖業史」的定本。但是實質上的工作，僅僅只是在資料蒐集上多少撥出一點時間而已。此外就是在與年輕的研究夥伴一起營運的「台灣近現代史研究會」（發行會刊《台灣近現代史研究》，辦公室設立於立教大學東洋史研究室）上，與近來相繼發表論文的森久男君進行討論，也受教於他，這是我的近況。

第二個目標是寫完《台灣總體相》。這可以說是將台灣的近現代史做為通史來寫。我的霧社事件研究、一連的台灣知識分子論、對日本人所做的台灣研究考證與批判等等，我想都可理解為為此而做的基礎作業。

走向第二個目標的路以及課題的推行，當然會關聯到對日本帝國台灣統治的批判。然而不小心讓自己陷入淪為觀念性「告發者」的陷阱之虞也不小。確立做為被害者立場及向世間提問與之相應的主張，在展望今後應有的中日關係上也是必要的。

但是所有的被統治者，會不分民族、階級、階層都成為同等程度的被害者嗎？這只能說不是的。如果是這樣，就必須把這種多層結構搞清楚，將其內部的有機關聯，放在日本帝國的台灣統治整體結構中給予正確的定位。

正因為有如此的思維，對清末台灣的考察、台灣地主制、台灣本地的資產階級、台灣的少數民族與漢族、抗日運動諸情況等觀點，才在我內部萌生。

告發、譴責帝國主義、殖民地主義者是很容易，特別是借用那些老生常談的圖式與詞彙更是如此。我認為再也沒有比將自己封閉於被害者的狹隘之中，裝成一副「告發者」的模樣而自高自大，更能耽誤自己發現真正的敵人；也沒有比永遠的「被害者」更非生產性的東西了。所以在此脈絡上，我也同時並行自我追究「被侵犯一方」責任的工作。

第三個目標，是設定為對「華僑」問題的解析，並把華僑史在世界史中做定位。我拒絕把華僑做為漢民族的海外發展史來掌握的這種過於天真的看法。因為擔負起華僑史最核心部分的，就是在於西歐列強把自創的「近代」向世界擴展的過程中，所接納或擄掠到該地域的中國人苦力的後裔。那也是近代中國蒙受西方衝擊而解體的過程中，向海外湧出的流亡農民做為父祖的人們。

據說中南半島難民中有三分之二屬於華僑系，歐美有良知的知識分子把這些船民的悲慘境遇與納粹的猶太人大屠殺重疊起來進行思考，已開始嘗試著對應解決。好像正在把「華僑」問題與其歷史做為人類的普遍問題，重新定位在應被揚棄的世界史「近代」之一部分。

我們也應該逐漸地從傳統的「血統」束縛中解放出來，嘗試著自由地接近問題。不用指出，對華僑問題正確的接近，只有將其放在歷史的脈絡中才有可能。而且我認為發展中國家的「華僑」研究手法，是應將其做為建國的一環，放在與克服殖民地遺制的內在結構關聯中來定位與把握，並且嘗試著這麼做。對我而言，從亂射走向收斂之路應該說還很遙遠。

以上是我在《經濟學人》（《エコノミスト》，1979年8月7日）的「我的研究主題」欄中所寫的一篇文章〔參見《全集8·我的研究主題三個主標》〕。做為現階段我對自己所做的大致整理，恕我將其摘錄於此。

可是，有關本書的刊行，係緣起於我的兩次美國、加拿大之旅行。

第一次是自1977年3月10日到4月7日，以美國加州和夏威夷為中心，訪問了大學、圖書館、唐人街等。第二次是自1978年9月27日到10月13日去了加拿大的溫哥華，然後到美國東部，訪問「華僑」社會並與友人討論問題。兩次都是受立教大學海外研究補助金的補助而進行的調查旅行。

旅行中，受到重逢的故友與新交的研究者諸兄姊的諸多指教。他們共同的要求是趕快出版專門談論台灣問題的書吧。

「您為什麼不寫有關台灣的書呢？」「為什麼把台灣問題，放到日本與亞洲的『總體』之中，而想『逃避』呢？」……得到這類要求兼批判的嚴厲發言也不是一次兩次了。

又，「好不容易對台灣近現代史有了獨特的發言與問題的提出，但因是收錄在不冠台灣之名的書中，多被忽視看漏了，真可惜。還有與台灣有關的論文分散各處很是不方便，能否設法聚成一冊呢？」等誇獎的話與意見也聽了不少。

「言者無罪，聽者足戒」，此之謂也。

每次亂射的「成果」因編輯諸兄姊的好意而成書時，下次要出版新寫的念頭一度會停留在心中，但很不容易實現。內心久已感到不勝羞愧。

大概不至於會被遺忘吧。1978年12月16日中午的新聞報導中，發表了中美建立國交的消息，如同「雷鳴」般，響徹於在日台灣人的「華僑」界。

以前就設定為第二目標在構想中的書，在「雷鳴」之前未能誕生。與此同時，台灣卻因此「雷鳴」而將迎接新的局面。只好採次善之道而無他。

薦舉次善之道的有幾位編輯，但我最終還是請了研文出版的山本實當助產士。

山本先生真可說是本書的助產士。他指點舊稿的誤字、漏字與不適當的文章表現，並嚴格地要求新寫原稿的基礎上，本書才終於得以誕生。

我謹向山本實助產士，並向許可再錄於此書的初載相關報紙、雜誌、書的諸兄姊表示我的謝意。

謹將本書獻給

爲了恢復與確立做爲中華民族的一員的

也是做爲人的尊嚴

以及爲了做爲一個完成的人的生存

而流盡自己血與汗、奮戰的台灣人諸前輩。

1979年10月吉日

戴國煇

本文原收錄於戴國煇，《台湾と台湾人》，東京：研文出版，1979年11月10日，頁321～326

關於霧社蜂起事件的共同研究
——《台灣霧社蜂起事件》序

◎ 魏廷朝譯

緣起

本書的編作者，本來應該是台灣近現代史研究會（《台灣近現代史研究》的編輯發行母體，而該刊物的銷售處為龍溪書舍，辦公室為立教大學東洋史研究室轉交）才對。可是，由於社會思想社力倡並研究會同仁亦贊成，最後決定由我具名擔任編輯代表。

既然要用私人姓名，就似乎應先把我的同伴（幾乎全員留在台灣近現代史研究會）如何參與霧社蜂起事件研究的來龍去脈交代清楚才對。

坦白說，我也相信把這段原委留在紀錄中，必將對一直關心並期望刊行本書的諸賢，以及新近成為讀者的諸兄姊，提供一些參考。

回想起來，團隊的形成是1970年暑假。當時本書的執筆人宇野利玄、松永正義、河原功三君還是大學部學生。

而雖未加入執筆陣容卻在研究會各層面活動的若林正丈，有一天夥同宇野、松永二君來到亞洲經濟研究所找我說，想研究台灣，於是邊喝咖啡、我邊勸說最好作罷。我舉出兩個理由：「靠台灣研究沒飯吃」；「從事台灣研究不管你願不願意，總會被貼政治標籤而招致不利」。

他們卻堅持雖然如此，仍願投入（台灣研究）。

說實在，當時能確認他們的熱忱，我的的確確非常高興。老實說我耐心等著有這一天的到來，這是一段相當長的歲月。

那時候，在奇怪的氣氛下，日本的中國關係學界以「一個中國論」為基調。不過，人人只是在口頭上這樣唱唱而已。從頭就主張「一中一台」論的保守派姑且不談。但是，「一個中國論」者，一方面把「台灣是中國的一部分」當作既定的前提，另一方面卻令台灣研究，與訪問台灣看成禁忌的風潮瀰漫，以政治為藉口、最貧瘠的非政治形式邏輯，把自己的「腦筋」綁死。那種醜態已超過「奇怪」的程度，真教人憐憫。

在那些人士中，尤其是意識形態過剩的部分人士，竟然單純地把來自台灣的留學生，機械式而且武斷地歸類為「國府支持者」、「國民黨的特務」或屬於分離主義集團的「台灣獨立派」，連這種粗糙的行徑，都毫不在乎的幹。不，聽說，現在仍舊有那種人。他們就憑這種非分析性的「懶人」邏輯，來修繕自以為是的「一個中國論」（通常只不過是顯然欠缺內容、空疏的東西），「安心立命」地陶醉在早已排設的「中日友好」的溫泉裡悠哉悠哉遊玩。並且也在無意中把研究場地自行封閉為不毛之地。但是，若林、宇野、松永三君，看來不像是那一類在溫水「大池」裡游泳的人士。

我自來日（1955年秋）翌年以來，孜孜不息地蒐集台灣關係資料，一直等著這麼一天的來臨，哪會不欣喜雀躍！

暑假中的某一天，邀請了舊識的池田敏雄（平凡社），與已發表了霧社訪問記一部分的中川靜子、大田君枝二女士，到西習志野的寒舍，展示了些許我的收藏，並就共同研究的可能性試作初步的商討。接著，也試著找研究所以來的朋友加藤祐三（當時在東京大學東洋文化研究所服務），也給亞洲經濟研究所的小島麗逸與矢吹晉（原橫濱市立大學教授）兩學兄打招呼。結果，大家都很贊成而決定組成研究會。

為什麼要從事霧社蜂起事件的共同研究？

聚集的成員包括在野的研究者在內，專門領域網羅各行各類。其獨特性至今依然成為台灣現代史研究會珍貴的特色。

順便說明，後來參加研究會的有：河原功，當時是專攻日本文學的大學生；松田（現改姓金子，Haruhi），是選擇世界語運動史為畢業論文題目的大學生；頂尖「怪胎」，當屬專攻高分子化學博士課程的研究生春山（當時姓薛）明哲。

草創期的這種獨特性與年齡差距（當時這就表現成對台灣研究經歷的差距），當然也限制了共同研究上的課題選擇、架構設定、方法論建構、研究進度的展開等層面。

我們之所以選擇霧社蜂起事件為共同研究的第一個主題，並不是完全沒有時代性的情況（其中心不待說，是「越戰」、「文革」世界性規模的學生造反）所促成的地方。然而，比它更重要的，是要選擇富於變化、專攻領域的會員，和十二分足夠吸引他們關心的主題，來做為最大公約數。我以為讓研究會落實並長期維持下去，霧社蜂起事件應屬最好的選擇。

我們同仁所關心的共同且最大的架構，在於嘗試把焦點放在台灣來追蹤近代中日關係史，從多角、多層的方式加以定位，並且也把雙方的相互關聯性放入視界。

由上述的脈絡我們首先整理出位於最底層、且一直遭受虐待人們悲壯淒慘的事件，並披露真相給外界，這項有意義的「工作」，儘管係屬樸實卻能充分體現時代精神，就是我們立志挑擔的。（至於研究的今日意義，已在本書的〈霧社蜂起事件的概要與研究的今日意義〉〔參見《全集》1〕陳述，故不在這裡重複。）

我們嘗試的研究方法

我曾經在《台灣近現代史研究》創刊號（1978年4月30日刊）的「補白」（編輯後記）裡，記下了同仁間的默契事項——（一）不期待；（二）不受「正統」與既存框架的約束；（三）不把「政治」帶進研究會裡。

上述三個默契事項，不但從開頭就共同抱持，也隨著研究會的進展而越發堅定。以這個默契事項為前提，我們又確認下述的另一項重要立場，並且自認一直堅持下來。

那立場就是：不問國籍如何，目前的會員，不能也不該替台灣的少數族群「高山族」（本來宜稱呼為Native Taiwanese或台灣先住民，但似乎尚未成熟，因此本書使用現在中國大陸與台灣共同用的漢語式表現——高山族），寫他們的反抗史。

我們預見在不久的將來，從高山族社會的內部，一定會興起以少數民族自己所做的復權運動，以確立創造歷史主體性為中心而追求自我認同的運動，並且也期望它的實現。

我們設想在運動過程中逐漸成長的高山族寫作者，為了要摸索通到自己未來的路，可能會邊反芻邊追蹤自己民族一直背負的光榮史實，與長期以來被迫忍受沉重且黑暗的過去。

我們的共同研究，可說是預埋伏線，替高山族的寫作者可能嘗試的營為「牽線」，把這作業列為自己的課題之一。推行課題上最大的作業，不用說當然是相關資料的蒐集與評論。

此外，站在「文明」的一方（它是侵犯的一方，憑自以為是的邏輯和想法，斷定少數族群為未開化、野蠻，傲慢地想讓他們被自己的文化同化的人們）的我們同仁（不問是漢族系中國人或日本人，就算時間上有前後之差，全部已弄髒了手），為了自己本身的人性救濟，更要為了弄清楚自己的責任所在起見，把事件的全貌，由會員各自透過各自專業去努力加以闡明。

至於成果的當否？只能衷誠等候讀者諸賢的指正。

所剩工作與謝辭

首先必須提到的是明知其「存在」卻未發現的資料。其中最重要的該是河本大作的「調查報告書」（我暫定的標題）。當1930年10月霧社蜂起事件發生時，河本已因張作霖被炸死案而被編入預備役（1930年7月）而賦閒中。當時的政友會幹事長森恪，多少是認為可供濱口內閣倒閣，與對於包括「滿、蒙」在內的中國民族政策作參考等目的，把河本大作隱密地派到台灣。據說河本在回國後寫成「報告書」，並分發給軍政界。據聞該報告書，是件足以洞察事件真相的優異傑作，冀望對於該報告書的存在有所知悉者，不吝惠示。

其次，在我們的研究中，除在本書公開發表的部分以外，還有涉及軍事的部分。預定另外製成報告書，擇日把它公開刊行。我們的工作只不過是開頭的一座里程碑，懇望能夠藉此拋磚引玉，見得到更優異的研究成果刊行。再者，就算一點點也好，如果本書能夠對依舊把高山族看成台灣的嗜血生番，或傳奇的南方野蠻人的人，改正其原先偏見有幫助，那就真是喜出望外了。

最後特別要提起的是，對於新近加入為會員就辛辛苦苦擔任執筆的田中宏；入會並強力支援活動的井口晃、小澤英輔、岡崎郁子、克利斯汀・丹尼爾斯（Christian Daniels）、金子文夫、佐伯有一、田中生男、陳正醍、林正子、檜山幸夫、福崎久一、森久男諸位；提供珍貴資料與證詞的高山族人們；漢族系台灣人但不願公開姓名的諸賢；故吳濁流、故葉榮鐘、故江川博通，以及稻垣真美、坂口襷子、鈴木秀夫、瀨川孝吉諸位，我衷心感謝。

還有，對耐心等待公開刊行的社會思想社，安排成書契機的田村研平，以及為編輯與校對而辛勞的田中蠹人總編輯，我也要表示謝意。

1981年3月吉日

當再校本書時，忽接池田敏雄的訃聞（3月31日）。真是令人惋惜至極。池田先生對台灣各島嶼的民俗寄予極大關心，且對該地住民傾注無限愛情，留下輝煌功績——《民俗台灣》雜誌、《台灣的家庭生活》〔《台灣の家庭生活》〕等名著，我衷心表示哀悼。

1981年4月10日

戴國煇識

本文原收錄於戴國煇編著，《台灣霧社蜂起事件——研究與資料》，東京：社会思想社。本文依據中譯版錄入（台北：國史館，2002年4月，頁1～7，經國史館提供版權）

《台灣史研究》跋

這一本集子，是由在台的熱心朋友們倡議出版的。收有學術論文一篇、小雜文三篇、演講稿二篇、座談會紀錄四篇，總共12篇文章。

除「訪我稿」二篇外的所有「底稿」，都是由朋友們先自日文翻成或自錄音帶整理成稿，再經我親自審核定稿的。因此我得先多謝幫我整理「底稿」的熱心友好們。同時我亦得向供我機會將我至今未成熟，又尚臥在深層心理的意見或意識顯現出來的、有關雜誌的編輯先生和女士們，以及陪我座談的幾位學長致謝。沒有他們的賢讓，我的發言是不會有其突出和光彩的。當然沒有學長、好友們的協助，這一本書也是不會出生的。

有關本書——係我生平第一本中文書的催生，我還得提一下，我訪問北美一年的「幸會」和「邂逅」。1983年3月底，有幸受聘於加州大學柏克萊校園。在這足足一年的期間內，我常受邀前往北美（包括加國）各地做些訪問和演講。等我回到東京寓所寄賀卡時，發現受過指教的新舊知音將近上百人，真教我驚喜不已。

在「幸會」的許多熱絡感人場合裡，一而再地有鄉親以及知音，殷殷地向我遊說（他們的話裡常常還含有些責備的「苦言」在）：「老戴！你怎麼老向日本人服務。我們都知道你已有多篇和多部的日文專著，為何不把它譯出一些來以饗中文讀者呢？日本人口雖有一億多，但千萬不能忘記，講中國話的卻比它多十倍的呀！你得好好地考慮，年紀已經不小了！」

聽了這些勸言和苦言，心裡甚感不安。一憶出國飄泊已近30年，拿不出一點「東西」回饋社稷，真有不少酸苦之感慨。

凡是大海是不拒絕細流和涓滴的，我終於決定獻醜一番。我不知道，收在本集的一些拙見，將給讀者諸賢帶來些什麼？是「憤怒」呢？是「懊惱」呢？或是一些微小的「衝擊」。我本人雖不敢抱有任何奢望，但冀望的倒是具有正面且理性的「知性的刺激」。

本書，若是少有白、錯字，應該歸功於王曉波兄和王永先生，因他們幫我校正過；若有錯處當然歸罪於作者本人。

至於順利問世的功勞，則該歸於陳宏正兄和遠流出版公司的王榮文社長，他們的熱情教我難於忘卻，是值得我大書特書的。

本書各篇，都曾分別發表在台灣、香港、美國及日本的各種刊物上。現在我將各刊物的名稱記在本書的末尾，聊以表示謝意。

1985年3月吉日

戴國煇

本文原收錄於戴國煇，《台灣史研究》，台北：遠流，1985年3月25日，頁262～263

《台灣往何處去》後記

◎ 龐惠潔譯

1988年某個深秋傍晚，我和曾經協助評論集出版事務的研文出版公司山本實先生一起共進晚餐；不知不覺，中國的去向成了席間的話題中心。

當時，我才剛剛寫完多年來的「課題」，也就是《台灣總體相》，並結束第一次的天津、北京訪問行程返回日本，既覺得十分疲倦，心境上也非常複雜。我「窺看了歷史的深淵」，立足過去，思索中華文明與中國現在和未來應有的姿態。也由於我才剛在北京的胡同（街巷）間、長城上目睹了經歷長年動盪的百姓生活，所以仍深為那沉重的情緒（詳見本書所收錄的〈中國大陸「走馬看花」〉）〔參見《全集》3〕所苦。

我從過去就一直主張，不應將中國與國民黨，或是中國與中國共產黨同一而論，這就跟我們不能把德國與納粹混為一談的邏輯相同，可是我的論點卻罕能獲得認同，也許是因為有太多人仍被亢奮的情感所困囿使然。

不知不覺，我開始自言自語。關於台灣獨立或統一的爭論，再過不久將會逐漸褪色。至今為止，促成台灣獨立運動最主要的原因，除了國民黨的台灣統治之外別無其他，不過如果這類運動今後持續擴張，並且根深柢固地延續下去，那麼促動它的主要原因，無庸置疑將會轉為與共產黨對中國大陸的統治有關。如此一來，台灣將往何處去，就繫乎於中國將往何處去。資深的編輯山本先生沒有漏聽這段獨白。

就是這個！就拿這個當題目！請你以「台灣往何處去？——端視『中國往何處去』」為題下筆，並以這篇文章為首，將它彙整成書。

以上，就是關於這本書誕生的幕後故事。

一方面，台灣的國民政府是海內外公認的亞洲NIEs（亞洲四小龍）優等生，也是坐擁超過700億美元外匯存底的「經濟大國」。另一方面，中國大陸則擁有相當於歐洲大陸的國土面積與11億的人口；縱然貧困，但它仍是亞洲首屈一指，同時也是世界排行第三的「政治軍事大國」，不容忽視的存在感令人不能不為之折服。

對於這兩者彼此相關的趨向，不只中國人，日本人、亞洲人，乃至於全球有心人士都對此寄予高度的關心。如果本書對讀者思考有關台灣海峽兩岸關係的問題時能夠有所助益，將令筆者備感榮幸。對身為近現代史的研究者來說，「嘗試診斷時代，並且提出預測」，實為一萬分驚險的挑戰。交稿之後，我現在只能靜候歷史的審判。

在此，我衷心感謝曾經參與座談會的諸公，同意我轉錄並刊於書中的各位長輩先進，還有第三次為我的評論集接生的「助產士」山本先生。

1990年9月9日

本文原收錄於戴國煇，《台湾、いずこへ行く?!—診断と予見》，東京：研文出版，1990年11月20日，頁264～265

評徐正光編《徘徊於族群和現實之間》*

一群客家系台灣人學者及民間學者，分別寫了12篇文章，內容自歷史、社會、文化，甚至於廣及建築、宗教、音樂、文學等；所可惜者，獨缺政治、經濟（書中的〈社會運動與客家人文化身分意識之甦醒〉勉強可算入政經性論文）。

這一本由中央研究院民族所徐正光博士主編的書，是「生逢其時」的Hakkas' Handbook，書名本應以大號字明揭寫「客家社會與文化」，不知怎的，正題反而成為副題。語言、文字上的表達都係意識的表現，書名究竟取決於編者、執筆者共同的發議或是書商？耐人尋味。乍看正題，購讀者甚難判斷這是一本探討客家人及其有關問題的小百科書。不管如何，這些年的本土民眾自覺運動已催生這類書籍的誕生，值得我們歡迎與欣慰。

任何事物都具有正反面，同樣自覺運動也有正反面。若其方向掌握不準，不但會傷己，也將禍及他人。書中利用歐美學術用語處不少，如Communalism譯為「地方自治主義」是沒有錯。

* 徐正光編，《徘徊於族群和現實之間：客家社會與文化》，台北：正中書局，1991年。

但Communalism走偏鋒時，就該譯為「地方或地域割據主義」。割據主張的主要理由有時是人種優越意識，有時則是由共通的宗教、語言形成的地域優越意識。「自治」與「割據」實為一刀的兩刃。

我們台灣全體住民不分省籍、不分族群都面臨關鍵性的時代。人人都應該勇敢的面對現實。但我們不能忽視，當前的現實是過去的歷史在當前的顯現。因此，我們又必須勇敢地面對並總結我們的歷史。個人、族群的覺醒應提升到追求實現人類普遍的價值，但要完成這個課題。

本文原刊於《中國時報》，1991年12月27日，36版

葉榮鐘先生留給我們的淡泊與矜持
——《葉榮鐘全集》序文

可貴的見聞實錄及淵博深思之結晶

如何正視並總結日據時期的台灣歷史，對我們後輩來言，其重要性是不必贅言的。

日據時期史是頗難寫的。老一代的台籍文化人前輩，日文雖懂，中文的表達功力卻有其不足之處；年輕一代的中文能力，近15年來眼看著水平的普遍性提升，是可喜的現象，但日文能力，尤其是讀解及學術性辯論能力難免捉襟見肘是常見。葉榮鐘先生最難能可貴之處則就在於學貫中日二文。

正此時候，葉芸芸女士準備多年的《葉榮鐘全集》即將出版。葉公（1900～1978年）是我敬愛的台籍文化人前輩。他任林獻堂的私人祕書及日文翻譯，並參與了文化協會等抗日反日的一系列社會文化運動，更是日據時期唯一台籍新聞重要幹部的一員。光復後，他仍然留在林獻堂的身邊，只是把舞台轉至金融界而已，卻不曾放棄過當一個冷靜觀察者的自定角色。在這個不尋常的生涯中，他見證了日帝的殘酷統治並剝削台灣的實況；也目睹了光復後不分本外省的人性百態。

本全集是他一生的親身見聞，是他的見聞實錄（雖然難免有不能不「為尊重他人隱私權者諱」之憾），亦是他用社會科學所作的思考成果和評述。葉公雖不曾在學界「寄生」過，但他用了比正統學者更正派的淵博頭腦來深思並明辨，其身為一個資深記者的歷練文字，在此全集呈現無遺，成為美好結晶。我堅信它可以指導後輩的學術研究，實踐和推動樹立真正能肩負台灣現代化事業的主體性，及對推動台灣歷史的真正前進有標竿性作用。就此而言，此全集確實是值得我們精讀的經典之作。

我與葉公交誼往事有感

年屆不惑之後，我特別喜愛並服膺下列之名言：「千古興亡多少事，盡入漁樵閒話中」（不知出處）*、「淡泊以明志，寧靜以致遠」（諸葛亮〈誡子書〉）、「內不足者急於人知」（韓愈〈知名箴〉）及「為學大病在好名」（〔王陽明〕《傳習錄》）。由喜愛逐漸融合為骨肉，遂昇華為我觀察和品人的標準。

1960年代初，筆者「光榮」地被國府當局劃進黑名單，繼而被吊銷護照多年。1969年秋天，筆者出國以來第15年，初次自日本出境。本來只準備率領亞洲經濟研究所的一個小團飛越台灣上空，前赴東南亞作學術考察。時任駐日大使的彭孟緝，除了還我護照外，特別宴請筆者夫婦暨我日本人恩師東畑精一博士、保證

＊ 此句應是：多少六朝興廢事，盡入漁樵閒話中。出自宋朝張升〈離亭燕〉。

人穗積五一先生夫婦等於官邸。面邀筆者順路返台考察，及對我個人出入境「安全」給了口頭保障。事前，彭示意大使身分不便用書面來保證，為了「誠信」，在我內子、恩師及保人（他們兩位都是日本知名人士）之前面，公開用口頭歡迎我返台考察，當為實質上的保障憑據。

斯時，我有位好友林曲園在巴黎留學，他知悉我能返台，託我代他前赴台中家探訪臥病的慈母。

最近閱讀了邱坤良著《昨自海上來——許常惠的生命之歌》（時報文化，1997年9月5日初版一刷，頁109）才知悉曲園不便返台的真正理由（當然，以許常惠之記憶不誤為前提）。

曲園之嚴父坤元伯是鹿港之名醫。慰問了林母後，坤元伯問我：「中午我們一起用餐，你有無欲見的朋友？」因時間過於匆促，我只託伯父代邀慕名良久的葉榮鐘先生。在文獻中，我老早知悉，曲園之外祖父施家本先生為榮鐘先生之恩師。記憶裡，葉伯母的娘家姓施（當時尚不甚清楚），亦同為鹿港人，該是有世交之誼。筆者對葉先生之興趣最初出自於《林獻堂先生紀念集全三冊》（1960年12月印，非賣品）。這三冊頗為重要的史冊概由榮鐘先生所完成，引起了我的注目。晉謁前，我一直納悶著，葉先生的中、日文造詣何以能有那麼高的水平。根據他的《半壁書齋隨筆第一輯——半路出家集》（台中中央書局發行，1965年3月修正再版本）及《第二輯——小屋大車集》（同前引書局發行，1967年3月初版本）來檢視，他的履歷明白地告訴我們，他的日文功力係不容被質疑的。但他的中文在他同世代台籍人士中具有鮮見的高水平。榮鐘先生並不曾在中國大陸留學過，但他的中文造詣不僅不差，甚至有過於北大校友洪炎秋或北師大畢業生張我軍等人，既叫我驚奇又信服。

非常有趣的是與他同庚亦是文友的吳濁流先生，雖然吟詠並書寫漢詩，但小說一概都用日文撰寫。日帝殖民主義剝奪台人母語之罪孽不可不說深重。

一般來言，在台中國人、學界人士仍然過度地信奉「學優而仕」的醜陋傳統。深層社會亦是以「官大學問大，財大學問大」為價值之基準。在這一種社會氛圍中必然地迫使年輕人追求捷徑，認為「吃生力麵」式的研討方式及專揀有轟動效應、議題來撰述論文，才是得要領且摩登的「正道」。不必諱言，所謂的笨工則少有人會去問津。葉先生的代表作《日據下台灣大事年表》及《日據下台灣政治社會運動史》等，冊冊都是笨工所積累下來者。他默默地又代林獻堂、楊肇嘉、陳炘等人代筆發表過不少膾炙時人的佳文。

我深覺，葉老若不是具有淡泊明志、超塵清高的品格和修養，是難有上述業績留芳於世的。

1969年末以至葉老謝世的1978年之間，我們有過雙方或三方（包括吳濁流先生）以及四方（加上王詩琅先生）的「淡如水之交」。筆者透過各種管道贈送他們《台灣社會運動史——台灣總督府警察沿革誌第二編領台以後之治安狀況〈中卷〉》（東京：龍溪書舍復刻本）及《現代史資料21、22——台灣I、II》（東京：みすず，同為1971年第一刷版本）各一套。日後，我亦託日本朋友給葉先生密送《林獻堂光復後留日日記》（按：此日記是受託於代為保管者林以德夫人）。記得為了安全，我還請了亞洲經濟研究所的微捲製作專家拍下一套，以防備被「沒收」或「流失」。

1965年7月，岩波書店刊完《矢內原忠雄全集・第29卷》時，我特別精讀了第28卷之《日記》及第29卷的《書簡・補遺・年譜》揀出矢內原與台籍人士之交誼部分，藉以鞏固為研讀矢內原忠雄的主要著作《日本帝國主義下之台灣》〔《帝國主義下の台灣》〕所需周邊狀況之認知。不久，隨即發現了矢內原為了撰寫《日本帝國主義下之台灣》訪台調查時的主要嚮導並兼翻譯者並不是他人，而是葉先生其人。

據矢內原與葉雙方的交誼相關紀錄，我們不難發現葉先生對日本權威人士的矜持。看待當年東京帝國大學著名教授（敕任官）矢內原時，榮鐘先生不失被治方的人格尊嚴，抱持了不卑不亢的態度，確屬名不虛傳的傲骨文人之風範。

葉先生品人的基本態度是不分國籍與身分的。他追憶于右任仙逝之短文〈偉大人物的手度〉（收入於上舉之《半路出家集》，頁185～188）既可以佐證，並足以折服我等庶民的。

若捧讀葉老的另一鉅著《台灣人物群像》，我可保證，真正想了解近現代台灣相關人物的事蹟者，一定是愛不釋手的。不僅可得不少線索，更可挖掘到如何月旦歷史人物之灑脫妙方。

近年來，台灣的社會心理及社會意識，隨著政局及世局的激變，交映出頗不尋常的「媚日」暨「哈日」之風。甚至一併吹起了〈狂妄的日本殖民地肯定論〉（藉用王詩琅之文題，請參照翁佳音、張炎憲合編《陋巷清士——王詩琅選集》，頁77～79，台北：弘文館出版社，1986年11月初版）台民之自我迷失屬性的歪風。

「媚日」與「哈日」軟骨症候群瀰漫於全台灣的當今，有良知、欲知鄉土歷史的真正愛國者特別需要睿智老報人、藹然風範者——葉榮鐘先生的全集，當為燭照及激勵來尋出正路的。

抱著遊子還家的感覺，投奔故鄉即將滿四年的筆者，目擊狂流的橫行，深感焦慮。因而特別感謝，反狂流而行之晨星出版社暨相關諸友好的勞心和美意。是為序。

2000年5月20日於新店梅苑

本文原收錄於葉芸芸、藍博洲主編，《葉榮鐘全集1・序文》，台中：晨星出版，2000年8月30日，頁7～11

評王曉波〈日據下台灣民族運動及其兩條路線〉

非常感謝主辦單位給我這個機會，我們都知道王曉波教授最近幾年在學術領域相當活躍，但是我對他特別關注的是，他在台灣抗日時相關文獻的出版以及有關抗日史實的研究，他剛剛說是我提供他資料，對我來說我並不是很贊成他的社會運動，我只是勉勵他學術方面對於社會的回饋。事實上他的發言對於反潮流，特別是一些非常有道德勇氣的發言，相信在場有良知的朋友應該會欽佩及讚賞。今天因為時間不多，對於王教授的論文我就不再介紹，大家應該都看過。我昨天晚上看了一系列的論文，我發現有相當相關的概念及方法，可能有助於對王教授論文的了解。

剛才董博士的發言，我個人也覺得滿有意思的，他把民族主義思想的發展從歐洲傳過來就變形的說法提出，這國際上共同評論說法有的太過於中國方面的解釋，本來這種民族主義是沒有錯，nation states是法國革命及英國產業革命以後成為世界性的一種動態，所以在我們的漢語上，假如認真整理的話，英語Nationalism我們可以翻成許多說法，日本也是一樣，有的翻成「國家主義」、「國民主義」、「民族主義」、「國粹主義」，甚至於有一段時期到現在有的日本學者也是對於西方納粹批判時，或者是對於他們的絕對主義、天皇制的批判，是用Supernationalism，但是翻成漢語就成為「超民族主義」，而不是「超國家主義」，從這一點我們就知道很多用漢語來了解的話需要多加注意，所以基本上需要了解一切事物是某些時空的產物，那麼Nationalism也是在某個國家或社會在某個時空之下的產物，所以有其差異性及共同性，我稍微整理一下它的差異。國家的鬥爭從民族主義來看歐洲的知識分子在1920、1930年代討論得相當激烈。

民族主義的共同性，很持平的來說，也就是某個個人所追隨的民族或國家，他希望能夠統一或獨立或者其他的自由繁榮來增進他的階級關係的一種行動，這就是一般所謂民族主義的共同性的概念，其他有的是會變。日本的資本主義，剛剛王教授所說的矢內原當年是支持我們的北伐，他認為那個是相當於日本民族主義新成立準備建立近代國家過程的主張，所以日本才會回想到明治初期民族主義，來支援同情北伐。另外是近代民族主義的表現，但是日本民族主義後來就變了，許多日本學者反而批判自己的超民族主義，對自己的心理做分析，所以我想這一定要做一個釐清，否則會對王教授的論文很難了解，因為他把兩個領域分出來。但是假如把它放在當年東北亞國際關係或者是國際思潮來了解，就知道國民黨也罷、1921年成立的中國共產黨也罷、1922年成立的日本共產黨或者台灣共產黨也好，他們在那時的心情是什麼，他們要建立近代的國民國家，到了我們這裡因為列強的壓迫，所以我們的民族主義竟然變成反帝國主義的民族主義，還是要求獨立、統一、自由、繁榮是沒有錯的，問題是林獻堂先生他的階級基礎，他周圍的人，他與梁啟超有關係又與國民黨右派的楊肇嘉、戴季陶有關係，但與國民黨的左派沒有搭線，蔣渭水的搭線主要是國民黨的左派，但是王曉波教授可能對納粹主義的研究有一點點問題，怎麼說呢？他講的國際主義跟世界主義是不一樣的，他的國際主義（Internationalism）基本上還是偏重國際主義沒有錯，但是真正還是每一個民族的自尊心讓他發展，為了奉獻他社會主義的目標，這一點要分出來。另外我要提出來的，王曉波教授是哲學專家，所以如果要以經濟學修養來要求他，我想是對不起他，投資與當股東及當經營人是兩碼子事，日本人當年為什麼要讓林本源製糖公司的名稱出現？基本上林本源在當時是力量薄弱，日本人不會讓台灣人合資，也就是合資公司在資本主義發展的過程是相當重要，但是王曉波教授沒有搞清楚這一點是日本台灣總督府有規定的，所以他說曾經二二八被暗殺的，他組織那個公司是晚期的，所以他所說的公司也不是產業資本的大企業，所以要分別。

最後一點王教授把蔣渭水的身世做這樣的說明，看起來好像很清楚，但是你忘了台灣的歷史是在動態裡進行，所以像蔣渭水，甚至於到日本留學的醫生杜聰明，醫生階層在那個時代是很重要的，不能被忽視。雖然蔣先生是40歲生病，42歲過世，但是醫生階層在台灣日據時代到底扮演什麼功能，這應該加以注意。就是因為歷史一再的變化，否則這些人不會發揮作用，這一定要講。王教授說台中中學是捐錢給日本台灣總督府來辦，我想不是這樣，而是我們要辦學校日本總督府不准，後來通過才對。這一點我想要確定一下。

編按：此為戴教授生前參加的最後一場學術研討會。

本文係未刊稿，於東吳大學主辦「百年來海峽兩岸民族主義的發展與反省」學術研討會的論文發表，2000年12月3日

戴國煇全集 17

書評與書序卷

未結集：殖民地史料評析

翻　　譯：李毓昭．林彩美．林琪禎
孫智齡．章澤儀．陳仁端
陳封平．雷玉虹．蔡秀美
蔣智揚．劉靈均
日文審校：吳文星．林水福．林彩美
校　　訂：呂正惠

輯一

尋根

旗竿之家與三里灣
——讀趙樹理《三里灣》*筆記

◎ **林彩美譯**

三里灣的東南角有兩戶相連的大房子，門的兩側豎著旗竿，故被稱為旗竿之家。

旗竿之家在村裡是相當大的宅院，前戶長劉老五，因與日本軍合作、擔任「維持會長」之罪名，於1942年被槍決。

劉老五最盛、最得意的時期，擁有旗竿之家與其近旁一排房屋約一半，並統治著三里灣。被沒收的旗竿之家，現在只剩下豎旗竿的石柱與門上所掛的「文魁」匾額，稍微令人想起過去的威風。現在村裡的中心，如村公所、小學校、武裝委員會俱樂部、圖書閱覽室、農民夜間補習學校等主要機關都設置在這裡。

「三里灣」村是個模範村、解放工作也早就開始，縣政府有上級來的新指令，例如懲辦漢奸、減租減息、土地改革、互助組的組織等，到1951年村裡的生產合作社成立為止，都先在此試驗之後再普及到各處。

村裡有能幹且經驗豐富、幹勁十足的幹部；有各種人物與家

---

* 趙樹理，《三里灣》，北京：通俗讀物出版社，1955年。

庭，各個想法不同，自然對村裡的社會主義化工作的態度與接受方式也迥異。

村裡的問題

黨支部書記又是合作社副社長的王金生，其備忘錄有「高、大、好、剝、拆」五個字，這原來是幹部間討論村合作社缺點結果的記載，「高」表示土地改革時獲得過高利益的家庭，「大」表示土地改革時獲得土地分配最多的大家庭，「好」是擁有特別好地質土地的家，「剝」表示還在進行輕微榨取的家庭。

這四種家庭之中，第一種是「翻身」的家，二、三、四種家庭包含「翻身」的家與包含既往的中農之點有所不同，但共同點是對合作社不熱心，入社的人少，即使入社也是消極而不熱心，因有以上情況，擁有好農地的家，與擁有很多農地的家不入社之故，因此村民每人平均農地面積與收穫量，必然是有合作社的人多，農地少且地質差的問題。

這些人自己是當然、也希望留住其他的人在互助組，以便吸收、榨取其剩餘勞動力走他們資本主義的路。反對村裡開鑿灌溉水路的馬多壽，反對合作社擴張的范登高、袁天成等就是。

然而村裡社會主義化運動是不能允許這些走資本主義路線的存續，能貢獻全體村民的福利、生產灌溉水路的開鑿與合作社的擴張，是村裡不可避免、最迫切的問題。

村裡的家家戶戶與村民

村裡的積極分子，是合作社社長張樂意、婦女聯合會主席兼合作社副社長秦小鳳、副村長張永清、合作社小組長魏占奎等，積極的家庭可舉出王家。

王家的戶主是王寶全，年輕時在劉家（旗竿之家）當長工，不僅馬夫、農耕，舉凡工匠的工作——木匠、打鐵、石工——樣樣都行，人稱之謂「萬寶全」，現在擔任合作社的技術組——蔬菜栽培組——小組長，與頗明事理的妻子育有二男一女。

長男叫金生，任黨支部書記兼合作社副社長，他一邊平息極左的發言，一邊訂正保守的意見，做為擴張合作社與水路開鑿事業的推進力而絞盡腦汁。

次男玉生是孜孜不倦的勤奮者，未上過學，但遺傳了其父發明家的特質，正是村裡的技術家，諸如合作社要用到的農具發明、改良以及修理，都一人包辦下來，由父親的綽號「萬寶全」，而被稱為「小萬寶全」，備受村人的愛惜與依賴。去年未經好好考慮，就因村長范登高作媒與村裡惡名昭彰的「能不夠」之女袁小俊結婚。

「能不夠」以御夫三原則：「一哭二餓三上吊」教小俊，唆使她以駕禦玉生，最後鬧到分家離婚收場。

獨生女玉梅天真爛漫又活躍，解放當時因未去成學校，現在為了補償，每晚都第一個到夜校補習。

時值1952年9月，解放後走向社會主義化的過渡性工作已漸近尾聲，村裡也從互助組走上農業生產合作社之路而忙碌。但是村裡的家家戶戶與村民絕不是大家都積極認真地協助。那也不限於非黨員，就連黨員中也有這樣的人，村長范登高就是。他曾在劉家當馬夫後來投入革命運動，是村裡主要領導者之一。土地改革分配到土質良好的田地，隨著經濟狀態的改善，而逐漸與革命工作乖離。身為互助組的小組長，卻弄到了兩頭騾馬，僱用鄰村王小聚為馬夫，以從事農業生產，更專心於副業的零售業與搬運業。他自己當然不願加入合作社，還阻止同組人的入社。唯有這樣他才可以吸收別人的剩餘勞動力，以繼續吸取他商業性榨取的甜頭。范登高的獨生女靈芝是村裡唯一中學畢業的知識分子，對乃父持批判態度，與馬有翼較量如何治癒自家的「保守病」，可是很不容易。她是夜校教師，因具有才能與熱心，也被委任當合作社的會計。

同樣是黨員的袁天成相當狡猾，在外面向以「妻管嚴」著稱，其實是把自己不稱意的事——特別是合作社的工作與對自己無利可圖的事——全推託給妻子來脫身。妻子「能不夠」給女兒小俊出壞主意以致令她離婚，對丈夫也同樣唆使令他把從軍的弟弟名義下，所有地的一半保留下來，只出資一半（合作社），自己是遊手好閒、不愛勞動的惡妻。

該村持有土地最多、也最封建的是馬家。原來馬家長久以來就是中農。戶長馬多壽與妻子「常有理」（「能不夠」之姊）育有四男。長男馬有餘是很精打細算的人，綽號是「鐵算盤」，妻子也是個難對付的人，常與「常有理」聯手欺負老三有喜的妻子菊英。次男有福在縣政府上班不在家。有喜受不了長年受家裡的壓制，受菊英的鼓勵去從軍。么兒子有翼因為生長在這樣的家庭之故，有點懦弱，對不明事理的父母是當然，對他人也是個謹慎、猶豫不決的知識分子。進步的菊英與有翼也無能為力，因戶長馬多壽受妻子「常有理」的牽制，和「鐵算盤」都反對加入合作社與開鑿水路。

村裡問題的進展與兩個革命

村裡的領導者們是想方設法要讓水路的開鑿實現，於是對水路的重要通過地「刀把上」的土地所有者馬家進行說服工作。馬家因自己的土地沒有缺水問題，只需使用水車即夠所以不急，再者因水路的開設會有更多人入社，將因此不能利用那些剩餘勞動力而反對，因此事情無法進展。

這時候，菊英因長年受驅使與冷淡對待，吃飯的差別待遇而終於爆發，提出分家訴訟。在調停委員會的審議上，范登高玩弄詭辯企圖阻止分家，但因多數決的結果決定了分家。

合作社與黨的幹部們想利用分家的機會，策劃讓「刀把上」的土地歸於菊英的名義下，而馬家也請了鎮上的掮客李林虎——「常有理」之兄——來商量對策，採納李的獻策拿出十年前為一時的方便所寫的家產分割書草案，看到「刀把上」的土地在次男有福的名義下，而欣然同意分家。

么兒有翼在菊英事件做了不利於母親的證言而被軟禁在家，在母親與「能不夠」的暗謀下，被強迫與小俊結婚，懦弱的他獨自在懊惱之中時，長久以來他理想的結婚對象靈芝親口告訴他已經和玉生訂婚了。受了此刺激的他，衝出家門，對母親一手包辦的婚姻豎起反旗，向玉梅求婚，而得到「我不能嫁到那樣封建的家去，要是分家我就會考慮」的回應，有冀也認識到除了分家之外，不能期望從家的桎梏中解放，而要求分家。

袁家的「能不夠」接受馬家的聘金而放下心，卻意外地獲知有冀的革命而著慌。天成也因受夠妻子的作為與不勞動而感到頭痛的時候，聽到玉生的訂婚，有冀的拒婚（與小俊的），與「能不夠」吵架爭論的結果，他也起革命要「離婚」。

為了爭取「刀把上」的土地正傷腦筋的幹部們，看到分家證書而知悉土地在有福的名義下，馬上與有福寫信聯繫：「要賣、要貸、要交換都行，總之希望為了村裡的福利，務必助一臂之力」，有福的回信是令人喜出望外的「捐給合作社」，合作社非常高興，馬上製作一面紀念旗去向馬家道謝。

范登高在黨支部的大會上接受徹底的批評與追究，並受靈芝的催促，而帶著兩頭騾馬與土地參加合作社。

袁家也因天成的鬧革命，「能不夠」大大反省，開始參與勞動，小俊也後悔與玉生的離婚，接受黃大年妻子的從中撮合而與村裡的愛罵人但很勤勞的進步分子王滿喜結婚。

三里灣的水路開鑿有了明確的前景，三組新人的出發——玉生與靈芝，有冀與玉梅，滿喜與小俊，以及落伍農家的申請加入合作社，對村民們的幸福，8月13日的月亮似乎感受到，圓滿明亮地向人間微笑著。

本文係未刊稿，寫於1957年2月1日

東大中國同學會會報《暖流》代創刊辭

◎ 林琪禎譯

光是大家聚在一起吃吃飯，總覺得不能令人滿意……於是，本會誕生了。

身處於東京這個濁流之中，是否可想成就像那不願被沖走的蘆葦，展現抵抗的狀態呢？

我們都比巴斯卡（Blaise Pascal）所說的會思考的蘆葦更弱小，不只弱小，還罹患了精神分裂症（我不是要侮辱會員諸兄姊，希望各位能以善意接納）。

我們笑裡藏刀地見面談天，但心中仍然迫切地盼望，能遇到一個知無不言、共同分享悲傷喜悅的朋友……。

於是我們這些幹事，基於提供一個媒介，而創辦了本誌。

留學異國的我們，其實都懷抱著許多的煩惱。

各位何不讓我們互相傾吐這些煩惱，以免自己被欠缺理性的激情和不必要的煩悶所困。讓我們踏實地去追求問題的真正所在吧。

希望本誌在這樣的意義之下可以成為諸位會員的交流廣場，如果本誌可以做為聯繫我們的一點象徵，則十分幸運。

《暖流》及東京大學出版會所出版的刊物《UP》（原件典藏於中央研究院人文社會科學聯合圖書館）

人類不過是根弱小的蘆葦。在自然界之中是最脆弱的生物，但卻是根「會思考」的蘆葦。……人的尊嚴，只在於擁有思考力。故我們應該朝向正確思考努力。（巴斯卡《沉思錄》）

本文原刊於《暖流》創刊號，東京：東大中国同学会，1960年

我與《日本帝國主義下之台灣》*

◎ 陳仁端譯

記得大約是八年前的中秋夜吧，剛服完兵役退役的我，在辦理留學日本的出國手續時，抽空去訪問一位由東京大學畢業的前輩，主要目的是想徵詢他的意見，我將留學日本，該進哪個大學才好。

坦白地說，來日本以前我考慮的是京都大學而不是東京大學。這是因為表兄曾經在京都大學念過書，這使我對這個大學較有親近感。同時也因為我念高中時曾經啃過《善的研究》〔《善の研究》〕、《哲學筆記》〔《哲学ノート》〕、《第二貧乏物語》等書；但終究不能理解，而這些書的作者們都是京都大學教授，或者是京都大學畢業的。

說起來很慚愧，當時我所知道的東大老師只有兩位而已。一位是《農業問題》——岩波全書（當時在台北的新書局有賣這本書）的作者大內力先生，另一位是屠能（J. H. von Thunen）著《孤立國》〔*The Isolated State*〕（舊版）的譯者近藤康男先生。

* 矢內原忠雄，《帝國主義下の臺灣》，東京：岩波書店，1929年。

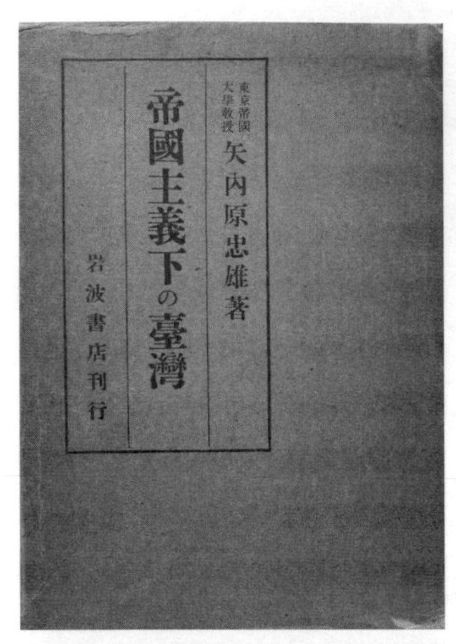

影響戴國煇深遠的矢內原忠雄《帝國主義下の臺灣》

後一本書我是在已故陳茂詩先生的書架上看到過的。名字是知道，但重要的是其著作本身我卻很難讀懂，當然也不可能了解先生們是處於什麼立場思考問題的了。

那個時候知識如此貧乏的我，自從訪問上述前輩以後就改變了念頭。

他一再強調說：「也許很難，不管怎樣，就堅持考東京大學吧。那裡有很多偉大的，或者說出色的教授們，……其中一位矢內原教授，現在應該是校長了吧，你無論如何要設法拜訪他，戰時被禁止出版的他的著作《日本帝國主義下之台灣》你一定要買來讀。」

兩天後來到日本，我說要考東大，二哥聽了就笑起來，但還是說不妨試試看。結果很幸運地考取了。於是馬上從圖書館借出《日本帝國主義下之台灣》來讀，然而是「不懂、不懂」之連續。膩煩了，丟開兩年不管它，當初想去拜訪矢內原教授的勇氣也無形中煙消雲散了。現在想起來真是萬分懊悔。後來雖然在他辭了校長職、在御茶之水開設學生諮詢所的時候，我曾經想拜訪他，已快走到他那裡時，可是一想到如果被問到台灣的事情、被問到什麼有關《日本帝國主義下之台灣》的問題時怎麼辦？……

這些一連串難題胡亂地湧入我腦海裡。最後還是想回去多學習後再來拜訪……就這樣調頭回來了。現在回想起來還是會覺得太遺憾。

升入博士課程後，朋友多起來，也理解了研討性授課會（seminar）的效用，於是就組織四、五個人左右的《日本帝國主義下之台灣》讀書會。由於書本不夠，甚至連國家學會雜誌都借出來讀。霍布森（J. A. Hobson）、希法亭（R. Hilferding），以及伊能〔嘉矩〕的《台灣文化誌》等都翻閱了，但畢竟還不是我所能應付的。不用功的我，就連要理解「帝國主義」這一概念也是相當費工夫的呢。

興致高起來了，也找到了打工的工作，經濟上也充裕了，於是想買書了。可已失去時機，在嚴南堂發現這本書時，價值是1,000日圓。那時還不知道怎麼預購，等到準備好錢去的時候，說是已被人買走了……。後來再怎麼找也找不到，於是請日本人的同學拜託明治堂替我找。有一天，電話打到大學裡來，說：「1,800圓怎麼樣？」既是自己拜託的，又想爭口氣，顧全留學生的面子，終於買下來了。

學位論文的題目決定了以後，為蒐集資料開始逛古書店。3月底在一誠堂又發現這本書時，哎呀，真是的，價格竟是5,800圓。與其覺得荒唐，不如說心裡暗喜這麼多人熱心研究台灣的歷史。

特意說暗喜，是因為現在我並不這麼想，至少抱著懷疑的心。書能賣出去固然表示有人買，但是有人買和被好好地讀似乎不一定有關係。再說，讀了不一定證明消化了。

總之，目前氾濫於街巷的台灣史議論——特別是有關日據時期的部分——很少有值得一讀的。乾脆說，這就是上述我抱著懷疑的原因。

我們思考台灣的近代化問題時，必須與之交鋒的有兩根柱子——第一，封建遺制；第二，日本的殖民統治。當我們要研究其中之一的日本殖民統治的時候，《日本帝國主義下之台灣》一書是必讀的基本文獻。在這裡，要緊的是我們要客觀地、不失去主體性地來讀它，而不是說依靠於日本的近代化萬萬歲。擺在面前的現實是，和我們的主體性無關的，出自於日本人或者日本資本主義的需要而實現、某種程度近代化之殘渣留存在那裡，或者說殘留在那裡而已。我認為，要從這樣的認識出發來研究，才是把「奴隸拒絕認識到自己是奴隸」污名消除的最起碼態度。

現在正是回應這個要求的好機會。《矢內原忠雄全集》的第二卷即將於這個11月發行（原則上不分售，但有只買一冊的好辦法），每冊800圓的高價。我提議趁這個機會，以專攻社會科學的人為中心組織大家來讀這本書。敬請同學會的幹事會制定計畫。

本文題目有一點兒掛羊頭賣狗肉之嫌，請包涵。我預定不久要把這本書的研究筆記發表出來。

（註：岩波書店，《矢內原忠雄全集》第2卷，800日圓）

本文原刊於《暖流》第4號，東京：東大中国同学会，1963年6月，頁21～23

解明美國經援台灣始末

——評介賈克貝《美國對台灣經濟援助之評價》*

◎ 劉靈均譯

一、作者生平與本書介紹

這本書，或者這份報告，就如同研究委託人國際開發總署（Agency for International Development，AID）長官D. E. 貝爾先生的序，以及作者自己在前言中所述，是在AID對台灣1951至1965年為止，總額高達14億美元所謂經濟援助終止之際，試圖找出其得失及教訓，藉此判斷能否增進對其他國家的援助程序之效果。作者係加州大學教授，受託並加以整理。

作者賈克貝（Neil H. Jacoby）係加州大學（洛杉磯分校）企業管理研究所主任。戰前（1938～1945年）在芝加哥大學講授金融學，1948年以後改至加州大學擔任經營經濟及經營政策之教授，並兼任該校企業管理研究所主任至今。

在這段期間，他也歷任直屬美國總統，主要負責經濟開發與開發中國家開發問題的經濟委員會顧問（1953～1955年）、印度

* Neil H. Jacoby, *An Evaluation of U. S. Economic Aid to Free China, 1951~1965*, 1966, 90p.

經濟開發之特別顧問（1955年），以及聯合國經濟社會理事會的美國代表（1957年）等等要職。

其主要著作，有*Business Finance and Banking*、*Federal lending and loan insurance*以及*Can Prosperity Be Sustained*等書[1]。

賈克貝受AID之託成為其顧問，為了完成其任務，他組成了Taiwan Aid Evaluation Team，自己擔任主席，花了約一年的時間進行訂立研究計畫、調查，並且製作報告。

該團隊執行任務時，財務方面由AID華盛頓當局支持，調查則獲得中華民國當局以及當地（台北）的美援機構協助（包括相關人士之訪談）。

雖然書中並未明載執筆的分攤方式，但根據作者前言之記載，「美國援助對政治、社會發展之成效」是由副主席荷博士（Richard L. Hough）執筆，援助的各部門間之分配及對援助計畫之評價部分，則是由戈爾斯坦先生（Allen Goldstein）所分工完成，各自發揮了重要的工作。

根據貝爾的預告，該報告在不久的將來會以「Aid to Free China」之名，以更詳盡的長篇文章形式出版。

在介紹內容之前，在此先介紹何以此書會以大綱報告的形式出版之經緯。

如作者所述，之所以會是以大綱報告的形式，完全是基於AID的要求，希望能以最簡潔的形式——資料與論證減至最少，只清楚刻出結論之輪廓——並且盡快發布至華盛頓當局的AID成

1 賈克貝的經歷可參考*American Men of Science*, Tenth Edition（1962）。

員以及散居世界各地的駐外援助機構。

事實上，筆者也注意到，不知什麼原因，作者很是自負，認為對讀者極有用處的Supporting Appendices也不見於書面。

就如上述，這份報告的形式非常特殊。之所以特別在此介紹，主要有以下等諸點理由：

第一，雖然說是大綱報告，但正如貝爾所言，這是份詳細分析了實施於發展中國家之主要經濟援助計畫成果之報告。

第二，作者在本書中，試著使用數學式的模型設計，創造了應用這種設計的分析方法，進而使用之。在這點上，可以期待這本書對經濟開發之研究者有所啟發。

第三，一般而言，美國對華（中華民國）援助，其資料與研究書籍都極為稀少，透過本書可以發現一些資料。

第四，通常對於援助的評價，大多是由提供援助的國家與被提供之國家的當事者所敘述的，所以往往會流於自賣自誇的局面，但在這個層面上本報告可說是相當的奇特。AID的意見與作者的意見勢必會有所不同，這份獲得AID財政上支持與信任的受委託學者的研究，結果以AID的性格推理，包括提供援助國家方之所以要援助的意圖、援助過程中的態度，以及過程中各階段，提供援助的一方的意見等等，我們都能直接或間接讀出相當的客觀性。

第五，另一方面，過去台灣內部就連國會也未曾審理過美國的援助，大眾傳播媒體也似乎被要求自主性的管制報導[2]。這份

2 請參照本特輯〔《アジア経済》第7卷第11號〕之〈台湾の経済開発とアメリカ援助〉〔參見《全集7・台灣經濟發展與美國援助》〕。

報告得到AID華盛頓當局、其台北的駐外機構，以及中華民國政府相關當局的協助，讓我們有可能可以更清楚地看見美國對華援助的真相。

本報告書究竟能否充分回應我們前述的意圖呢？底下將逐一介紹之。

二、本書的架構與分析方法

首先在此再錄本書的目次：

A篇　研究之範圍（對象）及方法

第1章　研究之性質與目的

第2章　評價之基準及方法

B篇　美國的援助計畫

第3章　美國經濟援助之目的

第4章　援助計畫之性格

第5章　援助之體制與組織

C篇　台灣的開發

第6章　1951年以前台灣開發之基礎

第7章　1951~1965年台灣經濟之發展

第8章　1951~1965年台灣社會與政治之發展

第9章　軍事壓力對台灣開發之影響

D篇　援助與開發關係之評價

第10章　美國對中華民國經濟政策之影響

第11章　美國援助之總體經濟效果

第12章　美國援助帶來政治、社會全體性之效果

第13章　援助部門間之分配與開發策略

第14章　援助部門內之分配與計畫選擇

第15章　援助之方法與水準

第16章　援助管理（行政）之批判

第17章　援助之結束（1965年）

第18章　給美國對外經濟援助政策之教訓

除了正文以外，還有17張統計表及18張圖表。而目次的最後的附錄清單中，記有：

A　對中華民國政府當局提出的質詢事項

B　對台灣的經濟援助表（1951~1965年）

C　台灣的經濟發展表（1951~1965年）

D　台灣的社會及政治發展表（1951~1965年）

E　台灣經濟在無軍事負擔狀況下之成長模型

F　台灣經濟在無外援狀況下之成長模型

G　台灣經濟在Light Aid狀況下之成長模型

然而正如前面所述，不知為何只有目次而沒有內容。

從以上目次可以明白，賈克貝等人的台灣援助評價小組（Taiwan Aid Evaluation Team）企圖進行相當具有野心及概括性的嘗試。然而可惜的是，因為受到AID要求的大綱格式所囿，本

書的記載全部採用條列式敘述，所以無法完全看出賈克貝原先所設計之模型、製作本報告之前提與其適用方法，是很遺憾的。

從篇目結構上也可以看出，作者首先說明方法論，接著介紹1951～1965年間美國對台灣的經濟援助，並在數字面上提示這段期間台灣經濟開發之情形，最後試圖評價美國援助與台灣開發之關係。

其中最令人感興趣的，就是其方法論以及其最終篇的評價，還有從這篇評價中延伸的第18章，從援助台灣得到的教訓吧。

賈克貝在序言中說，做為一個有良心且公平客觀的批評家，面對評價，「美國的經濟援助與台灣開發之關係」這個研究的目的在於：⑴開發評價國家援助計畫之方法；⑵對（法定的）援助方法、對台灣經濟進行的不同計畫與各部門援助分配，以及對台灣經濟、社會、政治之整體影響進行評價；⑶找出設計及管理其他國家經濟援助時，值得參考之教訓等等。

在其研究方法上，是盡量去作數量上的分析，加上採用定性且基於判斷基準進行判斷之手法。

在評價援助的方法時，採用的是多元性的接近法（pluralistic approach），測定對台經濟援助之生產性（productivity）時，以下列七項做為基準：

第一，對美國與中華民國所公布之目標之達成程度。

第二，將援助每一美元所提升之GNP效率與亞洲諸國比較。

第三，對照台灣過去自己的實績時，生產量整體性的增加。

第四，對援助的部門間分配與其理論上最適當狀態之接近度。

第五，選擇計畫的適當與否（經濟的合理性之達成度）。

第六，與援助方法最適當狀態之接近度。

第七，援助管理上，可想做可實行之理想的最適當狀態與管理實施上之乖離程度。

作者更說，因為在這些基準有其理論上的制約，在適用時若有不得不面對特殊的困難時，加上一些主觀的判斷來說明其結果。

評價基準之適用，包括援助與開發相關的統計分析。

而該分析更進一步在總體經濟效果、部門間分配分析及部門內分配分析等三個層面上進行分析。

總體經濟效果分析是，採用資本係數的比較以及哈羅德—杜馬型（Harrod-Domar type）的簡單的「無外援時之成長模型」，部門間分析則使用四部門（農業、基礎設施、工業以及人力資源）與兩部門（公營部門與民營部門）模型。部門內分析則是以分層任意抽樣法所得之計畫作分析。

三、援助與開發關係之評價

（一）美援的總體經濟效果

賈克貝首先說明，對台經濟成長援助的全體效果的評價是援助的生產性評價的中心課題，之後則指出，能夠顯示真正援助效果的，在於因為援助輸入對台灣國內的總資本形成所占的年率。

從年率我們可以得知約三成的台灣國民生產總值（Gross

National Product，GNP）是靠補助來的。（GNP年平均成長率7.6%中的2.3%）。因為人們無視於援助輸入對資本形成所帶來的累積性的、動態性的、乘數性的效果，所以只能予以局部的評價。

在「無外援狀況下之成長模型」之下，年平均成長率最多應該也只有4%，人均GNP也只有不到1%。這樣子應該只能達成1964年實際成長幅度的58%。也就是說，1964年實際達成的GNP要到1980年才能達成，人均GNP更要到1995年才能達成。這樣計算起來，美國對台灣的援助，讓經濟成長率比起沒有援助的情況變成了兩倍（以GNP看來），讓台灣提早30年達到了1964年實際達成的生活水平。

此外，對台援助也讓台灣的投資及生產量的年平均增加量整體而言，達到了約2.0的乘數效果。

妨礙台灣經濟成長的，與其說是國內儲蓄的不足，不如說是有效的外匯不足，其原因更大。因為大量外匯進入，使得快速發展所需的大量工業原料及資本財能夠輸入，擴大能夠用於投資的國內儲蓄。據估計，援助一美元所引發的追加投資也約莫有一美元。

藉由以上的考察，此報告甚至推斷，若是美國或者其他國家除去對台灣外銷的障礙，對台灣援助之需要應該就會減少。

美國援助填補高速發展所需外部資源的落差，特別是在1961年——在1961年之後台灣的貿易便急速擴大了——以前完成了。

有關統計分析，加上經濟成長與援助的關係，本報告判斷了中華民國與美國所揭櫫的目的達成的程度，中華民國在1953至

1965年期間一共進行三次四年計畫，其極富野心的目標——也就是GNP實質的成長率——都以些微的差距跨越了目標的門檻。而AID雖然沒有設定GNP成長率的目標，但其所設定1968年中讓台灣經濟能夠自立的目標，在1965年已經被達成，所以事實上其達成程度也已讓AID滿足。

第二個判定的標準在於歷史性的比較——也就是與日本統治時期的成長率之比較——結果1951至1965年的GNP年平均成長率是7.6%，比起日據末期1911至1940年的4.0%要高出了3.6%。

有趣的是，在這裡賈克貝認為殖民地時代的（對島內產物的）「殖民地負擔」比「光復」以後的「軍事負擔」要來的略大，並且參照「無外援時之成長模型」，在進行較為粗糙的推算結果，其認為GNP的年平均成長率至少應該有90%是來自於美國援助所支撐。

第三個判斷基準，則是與在同時期可以做為比較對象的亞洲各國的比較。

被當作比較對象的，是位居亞洲、大量接受美國援助的較小的「半開發國」（Semi-developed Countries），也就是韓國、菲律賓、泰國以及土耳其。結果而言，台灣不只是GNP的年成長率比其他各國高，平均每1美元援助的GNP增加量也比泰國以外的各國都要高。

更重要的是，雖然中華民國的軍事負擔占GNP的比率比其他各國都高，但仍然可以得到這樣的結果的事實吧。甚至援助的效果在今後也將繼續發展擴大，這是1965年7月1日以前受到承認的援助、其援助所派生的相對基金的投資，以及既存投資的延續效果的展現，特別是在基礎建設與人力資源兩個方面。

這樣的效果相當重要，也是AID在1965年中以後——停止贈與性的援助——之後，中華民國的經濟成長率依然可以達到7%的緣故。

此外，到1965年年中，雖然並未立即展現在GNP上，但美國的援助更促進了以下的益處：中華民國增加了外匯存底，並且在全世界確立了信用，這又對於從今以後長期的GNP擴大有所助益。

雖然從以上的分析，可以得到美國援助的生產性相當高的結論，但由於可以預期到未來將會出現與理想的生產性間的乖離或失誤，所以在評估時就更有必要適用追加基準的評價。

特別是預測援助計畫中的浪費，或者估計到底（最少）需要多少援助才能達成同等開發等等，必須要更進一步進行各部門間或部門內的分配、援助方法與援助過程的管理分析。

（二）各部門間的分配與開發策略

為了測試在個個部門的投資是否在最適當的狀態，本報告採用了代替性的標準（Proxy Criteria）的組合。所謂代替性的標準，包含了比較各部門的資本係數、產值的成長率、固定資產（fixed assets）的利用率、預期的乘數效果以及被認可的範例援助計畫的投資收益率。

1951至1963年這段期間全計畫（包括使用相對資金的計畫）總額共達10億4,900萬美元，其中有40%以上都使用於公共建設，其次大部分分配給農業，再次是人力資源，最少的為工業部門。

雖然當初預定將在台灣所有的純投資額在民營部門與公營部門各分配一半，但是在1959至1963年這段期間民營部門得到的分配被提高到三分之二。

美國在台灣經濟的民營部門中間接地——供給基礎建設，並且要求中華民國政府創造出激勵個人投資的好環境——培育出了卓越的成果。若是美國不積極運用其援助的權力（leverage of aid），而間接地推動了獎勵擴大個人投資的政策，恐怕民營部門衰退，資源利用的效率也低落，使得台灣的經濟成長矮小化吧。

對基礎建設及農業部門的援助投資造成的乘數效果中，雖然直接效果——做為金融上的「槓桿」——較低，但其間接效果——誘發對其他計畫的投資——則較高。結果看來，我們可以說其整體上的乘數效果比其他部門較大。此外，由於其他部門有效的資料不足之故，在此無法得到明確的結論。

從投資的總量所示，在過去對基礎建設與農業部門相對而言投資太少，對於工業和人力資源方面則投資過多。

從有效的資料所示，在援助期間中，電力、運輸、交通等機能都被充分地利用，甚至常常會有供給不足之情形，農業資產也被竭力運用著；反而是工廠的開工率低，人力資源部分而言，教育設施也設立得太早了。

美國資金援助中，在基礎建設上占了國內投資的74%，農業部門則占了59%，而人力資源與工業部門則分別只占了18%與13%。

從這裡也可以看出，美國援助不僅擴大投資總額，更達到了引導至生產性最高的方向之功能。

就以上所述作結，我們可以說其部門間分配接近於最適當的狀態。

更進一步言，援助之所以能帶來高度生產性，其關鍵原因是，有優異的開發策略之故。

特別是開發策略的順序——第一求通貨安定，其次求農業生產性急速發展，接著是基礎設施的整備，再次則是支持工業部門（大部分是由個人投資）的逐漸擴大——是應該被強調的。

（三）部門內分配與計畫的選擇

然而即便各部門間分配相當完善，在部門內的選擇還是有可能出錯。

個體經濟分析的目的，即是判斷計畫的選擇過程是否合理，以及測定計畫在長期間社會性收益率（social rates of return）。

大抵而言，個體經濟分析的結果顯示：在部門內的分配有實際的分配與最適狀態之間是有落差的。

造成援助資金浪費的原因，包括了疏於推算替代方案、投資前未有充足研究，以及投資基準的誤用等等。

雖然說大多數錯誤，都肇因於申請這些計畫的中華民國接受援助的當局，但AID在判斷提供資金援助的適當與否上，必須要先負上責任。

這些失敗的三個基本的原因在於：

第一，選擇計畫時對於資源需求欠缺事前調查。

第二，援助機構沒有獨立對計畫進行評價之能力。

第三，因為基金都必須要在各個會計年度結束前核可，在時間的壓力下，投資前的研究不足。

因為援助資金的利息（年利率6%）比起市場上的利息（通常年利率在12%或以上）要來得低，在計畫的選擇上，通常不會選擇資本集約的計畫，而是選擇非經濟的計畫。不建造較為經濟的火力發電廠，而建造較為不經濟的水力發電場就是一個例子。

AID雖然多次誤判了計畫的估計，但也有防患中華民國方面錯誤決定於未然的成功紀錄。比如說，拒絕了原子爐、水壩水利發電、一貫作業的鋼鐵工廠等等的建設融資申請。

雖然說在核可計畫上並未做最適當之選擇，但無庸置疑的，AID仍然藉由介入選擇，使其投資整體而言仍然是提升效率的。

賈克貝更認為，如果AID在台北的機構若能不只對CIECD（台灣方面的接受援助機關「國際經濟合作與發展委員會」的簡稱）所提出的申請進行審查與建議，更進一步發揮積極性的角色，就能發現並實施收益更高的計畫。

在基礎建設的部門內分配中，對水力發電的投資太多，對火力發電投資則過少。若將提供給台灣電力公司的2億4,500萬美金以上的金額分配給火力發電，每千瓦的資本消耗相對就較低，建設所需期間也縮短，也就能夠緩和台灣島內慢性的電力不足，加速台灣的開發。

在台灣合理的電力計畫，應該是先建立火力發電廠以確保基礎的發電能力，之後才建立水力發電廠才是。

會發生這樣的錯誤，是因為美國的援助資金太容易借到，以致水力發電的價值被過度強調，復以台灣方面不合理的希望藉由減少購買火力發電用的燃料來減少外幣使用，所以對於其資本費用過於低估，對於燃料費用過於高估的緣故。

在這裡最有趣的是，中華民國雖然以石門水庫的建設最為自豪，但在此報告中對石門水庫則做出了低評價。

賈克貝斷定，對低收益的石門水庫進行的投資過多，對於交通運輸手段則投資過少。他認為若能將建設石門水庫所使用的近7,000萬美元的金額，投資於台灣負擔過重的交通運輸建設，可以讓台灣得到更大的發展。

會發生這層錯誤的原因，除了與前述對水力發電投資的基礎思考模式相同之外，早期並沒有對於運輸進行調查也是一因。

在農業部門內，其投資的分析則是相當不適切也不足夠的。

雖然考慮到了技術上的可能性，但在經濟分析上——費用收益率與預期的投資收益——除了灌溉計畫以外幾乎都沒有進行。

對農業部門的援助大多不是與長期性的農村投資計畫相關的投資，而是投資在地方「感覺需求」（felt needs）。

報告認為，應該要增加研究、普及事業以及漁業的投資，而減少控制洪災與灌溉事業的投資。

此外在農業部門中，有6,000個以上大小相同的計畫，其中大部分的計畫都只有25,000美元以下。分散這些投資雖然增進了政治上的效果，但經濟上的效果卻因為規模過小且功率低，而無法滿足。

接著說到人力資源部門的分配，若從經濟發展的立場考量，應該是縮小對教育的大量投資，在衛生、工廠經營、住宅以及都市開發上多加投資。

但光是從教育面上看來，在高等教育與建築物上的投資就過大，而對職業或技術訓練的投資則太少。

持續過剩的大學畢業生藉由流往美國的人才流出而得到緩解，但是另一方面，熟習工業社會所需之機械技術的熟練工人則是慢性的不足。台灣的教育制度並未配合經濟發展的需要，而美國在改變這個制度上能夠施展的力量相當少。

若是在援助計畫早期就能廣範圍地調查人力的需求與資源，就能減輕前述的失敗了吧。

四個部門中最後一個是工業部門。不只地域性的資源不足，就連以彰顯資本集約式威信為目的的計畫也一概採取迴避。

其失敗在鋁工業上可見。鋁工業不需要大量勞力，而不管是鋁礦、低廉的電力或者便宜的資金，台灣全部沒有。

工業部門內的分配問題，應該可以藉由選擇計畫時採取正確原則與合理的過程來加以改善。

像是「經濟自立」、「替代輸入」、「均衡成長」或者「產業多角化」等等，這些理由是為了讓工業計畫正當化，然而卻是曖昧而錯誤的。藉由徹底的適用比較利益原則，應該可以排除掉這些理由才是。就結論而言，因為分配的失敗，而使台灣實際的發展比起其潛在可能性要低了10%。

除了以上的評價外，作者也觸及許多援助管理（行政）的問題，其主要批判之處在於AID對於援助並未設定清楚明白的目標。

四、從援助台灣得到的教訓

台灣之所以能從1951年的從屬性強的經濟，到1965年得以經濟上自立，是因為下列六個策略因素配合而成：

1. 台灣人民的才能與勤勉；2. 日本統治時代所留下的基礎設施與人力資源；3. 從大陸新來的移民所帶來的職業，以及其行政面上的才能與精力；4. 安定的政府；5. 對民營企業有令人滿意的經濟政策；6. 美國援助對前述4、5兩項的貢獻。

作者更指出，倘若前述的策略因素缺乏其一，即便有外來援助，也會妨礙台灣經濟的急速起飛。

我們可以下這樣的結論：想要得到美國援助在台灣收得的成果，若沒有前述所有的策略要因，並且沒有相當程度具備（此條件）的國度，恐怕難以再度演出。

在台灣的教訓可以同時適用於半開發國家與未開發國家。在非洲各國等未開發國家中，應該對創造開發策略要因抱持關心；而大多數亞洲及拉丁美洲國家的半開發國家，則應該盡速讓國家變得可以進行多樣化的經濟活動。

對台灣的援助計畫有以下的特徵：

1. 在援助的後半期，中美兩國將其政策目標主要集中於開發。雙方的資源全部使用於開發，完全不使用於救濟、社會福利、擴大就業、對政治影響力或其他的目的。

2. AID與中華民國政府同意於生產性的開發策略。此策略首圖貨幣安定，依序重視農業生產、基礎建設，最後才謀求工業成長。

3. 中華民國與AID的共同政策，是促進生產，獎勵技術革新，謀求效率與收入的增進。

4. 共同政策更避免了中央對開發計畫的瑣碎規定。

5. 美國藉由提供高水準的援助，成為其對中華民國經濟政策撐腰。

6. 美國藉由援助的力量培育了對開發有益的經濟政策。這是有智慧地反駁了「援助不應設限」的錯誤見解。

7. 美國小心謹慎，不利用援助做為政治改革的手段。

8. 美國盡力培育民營企業，此結果也讓中華民國沒有實行所謂「社會主義的建設」。

9. 美國的援助主要在於基礎建設與人力資源之開發。

10. 美國說服了中華民國，使之發展勞動集約之工廠，而不發展誇示威信的資本集約工廠——例如一貫作業的鋼鐵工廠。

11. 雙方藉由輸入管理調整援助的利用。

此外在失敗的教訓上重複的內容過多，在此介紹前面並未提及的部分。

因為未計測對台灣經濟實際上的軍事壓力，導致美國政府進行了以支持其軍事負擔為意圖的防衛支助（DS），以及「為了和平而援助的食糧」，其分配的量過大。

對於台灣的資源、人力需求、能源、教育，以及其他各領域的調查，不是沒有實行，就是實行得太慢。

對於援助的政治社會效果，欠缺有體系的研究。

AID並未對中華民國財政、貨幣政策問題充分給予高水準的建議。

應該更早將援助從贈與改為軟貸款（soft loans）。

AID在利率、儲蓄獎勵、所得稅課稅有關之改善法以及貨幣供給量的限制等等經濟政策面上，都未進行足夠的建議。

最後，賈克貝教授說，在台灣的援助計畫算是全盤的成功，並且下了一個結論：「只要具備必要條件，就可以像台灣一樣，藉由成功的外國援助協助一個國家的經濟發展。」

從目次構成就可知道，作者的記述並不只有前述這麼一些而已，但囿於篇幅，謹在此擱筆。

無論結果好壞，這位得到AID支持的美國教授，將美國援助從開始到結束做如此廣泛範圍的分析，這樣的例子是前所未有的；其分析方法也有著相當先端的目的。光是如此，這份論文即便單單做為一份資料，也頗有一讀的價值。

本文原刊於《アジア経済》第7卷第11號，東京：アジア経済研究所，1966年11月，頁140～146

開創了不一樣的台灣研究

——葛伯納《小龍村：蛻變中的台灣農村》*

◎ **陳封平譯**

當代人類學家的研究標的似乎已快速的從所謂的原始社會轉向複雜社會。美國學者在此一變化上尤稱翹楚。傳統上在區域研究中有著傑出成就的美國學界，已在東亞研究上交出開創性的成果，特別是在中國人鄉居生活這部分。舉例來說，在中國人研究方面的作品有史密斯（A. H. Smith）的《中國鄉居生活》〔*Village Life of the China*〕（1899），葛學溥（D. H. Kulp）的《南中國的鄉村生活》〔*Contry Life in South China*〕（1925），其中作者們以社會學的特定觀點來研究中國人的生活。在日本的鄉村研究中，我們注意到恩布里（J. F. Embree）的傑出作品《須惠村》〔*Suye Mura*〕（1939）。二次大戰後有《鄉村日本》〔*Village Japan*〕，此為比爾茲利（R. K. Beardsley）、霍爾（J. W. Hall）及沃德（R. E. Ward）等在不同領域的專家長期（四年）住在他們進行研究村莊中的合著作品。

---

* Bernard Gallin, *Hsin Hsing, Taiwan; A Chinese Village in Change*, Berkeley and Los Angels, University of California Press, 1966, xix324 PP；中譯本：葛伯納著，蘇兆堂譯，《小龍村：蛻變中的台灣農村》，台北：聯經，1979年。

美國學者的長處在於嘗試去捕捉一個當地特定族群（也就是說一個特定村莊）的真實面，透過「緊湊模式」，奠基於長期生活在當地的環境中。這種方式的結果不只呈現在我們刻下要評論的書裡，也見於之前提及的《須惠村》和《鄉村日本》。細思之，這樣的緊湊模式應是肇因於經常使用實證主義方法，及有著廣泛的基金會財務贊助的學術環境裡。

《小龍村：蛻變中的台灣農村》是第一部美國學者以前述的方式來研究台灣的作品。本書為葛伯納（Bernard Gallin）費時16個月（1957～1958）與其妻子居住在坐落於台灣中西部的新興村調查與研究成果（更具體地說，此村莊是位於彰化縣埔鹽鄉。新興村在1957年人口為657人，115戶）。

基於政治上不可克服之因素，作者在當時無從進入共產中國以遂行其中國人鄉村研究目的。為補償此點，很清楚的作者是選擇以台灣為實驗室，來嘗試以一個擬似大陸中國農村的地方達成其學術研究。以此觀之，以一度繁華的港口、並保持古中國痕跡完整的鹿港周邊的新興村〔譯註：當地人暱稱為小龍村〕，應是一個妥當的選擇。

葛伯納這樣一個取向是相當引人深思的，特別是在今天有些帶有隱含政治動機的作者，強調「台灣非中國」或是「台灣文化的原創性」等。

葛伯納此部作品的一個主要特徵是在於從（特別是由人文生態的角度）適當的歷史段落，去描述一個台灣漢族村莊日常生活的不同面向。帶著這樣一個意圖，作者竭盡所能進行對台灣社會文化的實證研究，細部的記錄了諸如都市化、人口爆炸、農業土地改革、鄉村人口流失、傳統的村莊組織、村民間結社模式、親族關係、村民價值觀，以及這些現象因時而變的流向。

時至今日，幾乎關於台灣當地社區的田野研究都是集中在原住民的原始社會上，間或可見關於平地中國人社會的研究則是奠基於考古、地理、宗教及農業經濟的原則上。（即便國立台灣大學的社會系也要到1968年才成立，此為台灣漢族社會研究為低度開發之學術範疇的最佳象徵。）但我則從未聽說有類似本書作者一樣，在研究對象的當地社區住上一年或以上的時間，從不同的觀點提供且掌握了整合亦且全方位的日常生活狀態。

葛伯納出版了第一部關於台灣漢社會的人類學研究，並原創的以研究台灣來了解中國，由這兩方面來說，無庸置疑的是值得我們加以盛譽的。而且這本書也盡可用來向世界介紹台灣，若非中國內戰紛紛擾擾，加上北京、華盛頓的對立，世人或許是不會知曉這個小島的存在。但在我們可將此書歸類為完美無瑕的學術作品前，一些進一步的評論是必須的。

本書主要的弱點在於對比較研究[1]上，常見問題之必要學術的見識貧乏，以及其理論整理和引述既存文獻[2]的複雜度不足。

作者在處理城市相關於鄉村生活的問題時，僅以台北為例，忽略了中小型城市的過渡狀態，相對於其在描繪鄉村生態時，鉅

1 遺憾的是，作者並未好好利用在產米社會方面的英文著作，如日本的《須惠村》、中國的《南中國的鄉村生活》、陳翰笙《華南農村土地問題》〔《南支那に於ける農村問題》〕，或是費孝通的《江村經濟——中國農民的生活》。

2 我並不認為作者已完全消化且吸收現存的英文文獻。而參考文獻裡對日本學者的忽略，如仁井田陞、牧野巽、清水盛光、今堀誠二、福武直等人。只能歸因於作者不諳日文，雖則常識論之，日本學者在中國研究的成就不能被忽視。

細靡遺地收集並記錄每一項資料的嘗試（對評論者而言，並不清楚這是否是社會人類學的工具），是令人難以接受的。這可稱為是過度簡化了。以論者所知而言，除鹿港周邊的直接區域外，和鄉村生活相關的城市首為彰化，次為台中，而非直接是台北。另如過度強調相對於土地的人口過多為農村經濟的基本問題，亦是過度簡化。我認為從現代日本及當代台灣於農村人口的新趨勢及走向的基本面，即可推知土地稀少並非農村財務困難的根本原因。

人類學家如果僅從單純鄉村社會與經濟的幾個面相，便要去定義台灣鄉村聚落的結構，而無輔以透明式的分析，便易被導入錯誤的直接臆測。稍早時，我對葛伯納以台灣「家」及「村莊」等社會基本構成元素，去類推中國社會的特徵曾表讚賞，這樣的評斷尚為公允。然而這並不代表我贊成作者所未曾考慮到、不同的政治體系及階層關係，便以台灣村莊的觀念去套用在中國大陸的村落上。而直接如此的廣泛套用在中國之危險性，也是顯而易見的。而且毋庸贅言的，是以二戰前的一個特定中國大陸村莊，未經修飾的來比較台灣的新興村是一缺陷。

由於在聚落階層及經濟族群分析架構上的薄弱，作者只好反求於一個極端模糊的概念「感情」（非血親人際關係），這其實是從傅瑞德（M. H. Fried）的《中國社會的經緯——一個中國社會成員的社交生活研究》〔*Fabric of Chinese Society : a Study of the Social Life: a Chinese Country Seat*, New York（1953）借過來解釋人際關係的。

作者似乎也遭遇到一般從已開發國家來的學者到開發中國家

的當地社區做研究時會碰上的問題，特別是在當地的方言上。作者自身也認知到即便他自己能說北京話，但在一個使用閩南方言為日常生活語言的村莊裡，能勝任傳譯的人手也不足。一個這樣的語言問題的例子，像是把閩南話的「阿媽」和北京話的「媽」混淆。設若作者是要從社會基礎的家和村莊來推論中國社會和文化的話，他應該得使用村民的日常語言為媒介，特別是在1957年的當時，官方推展北京話官方語言也不過進行了為期12年的光景。

作者從社會經濟的觀點來看社會與文化的改變，而認為特別是都市化起了相當大的作用是可接受的，但要掌握整個台灣社會、經濟變革的全面相，忽略政治行政體系對村莊控管此一特質的分析，顯然是不足的。（在近代中國政治行政體系是被認為「天高皇帝遠」的，但在最近台灣的情形——包含日本殖民時期——是不同的。）

再更進一步來說，要達致完整的台灣社會、文化變革分析，對由當局及掌權的行政體系而成型的人民思考及行為模式，也必須予以考量。未由這些觀點出發，作者將在對下列的現象進行社會、文化及歷史重要性評析時，會遭遇極度的困難：

第一，日本殖民末期總督府對台灣人民進行皇民化運動時，對佛寺及孔廟的組織重整的徹底失敗。

第二，國民政府近來的教育及宗教政策，其被廣泛的認為是對共產中國的反應；具體來說，對儒家祭典的大力鼓吹，佛教倫理宣傳的不遺餘力。

第三，宗親會與同鄉會在地區政治集會，特別是選舉期間的角色日形重要，與潮流正好相反。

第四，在典禮場合對舊習俗的加強使用，此被視為是符合國民政府的文化重建運動。

另尚須指出與事實有出入的幾點，如下：

第一，1905年公告的是《土地登記條例》，而不是《土地調查條例》（頁16）。

第二，雖作者稱之為引用，但公立小學並未用台灣當地方言授課。從日本殖民早期即以日文授課，在學校使用台灣當地方言是絕對禁止的，這是一個歷史事實（頁19）。

第三，自1952年起縣長便已由縣民直選產生，非如作者所謂是由縣議員在縣議會間接選舉產生。

另在書末參考文獻[3]裡我有一些意見。第一，作者並未提到以日文付梓的《民俗台灣》（1941~1945）和自1951年起發行的中文期刊《台灣風物》是兩本研究台灣社會、風俗不可或缺的資料來源。

第二，在參考文獻中提到的日文著作只有三份（其中一份是中國人作者寫的）是很奇怪的事。尤有甚者，用中文的音讀來拼寫日文著作裡漢字成羅馬文字，是不便且奇怪的一件事。再者，作者應當提及中譯本的《台灣司法》（台灣的稅收和法律）是研究台灣社會、歷史、經濟、文化的重要材料之一。

雖然我已指出本書一些仍須注意的觀點，在此我仍要強調的是，新興村的重要性在於提供研究台灣的學者們，在此領域一個

3 日本殖民的50年間所進行的台灣研究是無法被忽略的。

開創性作品的刺激。最近台灣的學者也開始出版一些具多樣性的作品，例如王崧興的《龜山島：漢人漁村社會之研究》（台北：南港，1967）。全世界的學者們在共通的研究問題上，持續的產生對話，台灣研究的學者們只會更加欣喜吧。

本文原刊於*The Developing economies* VII-1，1969年3月

台灣史研究札記

——介紹《台灣警察四十年史話》等珍本

◎ **林彩美譯**

記得是東大「紛爭」激烈化*之前春暖的一日。東大東洋文化研究所的友人，說是獲得台灣史相關（特別是抗日運動）的資料，邀我去看。本來下筆慢、懶惰的筆者，有著如果有玩賞古書或珍貴資料等的機會，會立刻變得元氣百倍的怪癖。所以，我當然馬上向朋友回說OK，當天下午就出門去看資料了。其中大部分是已知，不過也有一些未知的東西，本文擬介紹這部分，同時也想寫寫最近筆者對台灣史研究心有所感的部分。

關於所謂珍本，首先先列出書名並試加介紹。

1.《台灣警察四十年史話》

本書正是目前為止，在台灣史中，抗日運動史研究者追求的夢幻文獻《台灣總督府警察沿革誌》的編者鷲巢敦哉的著作（所謂夢幻的部分，當然不是指全部，而只是其中以「特祕」出版

---

* 東大紛爭為1968年起，日本學生運動之一環。日本學生要求校園民主化，發動學生運動，組成「全共鬥」（全學共鬥會議），展開校園武力鬥爭，東大本鄉校區的安田講堂也被學生占領。1969年元月，機動隊（鎮暴警察）進入校園，逮捕學生，並發生安田講堂攻防戰，解除了東大的封鎖。

者）。

鷲巢從大正6年（1917）開始在台灣生活，逐級從巡查、警部補、警部爬升，最後擔任警察練習所教官，15年間行走於警察界，好像是其中少數之一富於文采者。他除了上述著作外，就筆者所知，另有《警察生活內幕物語》〔《警察生活の打明け物語》〕（昭和9年【1934】2月於台北出版）、《台灣保甲皇民化讀本》（昭和16年6月於台北出版）二書，並有遺著《台灣統治回顧談》（昭和18年9月於台北出版）。

據筆者調查，後三著在目前公家藏書中並未查到蒐藏者（全部僅能從私人藏書借閱）。

依《台灣警察四十年史話》版權頁，該書於昭和13年4月在台北刊行，吾人可從其〈自序〉得知，《台灣總督府警察沿革誌》的編纂計畫當初預定整理從日本入侵台灣起至昭和7年間，台灣警察所有部門的沿革，共約十二、三冊，約一萬五千頁，大約以一年一冊的速度整理出來。但結果編纂事業進行得相當困難，鷲巢寫〈自序〉的階段（昭和13年4月20日），記錄只完成第三冊的出版，〈自序〉中更將《台灣總督府警察沿革誌》之所以會成為夢幻般不易取得的原因暗示道：「此一沿革誌只印行300部，因為官署以外不許分發……。」

現在筆者調查過的《台灣警察沿革誌》出版冊數共有六冊，其各編分別為：第一編「警察機關之構成」，第二編「領台以後之治安狀況」，第三編「警務事績篇」。在日本公家所藏之地點有：（1）一橋大學經濟學部，有第一編、第二編（上）的〈領台以後之治安狀況〉和第三編共三冊；（2）京都大學經濟學部，同樣有第一編及第三編各一冊，並有第二編之上與下的「司法警察及犯罪即決變遷史」各一冊，共四冊。

前面筆者說出版六冊，但當然我並不是全部都看過。從上段看來，除公家所藏的四冊以外，兩冊書名不明。雖然不清楚，但可推測出來。其中一冊，在後文將述及的第二本珍本《在廣東發動的台灣革命運動史略附獄中記》中，作者張深切經常利用《台灣總督府警察沿革誌二・中》（依照該書第六頁原文），同樣地，在後文預定觸及的第三本珍本《台灣解放運動的回顧》中，編者蕭友山也頻繁利用的台灣總督府警務局特祕刊物《台灣警察沿革誌二・中》（見該書前言第二頁，依照原文）。《台灣解放運動的回顧》第七頁有一處記錄了夢幻的書之一，也就是《台灣警察沿革誌二・中》在昭和14年7月出版。如前所提，本書因是特祕的刊物，所以連京都大學也沒有寄贈（從圖書卡片推知）。由此再推估，上述該書僅發行300冊，而其中本冊與另一冊的夢幻書，其發行冊數，當更是限量吧。

這暫且不談，令人痛感的是，我們的前輩不善於引用，又「馬虎」。第二本珍本是在民國36年12月發行，第三本珍本則於民國35年9月付梓，迄今雖不到30年，後學的我們卻要浪費時間做無意義的考證，究竟是為何？我想呼籲，史家啊，好好銘記，應停止「草率了事」。剩下的一冊，也不是不可能推測（至於恰當與否則另當別論），為日後當成樂趣，暫且做為「戴家之祕」吧。

推想在日本所藏的地點，除上列之外，當然法務省、警視廳等處似亦會庋藏，可以試著去調查，若有篤學之士出來指教，則幸甚。又如果有私人收藏的篤志家，不要藏而不用，應拿出高價出售給出版社復刻，以便宜的價格提供給研究者，這是做為一名研究者的心願。

前面談了前輩們引用的問題。而年輕世代中，尚有不少未能從這樣的錯誤中解放出來的人，曾經閱讀充斥著「抄引」的碩士論文，筆者深感衝擊。總而言之，無法閱讀日文文獻，涉獵文獻又麻煩，因此或許想到就從台灣銀行的周憲文等人的《台灣經濟史》借用、「應付了事」。姑且不論《台灣總督府統計書》的初期部分有很多推計的數字，相當多部分欠缺可信度，但是抄引之故，未做原典比對，不加批判地照樣襲用，令人不忍卒讀。

從比對原典而想起來，聽說有一部分人把《台灣警察沿革誌》視為絕對。筆者曾批評吾人之前世代視矢內原博士的《日本帝國主義下之台灣》為聖經（請見本刊第五號所載的〈某助教授之死與再出發的苦惱〉〔參見《全集》1〕）。《日本帝國主義下之台灣》的聖經化思想與《台灣總督府警察沿革誌》的視為絕對，其性質自然不同，但同樣是陷阱。關於《台灣總督府警察沿革誌》視為絕對的具體危險性，請容筆者在「第二・珍本」一項中加以說明。

2.《在廣東發動的台灣革命運動史略附獄中記》（民國36年12月，台中出版）

本書是筆者在本刊第十號中，以敬稱介紹的唯一前輩張深切的著作。《里程碑——黑色的太陽》（第一至第四，計四冊）可說是他的遺書。從該書可知，他是單槍匹馬，主要以廣東、台灣、北京為根據地，持續進行抗日運動的人物。本書當然是二二八之後出版，從其自序可讀到，作者因二二八後之危難，躲避於山間，而寫下此書。據洪炎秋教授所寫〈悼張深切兄〉一文，光復後洪先生任台中師範學校校長時，張深切在其下擔任教務主任，二二八時，張深切被當時台中市長黃克立所疑，因此不得不過亡命生活（參見洪炎秋著，《又來廢話》，民國55年初版，頁66）。由張深切自身所寫的〈自序（一）〉，日期註為民國36年4月5日，可推知是以二二八為契機而寫的，說穿了也可看成是張氏為了自我辯明而寫的書。

本書書名已道盡其妙，至於詳細的情形，我建議親自一讀。此處想提的，是洪炎秋在序中所說：「如警察沿革誌之類，成了片面官司，對於民族正氣影響很大。所以深切兄這些紀錄的出版，是很有意義的」這一部分，以及張深切在本文中所說：

> 當時的組織內容如何，經過這二十年的光陰，參加者自己也大多忘記，而當時的紀錄，均已散失無遺；現在可供參考的只有《台灣總督府警察沿革誌》一種資料。但是這部書也極其杜撰無比，實難可靠。例如當時謝文達並未在廣州，他們揑造爲本團的總務部長……（頁20）*1

並指摘《台灣總督府警察沿革誌》杜撰的部分。不料卻指正了原典比對的重要性。此後若能持續公開曾經參與活動者之紀錄，當可成為齊備正確書寫社會運動史之前提吧。

*1 張深切，《張深切全集・卷4》（台北：文經出版社，1998年1月），頁98。

3.《台灣解放運動的回顧》〔《台灣解放運動の回顧》〕（民國35年9月，台北出版）

以下為其目次：第一，抗日運動考察之基礎概念；第二，抗日運動諸黨派之社會的經濟基礎；第三，文化協會；第四，六三法撤廢運動及台灣議會設置運動；第五，台灣民眾黨；第六，自治聯盟。由以上目次可知，所謂解放運動，不但未納入一直到1915年（大正4年）之武裝抗日，也未包括1930年的霧社事件，而也把農民組合、勞動組合等其他革命左翼團體排除在外。

編作者蕭友山究竟是何許人物，筆者並未調查出。原本直到最近，我都認為這是一個筆名，不過事實上卻像是本名。之所以這麼說，是因為光復時，在台北發行的《前鋒》第14期中，刊載了一篇〈青年座談會〉，其中記錄蕭友山以報界代表之身分列席。此點係承某友人之指教，也期待有識者之指教，十分感謝。

蕭友山在序中說，將有執筆續刊，或因局勢轉變，或因作者喪失書寫能力，而無法執筆，未能出現續刊，真使人遺憾。

筆者在東洋文化研究所見到的珍本有以上三冊，這些書在前輩所寫的（以近年在日本出版者為限）所謂「史書」之類中未見觸及。如果是因為不知道有這些資料的存在，而未使用，那還好。但由於吾人之前世代輕視其前世代抗日運動的諸項歷史事實，如果是輕視或無視的風潮，或過度的「政治主義」而引起未見引用之事，那麼事情就很嚴重了。筆者希望事情並不是這樣。

最近日本帝國主義時代的朝鮮史研究，正藉由日本及朝鮮雙方的研究者盡心盡力地發展。其顯著的成果，僅以近期出版品為例，本年〔1969〕3月號《思想》期刊有近代朝鮮史研究與日本的特集，另有勁草書房出版的《演講討論會・日本與朝鮮》〔《シンポジウム、日本と朝鮮》〕、講談社出版的《小說朝鮮総督府》〔《小說朝鮮総督府》〕上中下三冊，以及新興書房出版的《濁流》三部作品[*2]等。見到這些成果，感到落伍的一絲淒楚，不會只是筆者一人吧。本文若成為引起同好感到淒楚的契機，哪怕只有一人，也會使我喜出望外了。

本文原刊於《暖流》第11號，東京：東大中国同学会，1969年4月，頁106～110

*2 李殷直，《濁流》（第1～3部），東京：新興書房，1967～1968年。

了解故鄉食品的有趣事典
——《中國食品事典》

◎ 劉靈均譯

在「白髮三千丈」這樣的句子中，我們寄託著微妙的浪漫主義，並且感到無可捉摸。人們以挑剔細節、雞蛋裡挑骨頭自誇為踏實，卻以小家子氣自虐。從鴉片戰爭以來，舊中國知識分子試圖克服「白髮三千丈」不好的那面，以及學習「吹毛求疵」的踏實。其成果究竟如何？姑且不論中國大陸，台灣則令人深深有日暮道遠之感。

《中國食品事典》是將產生出「白髮三千丈」的「渾渾沌沌」以「吹毛求疵」的可靠性「整整齊齊」地收集編成之作。就像江上トミ（料理研究家）女士所說的，這本書的風格正與編者之一的田中靜一先生「凡而不凡，奇亦不奇」的風格相當契合。藉由這本巧妙運用古代文獻、圖文並茂的「事典」，我們可以找到像「豆腐花」、「愛玉子」、「田雞」等，就連中國人自己即使會唸也不知其字、會吃也不知其詳的故鄉食品，是一本令人愉悅的書。

本文原收錄於《中国食品事典》推薦扉頁，東京：書籍文物流通会，1970年8月1日

血脈相通的中國近代百年史
——韓素音《悲傷之樹》*

◎ 林琪禎譯

來聽聽那血脈相通的偉大傳記文學——《悲傷之樹》〔《悲傷の樹》〕裡頭的歷史吶喊吧！

只要看用文字寫下的歷史，中國人確實比任何國家的人對歷史都來得敏感，也投注更多的心思。但是，到1949年為止的歷史記錄者，不是一小撮的史官，就是只限於能讀能寫的「讀書人」而已。

中共革命帶來的新現象，不只是識字人口短時間大量增加而已，也使得能寫歷史的人增多，創造出可以持續書寫歷史的環境與條件，同時也鼓舞人們記錄歷史的熱情。個人回憶錄、家庭與村莊歷史、革命史實等歷史如今不斷被談、被記錄、分類、調查、研究著。

記錄，「並不是因為過去美好，而是要讓產生今天的昨天不要被遺忘了」，由此開始，進一步來到了「多數人熱中於研究過

* ハン・スーイン著，長喜尾又譯，《自伝的中国現代史1・悲傷の樹》，東京：春秋社，1970年。

去與現在的關係」這樣的盛況。

《悲傷之樹》的作者韓素音很明顯意識到了這樣的新情勢，並努力想理解這樣的新情勢對今後的中國與世界會有怎樣的影響。

她說：「樹木要尋根而被理解。因此我也要尋到根。」追尋中國這株「傷痕累累的枯木」與自己的「生」有關係的家族。她的父親是四川省名家周家，母親則是出身比利時的世家多尼家，歐亞混血兒的韓素音為兩家的結晶。她以自己的出身為原點，透過調查研究和比較探討新中國成立的前夕、偉大巨變時代（1885～1928）的過程，思索以加深對自己的認識。本書就是此過程的產物。

作者並沒有將自我追尋停留在「家」的層次。而是以離家者的行為動機，探討西洋家族與東洋家族之間的衝撞，以家族成員的心的變動來掌握，同時赤裸裸地描寫家族之中個個人嘗試的各種努力，以及受到周遭狀況阻礙、被割裂的具體情況。

作者從樹根的「家」、祖先，以及祖先所屬客家為出發點，追尋家族所居住四川地底的「人的氣息」與「歷史的吶喊」。但只限於徹底追尋「中國這個巨大不可分割的連續體」之中的真實，只有透過正確掌握整個時代的社會經濟背景，才能做到。

本書原本的副標題「傳記、歷史、自傳之中的傳記」，和我們身邊充斥的表彰傳記不同，是具體對照歷史狀況，進行自我批判與自我省察的真誠書寫。裡頭書寫的歷史與趨炎附勢的歷史家和傳統史官的斷章取義、有氣無力的歷史不同。自傳的部分也不同於到處充斥的自我吹捧式自傳，而是「成長的過程中與現實搏鬥，努力理解他人，自我排除自身偏見的苦澀過程」之成果。

本書是作者（1917年生）接近50歲時完成的，但青少年時期的感性仍未褪色，展讀作者青少年期生動的描寫，令人讚歎她文學資質的聰穎。

作者身為歐亞混血兒，在不受到父母祝福下出生，不過她不因此喪氣，反而努力針對各種歧視（白人內部、白人對有色人種、帝國主義者與買辦對被壓迫者、白人對歐亞混血人種以及歧視引起的反抗與抗議）的結構，進行歷史、社會經濟背景與個人心理狀態的研究與探討來闡明。她為我們指出，「這些歧視絕對還未變成過去」的說法具有說服力，在何種條件下能打破這些結構，她以長遠的眼光提出見地與想法。

因為有說服力，給我們內心帶來無限的疼痛。同時代的人，對於能和這位當代的「藝術家」——將經濟史、社會史、民俗學、心理學、地理、歷史都巧妙編織在一塊「布」上的藝術家——韓素音共處於同一時空，而感到無比光榮的，絕對不只我一人吧。

韓的書中不玩文字遊戲（我是這樣認為的），也不喊口號，只是利用家人、父親的友人、同僚、四川省出身的著名文學家如李劼等人的言論，控訴中國封建社會的腐敗，因其腐敗而引進的帝國主義貪婪的榨取剝削等不可補償的罪狀，同時揭露受疾病所苦的底層民眾從地底的吶喊。

作者著墨的範圍不只來自父親方的言談，也以自然的口吻描述母親方，控訴以貸款之名行榨取與侵略之實、以經濟開發援助（具體來說如鐵道鋪設事業）之名行停滯阻礙之實等，這種殖民主義者滿口正義道德、略施「善意」小惠的巨大罪狀、「善意使徒們日常的所做所為」。

把歷史聯繫到未來的敘述中說：

> 今天英國雖然已經沒落爲二流國家，新興粗放的軍國美利堅合眾國取而代之，依舊未改以往仰仗船堅砲利的外交帝國主義模式，欲粉碎人的精神於不顧。過去80年來的教訓證明，這種蠻橫的方式只會招致自己的毀滅。因殘忍而變成殘廢的新世代，能重新體認，世界只有一個，人性也只有一種爲止會持續下去吧。

作者對美國，不！全世界壓迫弱小民族的強權提出警告。

韓素音以優異的文學資質與天賦為顯微鏡，以對歷史深刻的觀察力琢磨為望遠鏡，再以其「生」的原點，多角度同時觀察和判斷亞洲與歐洲的情勢。

作者的生涯四著作——除了本書之外，還有已經刊行的⑴*A mortal flower*（《悲傷之樹》的譯者將本書暫題為「必滅之花」〔「必滅の花」〕）；⑵*Bird-less Summer*（同前，暫題為「無鳥之夏」〔「無鳥の夏」〕）；⑶*Phoenix Harvest*（同前，暫題為「不死鳥的果實」〔「不死鳥の実り」〕）。合計四冊足以流傳後世的著作，對於人類長期以來不停追求的、真正的無歧視的社會，做為加深通向「一個世界」之路的認識，貢獻良多。

對中國研究者而言，韓素音是可敬的對手。但她的成果拉高了我們必須達到的門檻，加重了我們的責任與使命。

我們不應該因為本書沒有目次，以及過於文學性的書名，或者因為作者是電影《慕情》的原作者，就認為本書是適合「躺在牀上閱讀」，或「順手買回家給老婆」的好書（筆者身邊真的有這樣的誤解）。不，應該說，本書本身就擁有繼續排拒與否定這種誤解的旺盛生命力。本翻譯書的原文書從1965年初版以來，至1968年就再版五次。翻譯者是對中國與中國人民充滿深厚感情的英文學者長尾〔喜又〕先生。譯者深厚的愛情不只透過原書中詩歌的節奏傳達，更透過觸動讀者心弦共鳴的文章呈現出來。可惜的是，回想書中內容，監修協助者名單之中，沒有中國近現代史的專家，如果有平凡社的藤田正典先生以及專修大學的野原四郎教授，就不至於如琉璃廠就以片假名表示（リュリチャン）（頁100）或者譯成六里廠（頁369）；最傑出的鐵路技師詹天佑譯成張天有（頁129）；1903年的四川都督錫良譯成席良（頁108），最早的留美學生容閎譯成榮鴻；捻軍譯成少數民族怒族（頁42），這些小錯誤應該不會發生才是。有點遺憾。

但話說回來，現在日本的中國研究者多不會說中文；而中文研究者又對歷史生疏，確實是一個窘境。

這些小瑕疵，並非譯者長尾先生的責任，也不會改變本書為名譯作的事實。

文末，特以本稿，致贈臥病在牀的長尾先生，祝先生多福。

本文原刊於《週刊東洋経済》第3592號，東京：東洋経済新報社，1971年4月17日，頁112～114。以筆名田照圀發表

探索台灣獨立運動之「根」

——《現代史資料21・台灣 I》*

◎ 林琪禎譯

期待已久的《現代史資料・台灣 I》出版了。

此資料集是由知名的朝鮮史研究民間歷史家——山邊健太郎先生，以及其協助者——一直以來很踏實地探索霧社事件（昭和5、6年左右，在台灣霧社發生的高砂族反叛事件）的猿渡新作先生編纂而成。

常在舊書店和舊書展蒐集台灣相關文獻的人，對於みすず書房投資大筆資金，蒐集珍貴的台灣近現代史資料，並花費許多心血編纂現代史資料台灣篇的出版事業，寄予厚望。對如此充滿良心的出版活動暗地裡給予鼓勵與支持，不瞞各位，筆者就是其中一人。

前年秋天以來，發生了佐藤〔榮作〕首相訪美、美日共同聲明、周恩來的發言、乒乓球外交等一連串激烈的變動中，思索對日本而言台灣為何的情況高漲，察覺了這樣的氣氛吧，原本對台灣研究毫不重視的年輕學子，也出現了近似台灣研究熱的趨勢。對此我感到十分欣慰（希望不是五分鐘熱度）！

---

* 山辺健太郎編，《現代史資料・21》（台灣 I），東京：みすず書房，1971年。

在這種狀況之下，本書的刊行可以說是時機正好，但從歷史進展的腳步來看，還是難免有慢了些的遺憾。

日本的近現代史研究者，對於以中國一地方史的台灣近現代史所知實在太少了。光就台灣史來說，連台灣出身的知識分子（包括我自己）所知，也頗為有限。

前幾日，與某個台灣留學生閒聊台灣史時，該生提出一個有趣的比喻，他說，若以「台灣人抗日運動史實」出幾個題目，去問所謂的台灣獨立運動者，他們會拿到幾分呢？大概拿不到30分吧。我回道：「拿幾分不重要，以霧社事件為始的高山族（高砂族）抗日運動，以及台灣人在中國大陸的各種活動，明顯的，是最大的盲點。」

日本是從1950年代後半進入1960年代，在美國等地，所謂的台灣獨立運動，可說進行得四分五裂但仍然繼續著。其中也有人以自己的政治主張為前提，嘗試著用島嶼史的論述撰寫台灣史。日本之中，雖然少數但也有人支持這些人的活動。

另一方面，朋友之中，迷信日本的台灣殖民地統治十分成功的人，意外的多。

本書將「精明幹練」的特務警察所蒐集的台灣人抗日資料加以公開（即使只看（1）的部分），就可以知道上述要以一個島嶼史創作台灣史，是多麼地勉強，徹底地透露出來。

這些「精明幹練」的特務警察所蒐集、隱藏至今的資料，也給了那些相信在世界的殖民統治史中，日本對台灣的殖民統治是少數成功例子的迷信者，一記當頭棒喝的啟示。

對我們來說，課題是，不要在區區一個島嶼史的框架下創作台灣史，也不應該頑固信奉「迷信」。

對於台灣出身的學子來說，如何將台灣在中國近現代史中正確定位；並從內部省視，對台灣來說，日本的資本主義過去是什麼？現在是什麼？才是最緊急的課題。

我們希望日本年輕學子，對於日本的近現代史，台灣過去是什麼？現在是什麼？對於日本資本主義的形成與發展，台灣過去是什麼，現在應該如何延續下去的問題給予正確的定位。

在這樣的分工合作之下，我相信一定能為我們中日兩民族未來的友好親善之路之摸索，提供具可能性的前提。

當然，光靠本書要完成上述課題的資料是不夠的。至少同時還要檢視最近復刻的台灣方面的資料《台灣民報》（全十卷，1923年4月15日創刊，之後改稱《新民報》，1932年4月9日發行第410號。東京：龍溪書舍），與抗日戰爭中重慶發行的《戰時日本》（總編輯為台灣出身的宋斐如，同樣出身的同人還有李純青、李萬居、謝南光、謝東閔等人）等資料一併運用是必要的。

無論如何，本書可說是中共政權成立後，探討所謂台灣獨立運動之「根」的有效資料，也是方便理解台灣人抗日運動由於出身階層或階級的不同，內容是多麼豐富多采的方便寶庫！

但本書編纂的原則並不明確，本書II的統治確立期，與III的社會主義民族運動等資料的出處不清楚之處，就一部史料集而言有點可惜。希望續篇能加以補充修正。

本文原刊於《週刊東洋経済》第3604號，東京：東洋経済新報社，1971年6月26日，頁84～85

永不褪色的問題意識、執著的結晶

——尾崎秀樹《舊殖民地文學的研究》*

◎ 林琪禎譯

本書是試著努力地將殖民地文學的傷痕，正確寫進日本文學史的作者，從十年前開始就孤軍奮戰（特別是在台灣和滿洲）至今，尾崎秀樹的心血結晶。

大部分文筆無懈可擊且優美的研究論文，在內容上往往不可信。

這本論文集，以讀物而言，易讀；以入門書而言，方便。確實是無懈可擊又是美文；但不會給人「矯飾」之感。

十年前，在一手資料尚難以順利閱覽的時代，筆者在最早與台灣相關的論文雜誌《文學》中讀到本書的核心部分時，對於尾崎先生當時幾乎沒有引用一手資料（從論文的註釋加以推測的），卻能將論文寫得如此引人入勝，實令人咋舌。

之後，以《決戰下的台灣文學》〔《決戦下の台湾文学》〕為契機，我開始逐一地閱讀尾崎先生所寫的與中國相關（包括台灣）的論著，我發現作者有著日本人少見的「執著」，對他再次

* 尾崎秀樹，《旧植民地文学の研究》，東京：勁草書房，1971年6月。

感到驚訝與佩服。

從《活著的猶大》〔《生きているユダ》〕、《與魯迅的對話》〔《魯迅との対話》〕，到《近代文學的傷痕》〔《近代文学の傷痕》〕（本書的前身），作者的條理與「粗大的筋骨」〔譯註：意指能堅持自己的立場，即意志堅定〕其實紮實地貫穿在這一連串的著述之中。

作者的堅定，主要來自他的舊殖民地經驗以及他身為佐爾格（Richard Sorge）事件〔譯註：1941年太平洋戰爭前夕，尾崎秀實——秀樹胞兄——與佐爾格等35人以蘇聯間諜之嫌疑被捕，1944年秀實、佐爾格在日本被處死刑〕關係人受歧視體驗的創痛交織而成。有過舊殖民地經驗的作家、研究者雖然不少，但尾崎先生的經驗卻是曲折的。他不只全面地體驗統治與被統治，且由於佐爾格事件的發生，讓他的經驗之中被統治的部分更加倍放大，因此變成不可動搖。

正因為這樣的堅定，才讓作者未被優美無懈可擊的文筆沒頂，而掌握研究成果。

在如今日本正從經濟大國邁向政治大國，甚至邁向更有影響力大國的此時，展讀此書，讀者應該能發現，作者在十年前所提出的問題，並沒有因為時間的流逝而褪色，反而因為作者精準的先見之明與正確的著眼點，讓他能洞察機先地提出豐富的問題意識。

只是，尾崎先生的執著因為與日本一般的美意識差距太大，因此在其長久又強烈執著下的自我暴露（這個自我不僅指尾崎本身，也聯繫到日本與日本人的自我），以及他試著正確自身定位的不斷努力，不怕正視過去「污穢」的傷痕，這一連串挖瘡巴的作業結果，是否真的能正確地讓一般日本讀者接受，或者可以成為提升到歷史認識層次的動力，這些疑惑，令我感到一絲不安。

然而，若有拒絕與淺薄、虛有其表者交往的人，及對現今日本沒有主見、投機地喊著「連帶」口號的人們的空泛所作所為感到厭倦，並期盼今後日本能與亞洲構築正確關係的人，請務必一讀此書。

「今後的日本——若要理解今後日本在亞洲中的地位，那麼擬妥如何面對舊殖民地問題的精神決算書，是個必要的程序。」筆者認為，心中帶著善意、希望今後和亞洲建立友好關係的諸位日本友人，如果對尾崎先生所提起的問題意識不能產生共鳴的話，結果只有再回到曾經走過的路了。

本書雖然是使用新拿到的一手資料〔譯註：由戴國煇提供並協助〕做了補充的改訂增補版，但也並非全無缺失。

尤其是在新增加的〈霧社事件與文學〉〔〈霧社事件と文学〉〕這篇論文之中，大鹿卓的〈野蠻人〉並非直接以霧社事件為題材的小說，卻被作者定位為與霧社事件相關的作品。另外，作者說坂口䙥子的大作〈時計草〉如今已難以窺見其全貌，這是不正確的。事實是，坂口將〈時計草〉中的霧社以M代稱，收錄在其作品集《鄭一家》之中。這些細節，希望日後能加以修正。

本文原刊於《週刊東洋経済》第3620號，東京：東洋経済新報社，1971年9月11日，頁129～130

作者自己的長征

——韓素音《轉生之華》*

◎ **林琪禎譯**

本書《轉生之華》，是韓素音女士的自傳式中國近現代史大作「血脈相通的中國近代百年史」第二部。（「血脈相通的中國近代百年史」為評者本人所下之詮釋。相關部分請參照本誌〔《東洋経済》〕第3952號，昭和46年4月17日號所載書評《悲傷之樹》）。

《轉生之華》原本的書名為「A mortal flower」，就字面上直譯的話，是「必滅之花」之意，但韓女士本身將書名翻譯為中文「花落花開」（依《悲傷之樹》書末的譯者解說而來）。依評者個人擅自的推測，在「必滅」之中韓女士看到有「必生」然後給「花落花開」這個命名吧。雖然譯者說書名的「花」的字意之中包含了作者對自我的寄託，但我個人並不這麼認為。我以為「花」其實就是《轉生之華》的「華」，代表的正是作者所深愛的中國。就此，我認為書名譯得十分絕妙。

---

* ハン・スーイン著，宮川毅、青木栄一、高橋正譯，《転生の華》，東京：春秋社，1971年8月。

本書完成於《悲傷之樹》（韓的自傳第一部）之後。第一部寫1928至1933年，第二部由1933至1938年之間的事。

> 我一一踏尋著過去的足跡，為了將過去嵌入現在的自己之中，只能逞強忍耐地走來走去。我所能做的，就是把過去到現在這個瞬間重現我個人的「長征」而已。透過這個過程，追上時代，理解未來。（頁72）

誠如韓女士所道，其原點始終是放在她自己一步步窮究的「長征」。由於作者自身出身階級的緣故——作者父親為四川地主階級，母親為比利時貴族出身，她的身分在中國雖然也屬於壓迫他人的特權階級，可是半殖民地時代的中國在白人帝國主義者們的歧視之下，她也受到了低人一等的對待——作者在書中，便是如此赤裸裸地揭發了自身與周遭家族友人甩脫不掉的尾巴。

作者最激起讀者共鳴的，就是其揭發的方式並不流於低俗與暴露，而是以其尖銳的問題意識，試圖告訴我們在回應新的時代，該如何聯繫到有希望的未來。只要讀過本書，就可以知道，書中所謂的這個時代與未來，絕對不僅止於在中國這片土地之上的。而是世上受欺壓的人民甦醒的時代一直被壓迫過來的人們的能量奔放，以此能量為核心，為世界凝聚為一而劇烈胎動，並為此奮鬥的未來。

展望著以人類的睿智所帶來的光輝未來，作者交織了個人與民族的歷史，寫下了這部大故事鉅作。這部長篇小說式自傳，與一般史家所寫的歷史不同，不只描述了在歷史激流之中，掙扎的庶民形象，還生動地刻畫了散發著人的氣息的正面英雄與負面的歷史人物，以內蘊熱情而冷靜的態度並巧妙地將這些編織在歷史的過程中來描寫。

韓女士在書寫負面的歷史代表人物蔣介石之時，如此說道：

> 今天除了眞理以外都不被忠誠心的束縛，因此我才可以在這裡書寫眞實。關於蔣介石，他並非不滅的存在或永恆的領導者，對我來說，我可當他是個令我感受不到憎恨與輕蔑的人物來寫。總之就他所身處的階級與所在的歷史過程，他所成就的事，只不過是他個人的喜好所宣告的罷了。他不理解使他的權力有用處。他不停地追求個人的榮譽那種虛僞的東西，最後終於被他所追求的事物背叛。在他擁有權力那段期間，每個星期六總有許多背叛他的人，在死刑場如清晨的朝露般消失。

作者以她冷澈的雙眼，也客觀地記述了在那個大動亂時代之中活躍的人物，如戴天仇（季陶）、馮玉祥、汪精衛、杜月笙等人，在歷史的具體過程之中客觀地定位。

那麼，關於正面的代表人物，作者又是怎麼描述的呢？

> 關於毛澤東，如今我已經嗅到一絲他的傳記將被聖人傳的東西所偷換的危機了。勝利的歲月愈積累他頭上的光榮，寫滿讚美與崇拜的書籍愈累積如山。這並不是共產主義所獨有的現象，而是隨處可見的情形。不過，幸運的是，我們還是讀得到毛個人所寫的、不加矯飾言詞的自傳與著作。比起其他任何歌頌式

的傳記，更能正確地顯示他個人形成的軌跡。

韓女士不刻意地去讚美既成的權威，也不耗費精神在吶喊革命的口號之上。她致力於描寫的是歷史的「皺摺」部分，諸如權威形成的過程、革命成功的迂迴曲折、假知識分子革命家的行動軌跡等。關於這個部分，筆者給予極高的評價。

本書不只能讓我們當成文學作品享受，而且做為史書，也是第一級的。我想，讓作者成功的關鍵，不只是由於她與生俱來的歷史敘述能力與文學創造的才能，更是基於她至今的生活體驗——歐亞混血兒的身分；到歐洲念過書精通歐美人士撰寫的中國相關文獻；在中國的大學（燕京大學）求學；她的第一任丈夫是擔任蔣介石侍從武官的「唐寶璜上校」；此外，她不將自己局限為歷史的觀察者，而積極的當一個歷史的行動者——諸如這些種種，都是自內部作者活用自己去窮究她自身的「長征」之故。我想這不是評者的獨斷。

做為歷史書而言，值得評價的部分是，作者用平易樸實的筆觸，清楚地分析了至今為止在日本方面的研究盲點——孫文過世之後（1925年）至北伐期間的政治諸勢力的抗爭（包括帝國主義諸勢力的干涉）這段歷史。此外，作者也透過自己的體驗，解開了包括比利時在內的歐洲對中國抗日運動的支援，以及國民黨對這些運動阻礙的真相。這些記載，可說是當時留學國外的中國留學生活動實錄的一個重要部分也很珍貴。

對日本人讀者來說，最值得一讀的部分，應該是具體地描述了日本對中國提出二十一條要求，到進而發動「滿洲事變」和

「盧溝橋事變」侵略中國的具體過程展開部分吧。要知道事實的真相，這個部分慢慢咀嚼、詳細研讀是絕對重要的。個人認為，要抵抗所謂的「中國熱潮」，這個作業，是最好的手段之一。

本書用強烈的道義論述，企圖喚醒讀者的「贖罪意識」，卻絕不是不自我批判的「中國研究者」、「中國研究的權威」所書寫的華而不實，和絕不自掏腰包、只做祖述的中國近現代史的相關書籍，截然不同。

韓女士的著書，在歷史的具體狀況中，她不隱瞞個人與家族之醜陋，反而將之公諸於世。她不享受時代（我們周遭多少「學術大師」，正在享受時代的奉承的呢），而為了追上時代，果敢地嘗試自己的「長征」之路。本書就是她踏上艱辛的長征苦行的果實之一。

《朝日新聞》的書評如此說道：「第三部（尚未日譯）、第四部（尚未出版）的日文版若皆問世的話，相信會是幫助我們去理解一名女性在現代革命中國之中成長的最好入門書。」（昭和46年10月18日早報，字下圓點為引用者所註）其實，我希望能盡量避免如此矮小化與傲慢的閱讀方式。尤其希望中國研究者能將本書當作對自己的批判書，誠心地面對韓女士所提出的種種挑戰。至少，這本書對我來說確實具有批判書般的價值。於我而言，韓女士是名偉大的好對手，今後，評者仍將不斷地接受由她所帶給我的挑戰與啟發。

此外，本書的譯文平易易讀。充實的譯註更顯示出了譯者的用心。不過，其中關於胡適近年於美國去世的記載（頁77），很明顯是作者的錯誤。正確應該是1962年2月24日，因為心臟病發作，逝世於台北市近郊南港的中央研究院。希望再版的時候能加以訂正。

本文原刊於《週刊東洋経済》第3636號，東京：東洋経済新報社，1971年11月27日，頁128～130。以筆名田照圀發表

讓「體驗」說話的新世界

——評新井寶雄《日中問題入門》、淺海一男《新中國入門》*

◎ 劉靈均譯

出版界刮起了一陣中國旋風。令人關心的是，這陣旋風究竟是會消失，還是就這樣定型並且在本質上開始改變？大概有識之士都會祈禱是後者吧。會說是「祈禱」，是因為現在在書店的中國區中，架上大多數的書幾乎都未把現在的情勢顯現正確的某程度（不要說完全）看透之後，做準備撰寫之故。搭著這陣中國熱順風車的作者們，深深自我警惕這陣中國熱不是自己努力成果的一部分。

在這裡提出的《日中問題入門》和《新中國入門》的作者都是報社記者。筆者曾經在文革剛開始時的小聚會中聽過新井寶雄的話。正如許多人所知道的，支持文革的新井先生，是記者中，少數在反文革激流中勇敢不改其志、孤軍奮戰的一員大將。

雖然《日中問題入門》一書毫無疑問的是被當今中國書出版風潮所引出來的，但是我們卻不能說新井先生是搭便車趕上潮

* 新井宝雄，《日中問題入門》，東京：第三文明社，1971年10月。
浅海一男，《新中国入門》，京都：中央図書出版社，1971年。

流，因為我們從旁看著新井先生為了創造正確的風潮，自掏腰包在拚命。因此這本書雖然被命名為「入門」，敘述也相當平易近人，但是經過一再錘鍊的內容與架構，可以說是超越了入門書的水準。

因為本書中巧妙的交織著作者對中國革命一貫所抱持的好意看法，以及其戰前在中國的生活體驗（東亞同文書院畢業）、新中國建立之後豐富的採訪經驗（北京特派員），使其能夠常常將解放前與解放後、日本人的偏見與中國的實情、毛澤東的想法與劉少奇的想法等等進行相互對置窮究，並且對我們淡淡地敘述。然而在疑心深重的讀者占多數的日本，作者將本書重點置於如實告知讀者中國實際上的成就，這樣的筆法究竟能不能像作者期待的，「正面的觀點」如實成為常識化，不能說沒有疑問。大多數的讀者所期待的是，之所以能夠達成革命並且完成某些成果，其具體過程為何；還有，何以那無可如何的奴性深重的中國人，以及半封建、半殖民地國家的舊中國為何劇烈地變成這個模樣，或者仍然不斷變化的活力，新井先生應該要活用其在新、舊中國的生活經驗，寫出這些疑問的解答。

再舉幾個例子：向大眾學習的路線，以及自力更生開發人造衛星、氫彈等尖端科技，這兩種路線何以能夠互相結合？尖端科技的技術人員與自然科學的研究者集團中的大眾路線究竟是如何具體實現呢？這些都是很好的問題。

被克服的「貧窮」

因為才疏學淺，我渾然不知《新中國入門》作者淺海一男的至今諸研究業績。本書的作者介紹中提到他還有《中國的內幕》（《中国の內幕》）與《文化大革命的十二個疑問》（《文化大革命12の疑問》）兩本著作。這裡所提到的《新中國入門》究竟與前兩本書有何關係，我相信讀者們也會很感興趣。在此姑且擱置不提，但淺海先生這本書竟然還插入了不少文革初期在北京的參加出版、廣播事業的體驗與見聞，因此相當的珍貴。特別是中國人的現實生活，做為日本人從內部觀察進行詳盡的紀錄，這點相當可貴。

我們最近已經開始慢慢用GNP去衡量各國進步程度或生活水準、習性。就如很多人所指出的，從這種觀點看來，中國確實是相當「貧窮」的國家。對於這樣的觀點，淺海先生舉出實證指出，所謂「貧窮」應該指的是「嚴重欠缺生活必須條件」以及「比他人貧弱」兩種狀況，而只要試著親近中國的勞工，就可以知道這兩種狀況在這個國家都不適用。然而，作者藉由實際生活的體驗否定了「中國半隻蒼蠅也沒有」或者「中國百分之百沒有壞人」這種論調，而是有條理的抽絲剝繭，解析蒼蠅或壞人逐漸減少的過程。總而言之，這兩本書都是相當出色的入門書。

（兩書的作者新井寶雄是《每日新聞》編輯委員，淺海一男是該社的名譽職員）

本文原刊於《エコノミスト》第1903號，東京：每日新聞社，1972年1月11日，頁110～111。以筆名田照圀發表

重視對庶民階層的聽取

——黃枝連《馬華社會史導論》*

◎ 蔣智揚譯

近年在日本，「華僑」研究也悄悄吹起熱潮，聽說對研究書的出版，社會上也有強烈的需求。

引起此種強烈的需求與靜靜的熱潮，我們可以看出其主要的原因當然可說是日本資本主義進入亞洲時潮之副產物本身。

散居在東南亞各國約一千五百萬的華人系住民，在各該現住國家所占經濟社會，甚或政治的地位，對於日本資本主義之南進，在各領域（尤其對企業進駐之合夥人、日本商品之代理商、兼具進駐企業所需廉價而高效率勞動力與承包商管理能力之少數企業家）都占有極為重大的意義，因此華人系住民的存在乃不容忽視。故掌握「華僑」的實情，可謂加緊腳步進行中。

如果說日本的研究者僅為了因應此種時勢而致力研究，則其研究乃不過與戰前的研究無甚差別，而且與戰後的以往曾為殖民者的英國系學者，或是打算為不甚高明的美國全新東亞政策策定服務的美國系學者所作的研究比較起來，可能也差不了多少。

* 黃枝連，《馬华社会史导論》，新加坡：万里文化企业公司，1971年。

在此所介紹《馬華社會史導論》正是一部寶貴的力作，為了對上述所謂從外部的研究加以嚴格的批判而來解決自己的問題，並要如實認識包含自己所屬的社會經濟、文化結構上羞於見人的地方，乃以社會學及社會經濟史的分析方法，親手從事馬來亞（包含新加坡的馬來半島）社會經濟結構的分析。

就管見所及，出身當地的華人系研究者（他們自稱「華人」而不稱「華僑」，認為華僑充分意味著外出打工如無根浮萍般者）還沒有人使用上述的手法對當地華人系社會進行社會科學的分析。

作者黃枝連為馬來半島雪蘭峨州出生，今年33歲之青年才俊。他就讀香港中文大學（新亞書院）之後，負笈哈佛大學費正清（J. K. Fairbank）教授之門下，專攻中國近代史與社會學。在哈佛大學取得碩士之後回到香港，執教於香港中文大學崇基書院一年（1965～1966），該大學聯合書院二年（1966～1968）講授社會學與社會史。其後轉到新加坡南洋大學，對該校華人系及馬來裔學生講授東南亞華人史及東南亞文化史三年餘（1968～1971）。現為香港浸會學院〔譯註：即今日的香港浸會大學〕的講師。

本書之所以會是寶貴的力作，不僅在於作者嶄新的史觀與方法論（在「華僑」世界前所未見），也不只是出身當地研究者所著而已，更重要的一點毋寧是作者超越了中國系或華僑系研究者僅靠文獻紙上談兵的傳統方法，更進一步包括與馬來裔學生們一同實施田野調查，自己也學會馬來語（也包括印尼語），積極地赴甘榜（kampung，馬來語，指馬來人的村落）等地進行了多角化的實況調查。本書也充分採納並活用實況調查成果的第一手資料，光是這段成書的過程，就足以引起我們的興趣。

作者等人的實況調查，也一改以往對歷史上的或當地社會的「大人物」（領導階層）的偏重，而將更多的精力投注於對「小人物」（庶民）的採訪與研究，這點值得注目。

本書雖然題名為社會史導論，但事實上作者可能亦有強烈志向「做為歷史的現在與未來」，並為當地多民族社會所引起的困境找解決方策，更有心於馬來亞社會經濟與真正的馬來亞文化（馬來人、華人、印度裔共同建立之文化）的創造發展做貢獻的氣概，出色地將當下的現代性對象做為課題的一部分。

在歷史的脈絡下想要掌握這樣的命題與現在、未來，此種研究態度中巧妙地融合了前述之氣概，如此才能成為少見、有人性的社會史書。本書所收主要論文先前在馬來半島的報紙、雜誌刊登時，在知識分子、學生間成為話題，引起極大的回響，這也不是沒有原因的。

本書的結構為：第一章，關於民族社會與民族歷史存在的諸問題；第二章，馬來亞華人經濟結構的性質與其矛盾；第三章，馬來亞華人社會的性質；第四章，馬來亞華人社會運動的主要趨勢，以及後記。

作者在本書首先清楚定位了本研究是在認定馬來亞社會是「馬來民族社會」、「華族社會」以及「印度民族社會」所構成的客觀事實之下，才進行的華族社會、華族研究或者華族史研究的嘗試。不過此等民族存在或民族史研究雖然內含複雜的問題，但是藉由在統一融合為一個馬來亞民族或馬來亞大社會之中，正確為之定位會使各個研究有效，而事實上作者也隱約暗示著站在這樣的觀點來研究的重要性。

黃先生又在對於歷史脈絡的洞察，以及對於現在所進行依靠外資的工業化政策見解中，界定華人社會的社會經濟結構特質為「半封建、半買辦、半資本主義」而進行論述。並進一步明確指出以往華僑的社會經濟結構是殖民地體制的結果，現在的華人（不是華僑）之社會經濟結構，基本上依然是被編在殖民地遺制中，在新加坡近年所見急速的工業化過程中，華人系資本本來應該是民族資本的主要承擔者，也在外資的強壓下難以蛻變，仍舊甘於買辦或幫閒之地位。他指出這種不得已的實情。

作者除了在外壓中尋找妨礙華人社會經濟蛻變的主因之外，在內在因素上還將矛頭指向華人社會經濟的封建遺制（幫派主義即地緣的行會、徒弟制度、華人系商人的老舊心態等等）。

將華人社會至1950年代的主要領導人，例如陳禎祿（現馬來西亞財政部長陳修信的先人）、陳嘉庚、胡文虎等，分為「僑生」（local born）集團與「遷民」（鴉片戰爭後之新移住者）集團，就各自之出身、經濟活動、社會活動三項目加以綜合分析（第三章）等諸點，尤其使筆者受益良多。

但本書並非沒有缺點。如作者在後記所述，由於新加坡的「政治氣象」，對於1930年代以後華人系住民之社會運動，不得不將其割愛，做為一本社會史導論而言相當可惜。

可想到的是，由於當地嚴肅的政治氣象，除1930年代社會運動付諸闕如以外，可看到本書對於其他方面的整理也未盡完善。

例如1960年代末期的外資引進狀況以及依靠外資為主的工業

化政策，應該以另稿述及處理，而對於既存外國人所作「華僑研究」，其評論亦未充分。

可能由於本書當初是做為學生的講義稿所寫之故，作者的史觀記述未加充分的歸納與消化，這些也是應注意之點。

總之，作者具有既存華人系研究者中欠缺的語文能力（了解華語即北京話、英語、馬來語、閩南語），將豐富的當地生活體驗與實況調查體驗，以及已經整理的調查資料，僅就此點即可令人期待今後研究的發展，身為研究者的我也衷心祈願其研究能繼續發展。

我們的東南亞華人研究，對於當地出生的華人系研究者從內部所作研究，以及從內部所提出問題意識，應該認真採納處理，他們所做實況調查（華人社會的大部分對於局外人的我們，還是未開放的封閉社會）的成果，也要充分加以活用，這樣才能做到誤解較少的研究。

最後容畫蛇添足，作者尚有《從東方到西方》一書（同樣由新加坡萬里文化企業公司出版，1971年1月）。該書為作者1970年初出席於倫敦所舉行中國問題研究會時，基於在印度、泰國、歐洲等各地的見聞所撰現代亞洲論，也是現代文明論，推薦與本書併讀。另外筆者尚未取得，據說最近黃氏又彙整一本《馬華歷史調查研究緒論》，已在新加坡刊行，附記之以供參考。

本文原刊於《アジアレビュー》第3巻第3號，東京：朝日新聞社，1972年3月，頁169～171

楊振寧博士的〈中國印象記〉及其影響

◎ 蔣智揚譯

在此提起楊博士的〈中國印象記〉，乃因他是國外華人的知性指導者，並代表著其良知。他引用毛澤東的詩句做為報告的總結，即「為有犧牲多壯志，敢教日月換新天」。

在此所介紹楊振寧博士的〈中國印象記〉，是在乒乓外交剛結束後（自1971年7至8月之四週間），去國26年的楊博士以探望在上海入院中的父親楊武之（清華大學教授，中國數學界的先驅，也是著名的華羅庚教授的老師）的名義首次回到祖國訪問後返美的報告。

楊博士是以其「素粒子論」，與同樣是中國人的李政道博士一同獲得1957年諾貝爾物理學獎的旅美華人系物理學者。

我們在本系列*提起楊博士的報告，乃因他不僅對美國大陸及全世界的華僑或華人系居民，甚至住在台灣的人，尤其國民政府系的知識分子，具有極大影響力。

不僅如此，另一原因是，國外的華裔學者是從何種角度來看

* 指《週刊東洋経済》的「華僑世界の新しい波2アメリカ」專題。

文革或新中國的種種方面，將其一端也傳達日本的讀者，我們認為是有意義的。

在此之前，要提到美國華僑社會的成立、特徵及楊博士在其中的地位。

五類美國華僑

在北美的華僑可大略分為「老華僑」和「新華僑」。前者是指在19世紀中葉以後，做為「苦力」乃至「豬仔」（pig）而在美洲大陸尋求餬口場所的人，或是指其第二代。這些人幾乎都是不會說英語，開拓西部礦山或鋪設鐵路的勞動者。其中有些是被帶到古巴、祕魯等國的甘蔗、菸草種植園的農業勞動者，後來移住北美定居下來的人。

在美國資本主義的發展上，成為不再需要像他們這種非熟練工——從這樣的條件成熟的時間點（1880年代前半期）直到太平洋戰爭爆發的期間，「苦力」們在比較沒有人種歧視的東部定居，或在西部忍受迫害而建立了唐人街，經營中華餐館、洗衣業等。

構成新華僑的第一部分，是老華僑的後代（平均以第三代居多），在美國長大並接受英語教育，已經不住在唐人街，因此不以他們父祖謀生的餐館、洗衣業為業，而從事廣泛的知性勞動。他們之中的激進派與美國黑豹黨（black panther）聯手，也曾熱中於唐人街的紅衛兵運動或越南反戰運動，甚至目前還在活躍著。

第二部分是在太平洋戰爭末期，或在新中國剛要成立之前赴美的留學生，或為國民政府的駐外機關人員。這些人之中，有很多大概對國民政府採批判性的，而對新中國採同情的態度，但是在美國享受了高水準的物質生活後，卻懷念起祖國，而僅止於思念、思鄉的人為多。

新華僑的第三部分可說是白系中國人（如白系俄羅斯人）的一些人，經由香港或台灣，先把子弟做為留學生送到美國，等子弟取得美國的公民權後再靠他們移居美國。其中有一部分也包括接受適用美國移民法政治難民接納條款而渡美的人。

第四部分為出生在台灣、自1950年代前半期為了留學而渡美定居的人及其家屬。

推動輿論的三萬知識分子

自1965年以來，在對抗蘇聯的意圖下，美國為了彌補國內知識勞動者、技術者、研究者的不足，大幅放寬了接納移民的人數（加拿大也採取同樣政策）。趁此機會，持有碩士學位以上的華裔（含華僑出身者）知識分子從世界各地移居到北美。這些人應該被定位為第五部分。

在美華僑的總數，據推算為美國人口的0.2%，即約40萬人。對於台灣的歸屬，以及包含釣魚台群島問題在內對日本軍國主義復活的批判，乃至對美國國內輿論的形成，具有一定的影響力者，就是屬新華僑的人們自不待言。尤其年輕的一代，中國系美國人第三代，以留學生的身分從包含香港的東南亞或台灣而來美的人，以及就職於大學或研究機構的知識分子，共約三萬人，即可認為就是這些人。

他們展開「保衛釣魚台」運動乃至中國統一運動，或尋求對新中國認同的運動，其條件之一當然是美國已經改變了政治氣氛，允許他們的運動吧。但我想支撐著他們充沛精力的是民族的自尊，並可看出對日本軍國主義復活的嚴峻警戒心。又推動他們的助力是由越南、黑人問題等所帶來，對美國民主主義的失望和懷疑吧。對此失望和懷疑火上加油的，不外乎美國經濟景氣衰退，並可認為是由於研究預算的刪減，以及隨著中美接近而開始出現台灣問題解決徵兆所致。

他們大多數的出身是屬於中國（含台灣）或香港等東南亞之中、上流家庭，也與台灣及國民政府當局或東南亞的華僑社會之間具有密切的人脈關係，因此有不可估計的影響力。

在1945年留學美國

楊博士可說是這三萬在美華人菁英之中，被推崇為極具魅力而集榮耀於一身的人物。

楊博士於1922年出生在中國安徽省合肥市。父親楊武之以公費留學美國，回國後在1929年就職於清華大學，因此遷居到北京，楊博士最初因為清華大學的關係，而進入設於該大學內的志成小學，其後進入崇德中學（現在北京第三十一中學）。

中日戰爭爆發（七七事變）後與父親遷居昆明，就讀父親在職的西南聯合大學（由清華、北京、南開三大學組成，以抗日期間能維持最高水準的大學而聞名），畢業於該校大學部並修完清華研究所的碩士課程後，於1945年以清華大學的公費留學美國。

楊博士最初的志願是普林斯頓大學，因為崇敬的費米（Enrico Fermi）教授（義大利裔物理學者，為最初製造原子爐的人，1954年去世）轉任教芝加哥大學，所以他追到該大學而隨費米教授學習，此外並向原子彈之父泰勒博士*登門拜師。1948年在芝加哥取得博士學位。

1949年在一個偶然的機會，楊博士與一位大約五年未見面的杜致禮（父親杜聿明為國民黨的名將，在解放戰爭中歸順於中共）結婚。杜致禮是楊博士在昆明執教於中學（在中國，中學及高校合稱為中學）僅一年期間所教的學生。

1955年擔任普林斯頓大學高級研究所教授，自1965年以來擔任紐約州立大學（石溪）愛因斯坦紀念特別講座的擔任教授。

楊博士於去年〔1971〕9月21日晚上在石溪的大學禮堂滿堂的聽眾前，舉行了兩小時的演講，其內容刊載於香港的《七十年代》雜誌（1971年11月號）。

楊博士曾在日本作了幾次演講，日本的物理學者都知道他的口才很好。

該演講會的主辦者當然不是在美中國人的團體，是由紐約州立大學的亞洲研究會、拉丁美洲研究會、石溪國際藝術研究會共同舉辦，所以不難想像聽眾當然也是以美國人為主，富有國際色彩。

---

* 美國原子彈之父應為羅伯特・歐本海默（J. R. Oppenheimer）。

對中國教育制度的高度評價

如本刊前期所提到，楊博士的學識、見識、品德都很優越，除了理論物理之外，他的知性關心涉及考古學、歷史、時事問題，還有華僑問題（他在美國曾以華僑問題為主題作過演講）。

除了以《紐約時報》為主的英文報紙外，香港等中文報紙也刊載了〈中國印象記〉，這顯示楊博士的言行是如何受到大家的注目吧。《七十年代》刊載〈中國印象記〉該期在各地暢銷，後來以《楊振寧談中國之行》之小冊子再發行，也獲得廣大讀者的回響。

他毫無架勢，也幾乎沒有引用口號或「毛主席說」云云的引用辭，夾雜幽默清淡地談論新中國，將自己以前在中國所過的生活與在美國的生活或研究作比對，溫馨地喚起人們的共鳴。

例如他說，對大學生選拔的新方式不僅沒有懷疑，毋寧是高中畢業後，與人民解放軍在農、工業現場，工作二至三年後被推薦的學生，反而比較持有明確的學習目的意識，而且又能完美地把理論和實踐結合，讓我認為這是居世界理論物理學界第一線菁英的見解，耐人尋味。

母校清華大學的近況

又母校清華大學曾經也是紅衛兵的發祥地，對其訪問與其關於文革所談論一段也饒富趣味。就是談到紅衛兵彼此的鬥爭，造成清華大學部分校舍被破壞，至今尚未修復，而當時對立的兩派學生領袖現在卻在那裡談笑風生。

楊博士的報告並沒有詳細說明關於他們如何化解當時的爭論。但「他們談文革並不感到緊張，毋寧喜歡將文革當作話題加以暢談」，如果這樣，那麼他們的文革與陰暗無人性的內鬥暴力事件，兩者性質可能相去甚遠。

他話中最重要的一點傳達了一項實情，就是中國人已經改變了，以農民為主的中國人向來了無生氣而只知墨守舊習，但他們現在充滿著生氣蓬勃的精神，毫不勉強地具體實踐「為人民服務」的命題。

我們不可忽略的另一點是他指出，中國當局在擬定政策時相當留意過去的傳統，又中國的傳統還是持續存在著（當然他也慎重地事先聲明自己可能有錯誤的理解）。

對日本人的中國觀嚴加批判

讓日本人稍為擔心的是，他曾被招待去欣賞他自己也想看的日本電影《日本海大海戰》，在此電影中，有一位日本將軍說「滿洲是日本的生命線」，他對於這句話所作的評論是「中國人對這些事非常敏感，但願各國的領導人慎重處理這件事（我想可能是指日本軍國主義）」。這並不是楊博士首次表現關心日本軍國主義復活的問題。

早在1967年春天，在接受國民黨的新聞記者、同時也正在耶魯大學執教的趙浩生採訪時，楊博士談論到日本的核武，表明喜歡京都的情趣，並稱讚日本科學家的成就，其後談到同樣是戰敗國的日本和德國兩國國民的心理和意識的差別時，他說與我們的認識相反地，「德國人民對第二次大戰覺得有罪惡感，但是日本人則沒有那樣地感到有罪惡感」。舉出這個例子，他說是因為在東京看了日本電影，電影中充滿了對中國人的嘲笑，不令人覺得有罪惡感。（趙浩生著，《中國學人在美國》，台北：傳記文學出版社）。

當時楊博士作這樣的發言，是在周恩來總理為首的中國人對日本電影批判之前，此率先動作的重要意義值得我們記住。

不同於一般日本人的感覺或電影製作者的主觀意圖，有良知的中國人對同樣的電影會有不同的接納方式，這種狀況或是歷史感覺的落差，我們必須加以充分的認識。

在美國的「保釣運動」、中國統一運動等一連串的行動，我認為終極而言也都可以歸結到這個原點。在此有些事並非說是誤解就能簡單解決。

另外並非完全沒有來自其他方面的反應，尤其一味討厭共產主義的人，首先懷疑楊博士是否真的作了那樣的演講。

又當知道其真的舉行了演講之後，提出幾點懷疑。例如不指摘中國的缺點，是否因為他想看的地方沒有讓他看到？楊博士還有親戚在上海享受著優遇，而被俘虜或歸順的前國民政府的要人或將軍還能繼續生存著，是否因為國民政府還未被解放？在抗戰以前，國民政府也做了某種程度的建設，但楊博士為何一而再、再而三地只讚揚新中國的建設為奇蹟？在香港不是有為了尋求「自由」而從中國大陸逃出的青年嗎？等等。

楊博士誠懇地逐一回答這些問題。例如對於最後的疑問他說：「我知道這個事實，這是不幸的事，是悲劇。」他認為這個悲劇是由於個人與社會的關係而引起的，總而言之是因為個人沒有充分了解歷史給予的教訓而引起。他還反問：逃到香港來，究竟得到了自由嗎？

想來楊博士似乎吐露了心境，邊惋惜現在瀕臨毀滅的美國建國精神，邊對於重生後的祖國所充滿自力更生的精神，懷著很大的憧憬。他在演講後的提問與回答中，表明他對於美國與中國同樣愛其優點，也恨其缺點。

像楊博士般有良知的知識分子，其關於中國的言論活動，不僅對全世界的華僑社會，對歐美知識分子的社會也會產生很大的回響吧。

本文原刊於《週刊東洋経済》第3669號，東京：東洋経済新報社，1972年6月10日，頁52～56。發表時不具名

追求台灣獨立的合理性

——戴天照《台灣國際政治史研究》*

◎ 劉靈均譯

筆者幾乎在同時間拿到了這本書與《台灣問題：重要文獻資料集》全三冊（龍溪書舍）。這讓我對近年來與沖繩相關研究書籍的大量出版感觸良多。

我覺得，若把日本與沖繩、日本人與沖繩人的研究，與中國與台灣、中國大陸人士與出生於台灣省人士的研究相對比較，會有微妙的重疊關係。

雖然沖繩與台灣在歷史上的發展有所不同，但兩者都無庸置疑的是日本與中國的邊境之地。本土的人對於邊境之地有所關注，並且精力充沛地進行研究，這種事情本是古今通例，然而也是有「問題」發生的狀況時。

這種通例也往往連接著許多通病，所以問題也依然存在。

即使如此，中國本土經過社會主義革命，又在國際的「孤立」之下推動了文化大革命；日本本土則採用了高度的資本主義體制的不同。由於從事研究的主要是以出身於這兩個邊境之地的

* 戴天照，《台湾国際政治史研究》，東京：法政大学出版局，1971年12月。

本地資產階級為主流，所以這兩個地方的差異就可以從研究品質上的差異看得出來，不容忽視。

本書可以說是一本與台灣相關的國際政治史鉅著（A5版面，本文加上附錄一共656頁），其年代橫跨了從大航海時代到去年〔1971〕中國終於回歸聯合國為止。

雖然是本鉅著，但最終作者的意圖應該只有兩點。一個是基於自己的主觀，從圍繞台灣的國際政治史之側面追溯「台灣民族」的形成；另一個則是基於前述的追溯結果，主張「台灣獨立」，並將之合理化。

其目的與研究前提之所以會是這樣，大概是因為本書作者是在日本的支持台灣獨立團體「台灣獨立聯盟」（前身是台灣青年會）的中央委員之故吧。

欠缺歷史性的洞察力

因為作者同時是台灣獨立運動的運動者及研究者，本書應該也可說是與該團體其他三位運動者暨研究者：王育德（明治大學副教授，代表性著作有《台灣：苦悶的歷史》〔《台湾：苦悶するその歴史》〕）、黃昭堂（聖心女子大學兼任講師，著有《台灣民主國研究》〔《台湾民主国の研究》〕）、許世楷（津田塾大學副教授，論文〈台灣統治確立過程之抗日運動〉〔〈台湾統治確立過程における抗日運動〉〕刊載於《國家學會雜誌》）等的運動中，分工合作的產物吧。前述三位的工作，大抵而言是將「台灣民族」論的理論化與「台灣獨立」的合理化做為共通的大架構，與戴先生的這本書相同，可以說是歷史產物的一部分。

然而直到前不久還和這四位共同行動的作家邱永漢、該團體前委員長辜寬敏等人「歸順」了國民政府，同時回到台灣，甚至根據大森實所言，連王育德、黃昭堂也接連變節了（請參照別冊《寶石》今年五月號大森先生的論文）。這樣看來，令人感興趣的是，以邱永漢從1950年代以來提倡過的台灣民族論、台灣獨立論為研究前提的戴先生等人之言論，究竟能保全其天命至何時？

其言論之所以會天命不得保而終至夭折，是因為總是甘心以日本帝國主義的台灣統治與皇民化運動的產物自居，對他們而言中美接近這樣激烈的「異常事態」讓他們得更早成為台灣人中的失落的一代（lost generation），被趕出歷史的大舞台。他們傾入「熱情」所作的這些辛勤著作，持的是錯誤的觀點，並且可以說是欠缺科學性的、歷史性的洞察力。這些反倒讓我們從日本帝國主義在台灣產物的呻吟，獲得了相當充足的資料。

其所引用的文獻，應該可以做為以後從事正確的研究時善加利用的東西。

本書是如此一本鉅著，所以其所消耗的能源也應該相當龐大吧。但是單是羅列與台灣有關的國際政治諸多事象，以本書作者有限的社會科學素養與對歷史的洞察力而言，能夠給我們讀者的新刺激相當少。

光是看作者對於《開羅宣言》的台灣條項解釋，便讓人只感受到台灣人的被害者意識。龍溪書舍出版的《台灣問題重要文獻集》全三冊中，他只引用了其中一部分中國的資料；英語資料的部分，戴天照也幾乎只使用有日文翻譯的某些部分。他自己發現的、批判性的內容幾乎杳無影蹤這點，也相當可惜。

（本書作者是法政大學講師）

本文原刊於《エコノミスト》第1929號，東京：每日新聞社，1972年7月4日，頁105～106。以筆名田餘耕發表

了解「殖民地體制」的好資料

——《現代史資料22・台灣II》[*1]

◎ 劉靈均譯

本書係接續已刊行的《現代史資料21・台灣 I》〔《現代史資料21・台湾 I》〕，是一本在日本統治時期，在台灣的殖民統治的相關資料集。編纂者和第一卷一樣，是以朝鮮近代史研究聞名的山邊健太郎。

本書的架構，是從接續第一卷的III「社會主義的民族運動」中未能刊完的「九、改黨運動」與「十、無政府主義運動」兩小節開始。在IV「共產主義運動」一章中，刊載了過去一直被祕密封鎖著的台灣共產黨相關資料，一共分為五小節：「十一、日本共產黨台灣民族支部東京特別支部員檢舉始末」、「十二、台灣共產黨檢舉之概要」、「十三、台灣共產黨諸命題」、「十四、台灣共產黨再建運動（分派活動）」、「十五、犧牲者救援運動」，山邊先生將之整理編輯，以便讓一般讀者也能容易閱讀。

後半更進一步分成V、VI兩章，全都用以收錄這兩三年來受到年輕世代關心的霧社事件相關資料。山邊先生為了方便讀者閱

*1 山辺健太郎編，《現代史資料22・台湾II》，東京：みすず書房，1971年。

讀，也顧慮到必須要讓霧社事件整體背景浮現，才能讓讀者更容易接近問題，首先設V「原住民之狀態」之一章，配以「十六、蕃地調查書」、「十七、蕃人之動搖及討伐之概略」、「十八、理蕃」等三小節，最後的VI章則是霧社事件。卷末附有〈關於台灣・資料來源〉，載明第一、二卷載錄資料的出處。

此書發掘並整理載錄了我們過去難以閱覽的資料，特別是「警視廳特別高等課內鮮高等係」所編成的《日本共產黨台灣民族支部東京特別支部員檢舉始末》〔《日本共產党台湾民族支部東京特別支部員検挙顛末》〕（昭和4年5月）的全文、昭和5年（霧社事件爆發當年）時任台灣總督的石塚英藏所藏的〈霧社事件情報〉、〈霧社事件往復文書〉、〈霧社事件關係〉、〈霧社事件參考一〉、〈霧社事件參考二〉、〈台灣電力問題・郡警分離問題〉等第一手資料共六冊，實屬難能可貴。編者山邊先生與出版的みすず書房實在勞苦功高。

姑且不論這些，這兩本令人期待甚久的台灣關係資料集全兩卷終於完成。手握此書，令人不禁深思並更加堅信的是，只要是在殖民地體制之下，無論個人充滿了多少的善意，仍然無法施行善政。這在我們被統治者這方一直是常識，然而由於時間流逝帶來的風化作用，即使並非本意，心懷善意的人們也逐漸忘記了殖民地體制的非人性，特別是關於台灣這樣的人尤其多。本書正是相當好的資料集，讓這些心懷善意的人們想起殖民地體制究竟是怎樣的體制。

做為創造中日兩民族嶄新親善關係的一個手段，也期待此書能受到大家深入的閱讀並加以運用。

接著是與書評相關的感想。

首先關於編輯的方法上，資料的出處應該是附在各資料的文末較易使用吧？還有，編者明講訂正了錯字或脫字，但是把抗日運動史研究者都知道的林幼春誤作「林幻春」、張深切誤作為「張深功」的，究竟是「特高」的疏失、編者山邊先生的疏失，還是單純的誤印呢？由於在此無法判斷所以徒增困擾。此外，何以不在卷頭放上做為整套資料集主要資料來源的《台灣總督府警察沿革誌二・中》的實物照片呢？如果編纂本書並不使用該原始資料，也應該要把其中的來龍去脈說明記載才是。

另外，第二卷第51頁載錄的「四七、台灣民眾黨的陣容（1930年）」出處被認為是蔣渭水先生遺文集，然而這並非原始資料（順帶一提原始資料是1931年冬發行的《蔣渭水全集》）。而在解說中直接判斷本卷所載錄〈台灣霧社事件調查書〉的作者為管理局長生駒。這裡也有問題，因為由管理局長生駒所寫，則另有押保密章的孔版《霧社蕃騷擾事件調查復命書》〔《霧社蕃騷擾事件調查復命書》〕（昭和5年11月28日）一書。

兩份文書的比較探討尚待其他機會，然而其架構顯然不同，見解也不一樣。山邊先生這樣的判斷豈不是太過性急而缺乏根據嗎？評論史料應該要更加慎重，像編纂本書這樣社會性的大事業，尤其是必須大開門戶向眾多有識者請教，即可避免這種瑕疵，實在是太可惜。

山邊先生的解說中，也可以看到其未讀到中國方面（當然包括台灣方面）的資料而出現過快判斷的錯誤。比如說「台灣共產黨是以在日本的台灣留學生為中心所組織的」，其實並無法從本篇所收資料中判斷，山邊先生判斷之根據何來令人苦惱。

山邊先生以彭華英1920年代初期的部分活動為根據，認為「彭華英會參加民眾黨只能說是不可思議」（解說XV）。這樣判斷的山邊先生明明自己既是個實踐家，又是歷史家，應該很清楚1920年代初期日本的社會主義運動的實際情況；彭華英是個小資產階級青年（生於1985年）*2，若調查他之後的運動經歷以及在大陸的相關經歷後，對於他會參加民眾黨一事也就不足以為奇了。

最後在此對みすず書房提出一言。若最後要將各卷的月報集成為一本，希望能將題文不一致的猿渡新作〈台灣研究的現狀〉的題目改為與文章內容一致。為了不讓誤解擴大，也不要傷及日本學界的名譽，這樣的處理是理所當然的吧。

本文原刊於《週刊東洋経済》第3696號，東京：東洋経済新報社，1972年10月14日，頁113～115

*2 應為1891年。

運用豐富的文獻

——評須山卓《華僑經濟史》*

◎ **林琪禎譯**

本書為長崎大學經濟學部教授的作者生涯研究成果結晶（依本書的前言所述）。作者須山教授自戰爭期間在滿鐵工作以來，即開始關心且研究華僑問題，也是日本華僑研究的草創者之一。

尤其是戰後，須山教授由於擔任「日本貿易振興會吉隆坡事務所」所長的關係，與當地的的華僑多所深交，又聽聞其對東南亞地方熟悉，因此此書的出版不僅僅對我們華僑研究者而言，對關心華僑問題的一般讀者來說也是殷切期待的大作。

然而，拿到本書稍微翻閱目次後，不禁對於本書冠上經濟史的書名產生直覺的疑問。

身為一名讀者，若以下的意見過於僭越的話，尚請見諒。我想還是期待須山教授能以其豐富的當地體驗、縱橫地運用包含廣博豐富的漢籍、中文資料與相關文獻知識，去完成一本能超越成田節男《華僑史》的著作才是。

況且，以「華僑經濟史」來看，相關的整理並非上乘。就整

* 須山卓，《華僑経済史》，東京：近藤出版社，1972年7月。

體上來說，從什麼時代到什麼時代並不明確，甚至對於時代區分的問題意識，也在相當稀薄的狀況下就輕鬆地寫下去。

本書的結構可分為以下幾個部分。第一，華僑社會與經濟；第二，華僑發展史與經濟；第三，西歐勢力的東來與華僑；第四，殖民地奴隸制度與中國人苦力貿易；第五，華僑與祕密結社。如前所述，作者並沒有針對整個華僑經濟史加以透視與分析就撰寫本書，可惜了書中使用龐大的文獻並多所引用的辛勞過程。

經濟史的研究，不外乎史料的蒐集與整理，並以批判性的分析為前提加以論述。但綜觀本書，比起史料的運用，多是文獻的使用。況且，本書對於文獻僅止於介紹他人的見解卻未加以批判論述的部分，也所在多有。

例如本書第200頁中關於中南半島的記述中提到：

> 客家幫是在14世紀左右，由從中國北部移住到華南的廣東北部的一支被稱呼爲「山地人」的集團所組成的，其中大部分爲農夫、勞工，與少數的工匠和商人。

但客家人移住華南並非始於14世紀左右，而是止於14世紀左右；另外根據史實，其遷徙的地點也並非僅止於廣東北部，福建省、江西省，以及之後的四川省、廣西省、海南島等皆是。至於客家人所從事的職業，似乎也太過偏向靜態的描述了。

雖然如此，在本書之中作者穿插豐富的文獻知識，我們可將之取出充分地利用以資研究的發展。比較遺憾的是，書中並未記載英文文獻的原題名。本人借助先學大師寬闊的胸襟呈上忠告，冒犯之處還請包涵。

本文原刊於《今週の日本》，1972年10月29日，第10頁

憂慮新亞洲主義的抬頭

——《討論日本之中的亞洲》代序

◎ **林彩美譯**

有關亞洲的議論甚囂塵上。一直以來除了突發事件的發生或頂多是選舉的報導之外，不會騰出版面的日本大報，現在卻開始常設分社勤奮起來。

對亞洲關心，議論沸揚是好事。對此事本身來說誠然是好事，我想日本人和日本人以外的亞洲人也不會反對。

但是，一直以來，亞洲的民眾在面臨亞洲緊迫時高聲疾呼都未被理睬，日本人的各位在這時候突然提著「快！亞洲很重要，必須更理解亞洲，亞洲落後、亞洲貧窮，無論如何要想辦法解救！」的高格調華麗辭藻，企圖再回歸亞洲，亞洲人其實是感到很困惑的吧。

到1950年代前半，由反省八一五敗戰立場的日本人有識之士所做對戰前的中日同文同種論、亞洲一體論的否定論比較踴躍。

這些否定論在經濟白皮書中，高聲嘹亮地宣布那著名的「早已不是戰後」宣言的1956年以降，透過朝鮮戰爭特需的過熱與伴隨的調整期，與日本人從敗戰衝擊恢復過程相對稱的情形，逐漸變為模糊。

取而代之，街談巷議的「日本已堂堂地恢復了，沒有必要再畏畏縮縮」的聲音雖是徐徐而來，但已愈來愈大聲了。

是否被高度成長熱昏了頭，或是因受敗戰衝擊、傷口過深的反作用之故吧，上述基於反省的否定論，未及滲透到民眾的層次，做為思想生根之前，已被時代的潮流給淡化擴散。

在此間，亞洲一體論的否定論稍微改變旨趣，而中日同文同種否定論被一部分有識之士執拗地倡導，讓人們感到稍稍有紮了根的樣子。

比起亞洲一體論重新換上新裝復甦，這又是基於何種理由呢？

中日兩民族的因緣，比日本和其他東南亞諸國過於深且長，對於中日間壓倒性頻繁的文化、文物交流歷史來說，應該是不能理解的事吧。

又同文同種論與亞洲一體論在某種意義上，是出自日本國民規模的精神土壤——「依賴的結構」的一個表現的話，是不能做出只有後者復甦、前者被克服的簡單結論。

毋寧是同文同種論還潛在地深深留在民眾感情的深層，但因新中國的出現，使他們領導層的政治思想之志向不容許其復甦，或許應如此看也說不定。

如果此邏輯能夠被容納的話，東南亞諸國，不管其外表的大小，只要是實質的自立國家，而領導層與民眾為一體沒有分裂，那麼從邏輯上便可類推。只是日本心情主義流露的亞洲一體論之復甦，其實是能夠阻止的——之所以如此說，理所當然我是站在否定亞洲一體論的立場。

一部分日本人的有識之士，亦即新亞洲主義者或新亞洲一體論者，或許會有「亞洲包含日本在內在地政學上，或稻作農耕文化、皮膚的顏色、宗教（佛教）、美術、建築、音樂、語言等等，真是可找出多種的共同項啊。而且我們已站在八一五敗戰的反省的立場，說過去以日本為中心、一廂情願的亞洲命運共同體論，亦即大東亞共榮圈思想是不行的。我們的主張正是不以亞洲為上下的統治、被統治關係，是以互惠、平等的橫向關係來掌握，思考從倡導『強者的邏輯』轉移到『共存的邏輯』的亞洲連帶論，亞洲一體論為什麼連這個都要拒絕呢……」會有如上的反應也說不定。

很冒昧，先生們所舉出的共同項我可承認其存在，但只有這一點共同項又怎樣。處於此核能時代、人造衛星、巨型噴射客機飛來飛去的1970年代後半，有必要因這些共同項就把亞洲關閉在狹窄的空間嗎？

所指出的共同項只是那些的話，歐洲之中也俯拾即是。就算是歐洲，要看到今日EC（歐洲共同體）構想的初步實現，不知須要流掉多少鮮血、時間的經過和歷史的教訓，先生們也不是不知道吧。

而EC的構想也只是富人俱樂部主導之下所形成的東西，這是我們所知道的。

而且先生們所倡導的新亞洲一體論，如果是基於互惠、平等的橫向關係的話，那更是奇怪。因為把互惠、平等的橫向關係做為成立一體論條件的話，也就不必特別強調一體論之故。

在此為了慎重起見，必須講清楚的是，儒教道德所說的兄弟關係絕不是真正的橫向關係。日本善意的人們總是倡導亞洲的連帶與一體時，往往有以儒家的兄弟關係為比擬的陋習。請為硬被塞入當「弟輩」的人著想，虛擬的兄弟關係所帶來的會是什麼應可明白，我想這是應留意之處。

我們也知道日本的先生們在高度成長經濟政策到了頂點時，開始主張從「高度成長、輸出主導型經濟」轉為「安定成長、福祉國家型經濟」來改善體質，沒有光是以嘴巴來提倡就能從右移到左那麼簡單。改善經濟結構的體質不容易，也就是說，弱肉強食的邏輯不管你喜不喜歡，還會堅韌地生存下去。也就是儘管先生們如何地用善意主張把亞洲觀從「強者的邏輯」轉為「共存的邏輯」，或者從「上下的關係，亦即統治者與被統治者的關係」轉為「橫向關係，亦即互惠、平等的關係」，先生們所期待的結果無論如何也無法產生，理念僅止於理念，頂多是把畫出的大餅推銷給亞洲的民眾之外無他，我們可以指出這是十分可預見的。

先生們難道忘記明治維新後，日本有識之士之中也有主張和各位差不多，善意的亞洲連帶論、亞洲共同體論，且付諸實踐的不少志士吧。

而那些志士們以自己的「脫亞、追歐」為基調的「內安外競、富國強兵」（福澤諭吉）之策上了軌道，在完成歐美型近代國家的建國與產業革命的過程，被捲進無法制止的國內大勢之漩渦中，善意的連帶在不知不覺之間成為多管閒事的本質上變化，自己也從志士變身為浪人，史實已把這些往事告訴我們。

如有心的日本人所指出，戰後日本的復興到今日走亞洲再回歸之路，不，疾馳的軌跡是民族自信回復與確立的根據，從戰前的武力更換為經濟之外，與戰前沒有什麼不一樣的「脫亞、追歐」之路，無庸置疑是鐵的事實吧。

日本的大勢也不是八一五敗戰就立刻把亞洲人當作同夥，以對等、同格的鄰人相對待（請想起對中國與越戰所採取的態度），對亞洲諸國承認以自分同格的「他分」，沿著此延長線企圖再回歸今日的亞洲做努力。我認為當然不是。

從1950年代開始的戰後日本對亞洲的牽連是，因韓戰特需，達成經濟復興的日本，以賠償為名讓商品進入亞洲，到繼韓戰後隨越戰而來的特需，以及一般日本民眾的勤勉與奔騰的創意等各種因素，而以急速增長的生產力，將一部分銷路求之於亞洲，透過經濟援助再擴張在亞洲的市場占有率。

到了1960年代後半，不只以往的商品進入，為了緩和伴隨日本國內勞動市場的結構變化的瓶頸，勞動力指向型的投資也開始引人注目。

近來是為了打開對美國輸出的停滯不前而看中了亞洲，做為世界性資源確保競爭的一環的資源開發投資，可以用「動如脫兔」來形容其快速向亞洲諸國進行才是實際狀況。

再回歸亞洲的真正理由，正是為了持續日本自身高度成長的經濟循環，無論如何都需要亞洲才提倡回歸，除此以外無他，這是萬人共承認的吧。

如上述以日本為中心的自以為是的牽連，所到達的終極是反抗。能預見將在亞洲孤立的日本人有識之士當然並非不存在。有心的人們之聲音在大勢所趨的漩渦翻騰中，與戰前同樣無力而聽不到這類聲音，我認為這樣看較為公正。

讓我們開發中國家的人心稍微緩和的是，與戰前不同的是日本的政界、財經界的領導層，對伴隨日本人進入亞洲的各種所作所為而來的非難責備之聲與抵抗舉動，姑且採取傾聽的態度。

對於這樣的看法，年輕的日本人激進主義者恐怕會說：「等一下，毫無道理，真是好膚淺的判斷，他們姑且採取傾聽的態度表示理解，只是做個樣子與手勢而已。如果不相信的話，讓我呈示其證據的一端」而如此反駁吧。

我們的確處處可取得證據。

下面所舉的例子是某大企業在新職員研修會上，某董事的講話，可看成是最平均的一個典型吧。

某董事說：

> 最近在東南亞，日本的風評非常不好。特別被媒體大做宣傳。我社也在東南亞有合辦企業，因日本人過於點頭哈腰沒有自信，所以給對方種種奚落、嘲笑的餘地。我們更要挺胸擺起毅然的態度，那種事便立即解決。在那邊白人不那麼被看不起，我們要更挺起胸膛走路。過去打過仗所以怎樣，抱持著這樣的心情反而是使事態惡化的原因……」（《思想の科学》，1972年12月號，再錄田中宏論文）

我們有居留日本經驗的開發中國家人士，在日常領會到日本人充滿善意，而且是大好人。這位董事可見也不例外是位好人，且是位大好人。

他居然在東南亞人研究生們同席的研修會上，磊然地以真不知如何形容的毅然態度做了訓話。上述的研究生聽了此番話不只驚訝無言以對，傳聞最後終於辭去了同社的研究生身分。

我在前面指出八一五敗戰的反省已淡化且雲消霧散，絕不是言過其實。

我並沒有指只有日本人忘記初衷之意。

有鑑於一直以來的人類史，不問個人、民族、國家強大而且集中財富與權力者，經常是高傲不可一世，很難對自己的內部裝上內省的檢驗機制或自動控制裝置，我們是知道的。

況且大多的場合，那財富與力量與其說是自動的選擇善與道德的「王道」走，毋寧是往「霸權」之路狂奔、墮落下去，這是我們共有的歷史教訓，必須在此想起。美國人也忘記了，獨立建國的理念與民族自決主義的主唱者之一的威爾遜（T. W. Wilson）是他們的總統，再者是未對日本的「大東亞戰爭」汲取教訓在越戰蒙受巨大失敗，現在〔1973〕還在柬埔寨進退維谷是近例。中國的情形可舉出無數的例子，由古老的長沙漢墓古墳等可看到已創造那絢爛的文化，但是卻不能將之繼承發展，終究在近代受西歐列強進而招徠日本帝國主義的侵略，因腐敗墮落而淪為犧牲品。這也顯示擁有傲慢領導層的中國人所循悲劇的軌跡吧。

正如好了傷疤忘了痛的妙喻，以及經濟動物、黃皮膚的美國人、好色動物的譴責叫囂聲猶不絕於耳之際，A文部大臣不識好歹做了「我們何幸未生為朝鮮人、南洋土人……」的失言，在國會引起非議。我們不能以輕率、粗糙簡單的一句話就放過。

從經濟動物的責難而引發泰國的拒買日貨，更有新加坡建築材料商公會、船業同業會等六個商業團體（加盟500社）發表對日本商社責難的正式聲明（1973年3月25日）等，日本人善意的學者與關係者從「日本人要謙虛」的修身論出發，而洋溢著「不要只掠奪，也要給當地（請留意，不是指當地國家，先生們徹底地養成使用當地這詞語的習性。日本的先生們是否反應遲鈍或忽略詞語的重要性，常常無忌憚地、無意識地講出惹惱我們感情的表現。我沒有絲毫吹毛求疵之意，但語言是意識的反映。如果先生們把我們當作人對待，真的把我們想做是亞洲的夥伴，不管何時都意識到對等同格，那麼絕不會輕易地用「當地」一詞表現，而文部大臣也不會有南洋土人的失言）的人回饋利益，僱用當地人，融入當地」的修正論。

的確有修身論與修正論比沒有來得好是不必說的。

但一方面，有關越戰在世界史的教訓，各大報騰出大篇幅讓諸位先生來議論，使版面好不熱鬧；另一方面，也有一成不變的只寫在三強（國）、五強（國）的政治力學邏輯框架內，來談論亞洲新情勢的先生們，令人感到悲哀。如果說是在民主主義日本的言論自由表現那也就算了，但是連善意的先生們也在無意識中，彷彿東南亞沒有住人的樣子，主張東南亞是「日中競爭的舞台」、「日中對決的場地」或「東南亞是被動的地域，所以由日本自動給一些影響是必要的」等，真是不敢領教。易於圖式化，再是染上太多歐美的思考模式之故，馬上就喜歡那樣去掌握，做為中國人的一分子，我認為中國不會那樣掌握東南亞，也希望不會那樣做。

東南亞各國也居住著與各位一樣有血有肉的真正的人，他們也同樣在營生，比起你們稍微樸素些。所以或許不引人注目，但他們也依自己的方式參與、書寫每日的世界史。

東南亞是住在當地者自己的舞台，並不是諸大國競爭的舞台或對決的場地。他們會強硬地拒絕被那般擺布吧。這暫且放在一邊，不可變成那樣才是先生們應提倡的吧。

對於一個民族而言，什麼是最好的社會制度問題，是住在該地民族所決定的事情。東南亞是被動的地域所以應由日本人給予影響或「日本人能為東南亞做些什麼」的多管閒事，對不起，實在是受夠了，不敢再領教。「日本人在東南亞不可以做什麼」的問話才是更要緊的。很遺憾，性急而善意、喜歡推銷的諸位的構思，很多時候與此相反。

將大臣、學者、新聞記者所抱亞洲觀暫擱一邊，姑且在嘴巴上說對亞洲有共感，說為了亞洲、為了落後的各國而幹勁十足赴任的大多數年輕社員、研究者、外交官，面對當地國的貧困與混亂，一度會受到挫折，不，在挫折以前，也就是說與嚴峻的當地國的現實相面對，馬上皺眉苦起臉來才是一般情形吧。

他們忘記自己祖先受歐美列強的壓迫，在深信不疑的基督教價值與文明絕對優越性的白人基督教徒的輕蔑之下，曾經苦惱、爭鬥而終於建立今日的歷史。現在卻在背後罵「開發中國家的一夥都是不行的傢伙，效率差，連最低限度的紀律守時都做不到」。

在此我有請年輕善意的日本友人們回想起來的記述。

與現在相隔不是很久的江戶時代末期（1859年6月～1864年12月）駐在日本的英國第一任駐日公使盧瑟福‧奧爾考克（Sir Rutherford Alcock）寫道：「在此日本不是像現代的、希望坐快車的奢侈之人所住的國家，而明顯的是時間不被評價為貴重的東西。所以不管是旅行、交易，或任何工作的處理，總之是令人無可忍耐的慢吞吞。」年輕朋友們的曾祖父或祖父的世代也曾被如你們向東南亞人所發同樣的牢騷，在不久之前也被所謂已開發國家的歐美人提出。

你們現在所擁有的高效率與合理性也並非超歷史、原初就擁有的，這些正是你們的祖父母、父母、兄姊等，把亞洲當墊腳石而造就起來的工業文明之結果而已。

我想你們萬萬不會因讀了奧爾考克的一文而苦惱吧，連那著名的大思想家黑格爾（G. W. F. Hegel）也說過：「黑人是無理性的存在，與猴子相同。」人的認識局限本來就是這樣。對各位的期待是請稍微反省，在數落東南亞之前，稍稍重溫自己的近代史再說，只是這樣而已。

很難有效地學習歷史教訓這事，從東南亞一部分指導者身上也可看到。

日本的諸位以連帶為名伸出多管閒事的手，當然是很麻煩，而我們開發中國家的領導者、權力者之中也有，往往是以保持政權為唯一的政治目的的政治情況下，只為了一意保持自己政權，與以日本相反的方式訴諸「依賴的結構」。「兄長」、「日本是我們的兄長，請援助我吧」，經常有主動去延攬那隻多管閒事的手的體質，這是我們不會忘記的。

對於這些人，我們只有敬呈被日本強迫接受那惡名昭彰的「二十一條要求」的袁世凱（順便提一下，他為了對抗革命派的孫文一夥，向日本當局尋求援助，以圖權力基礎擴大與強化的清末民初中國親日派巨頭）憤慨激昂而談的「日本應以平等的友邦對待中國，但為何如豬、狗或奴隸般對待中國人」的名句之外無他吧。不必贅言，日本在強迫中國人接受「二十一條要求」之前，日本當局伊始，眾多「支那浪人」（清末民初在中國大陸四處流浪的日本人）與有識之士抱持對中國的共鳴，曾用盡所有修辭努力雄辯過。

「依賴的結構」扭曲了日本與中國的關係已經明白了。

我認為要創造出應有的日本與亞洲善鄰友好關係之前提條件，首先要把支撐「依賴的結構」亞洲情念的精神土壤，相互挖除崩解。

所幸，日本人友人之中，也有些人終於領悟，日本人在海外的所作所為惹起的諸般問題根源，存在於日本人自身的內部，也就是說與日本社會制度的狀態相關聯。

我們與日本人如要構築真正的連帶，只有加深相互的理解，切斷各自體質中依賴的情念，然後不問國之大小、民族的多寡，以對等、同格交往，把各自民族所擁有的文化價值互相容許始有可能。

我們也要對那把自己內部的問題束之高閣，馬上武斷地說「為了亞洲」，急切地跳出來的善意年輕友人說：「請等一下。我們的問題讓我們自己想辦法來解決，請留在貴國加油吧。」我要這樣拜託你們。

由於長久苦鬥的歷史經驗之故，我們知道追求人的復權的爭鬥是要付一定的代價，不然是不能辦到的。

從越戰的教訓可看到，追求人的尊嚴的確立，被壓抑、被壓迫民族的鬥爭與運動，是長久的、持續不可逆的鬥爭，也是運動。請你們也承認，然後稍微帶些從容去看亞洲的民眾。

以畫蛇添足的形式寫了不像序文的一文，敬請海涵。

晚輩的我陷入非寫序文不可的困境，是因為第二到第五次座談會的預先準備（三浦先生）有和我商量，而我也做了一些建言。還有全部五次座談會中．我出席了四次，這才是唯一理由。

不用我多說，我沒資格代表登場在本書的發言者諸位，也沒有要代表之意。只是為了完成書本形式的手續，與擋住可能相隨而來的責難方寫了此序。

最後，雖是斷斷續續但給我們提供長達一年報紙版面的《中日新聞》與讀者諸賢，以及不吝提供厚實的胸膛（意指參與座談會充當議論的對手，猶如相撲的低位者向高位者，借其胸練習），給我們的日本代表性、有才智的諸氏表達由衷的謝意。

我也對主持本座談會的一切，並且大力付出辛勞，為我們發言者的談話做了整理與重建的三浦昇，如果沒有他的熱心與企畫力，本書不會誕生，一併誌明於此聊表謝忱。

特別是三浦氏不把我們外國籍的亞洲人當「裝飾品」，而是做為真正對話可能性的追求，而要求我們的登場。我們一方面感受到三浦氏無限的友情，同時也擔憂我們存在的結局只是「裝飾品」。

要當做「裝飾品」與否，當然不是我們這方的意思可決定的，是日本人的讀者諸兄姊要給予決定。我們耐心地等待審判的下來。

本文原收錄於戴國煇等編，《討論日本のなかのアジア》，東京：平凡社，1973年8月3日，頁5～19

分析進入新階段的日本企業

——宮崎義一《思考現代日本企業》*

◎ **林琪禎譯**

現今，日本的企業正面臨著來自國內外輿論的激烈指責，其社會責任也正受到嚴格的檢視。

無庸置疑地，日本大企業內外的各種活動在質與量上與以往不同，所反彈出來的衝擊對一般民眾的影響也甚為鉅大。其中最具體而顯著的例子就是物價狂飆。

為什麼大企業會有這樣的「表現」呢？本書在第Ⅰ部「股份公司的變貌與日本企業」中，針對企業的資金結構來分析相關的邏輯與機制。

作者在文中指出：美國現代資金結構中的股份公司明顯地呈現企業內部資本的淨餘額增大化的傾向。結果「一方面以生產者的身分來追求增大的資金流量，一方面以資產保有者的身分來確保自己可運用資金的保值與增值」的「新型股份公司」於焉誕生，出現在我們面前。

然而日本的股份公司頂多只達到美國1930年代的水準，雖說

---

* 宮崎義一，《現代の日本企業を考える》，東京：岩波書店，1974年。

企業內部資本也有增加的趨勢，但企業內部的淨餘額卻不見增長。原本並未達到經營「新型股份公司」資產保有者活動階段的日本企業，卻於1972年步入了「企業投機家時代」。原因無他，正是因為尼克森震撼的關係。當時流入了約100億美金的「美元營業額」，大大地增加了企業可運用的資金額度，也成為這股劇變的契機。

逐漸轉型成「新型股份公司」的日本企業，由於事業外可運用資金的增加，得以將原本擱置的投資案投入政府的不景氣對策與「日本列島改造論」計畫。日本企業於是以此為契機開始瘋狂地炒地皮、炒股票、炒作商品，也因此一躍轉化成為具備「資產保有者」之另一面向。

「企業追求利潤是資本主義式經濟的必然，但若行之過火，就不應該了。」在一般民眾對企業的感受，多停留於如此的情感階段時，作者利用前述的科學手法，具體並實證地加以剖析的貢獻可說不小。

也有認識不足之處

作者更加延伸他的分析視野，將焦點放在放棄「經營者支配」理念，將巨額投資利益算入內部保留以此為背景，「逃避」至海外（主要為東南亞）的日本企業身上。第II部「從東南亞看日本企業」即為其研究成果。第II部結合作者自身於東南亞的實地調查與對該諸國的各種研究業績而寫成，因此值得參考之處不少。但是，坦言之，其實作者對東南亞的社會經濟結構的認識仍有不足之處。當然其責任與其說是作者自身能力的不足，不如說是，包括書評人的我自己在內的東南亞相關研究者能力有所不足之故。

舉例來說，作者完全沒有提到企業投資與當地國的官僚資本與買辦資本的關係；以及雖然很難得地提及東南亞諸國的建國情況，卻沒有分析當地國家的民族資本、官僚資本與買辦資本相互間的定位。諸如此類，本書仍舊留下了一些尚未解決的問題。

另外，無意之中將華僑資本、華僑企業的表現也在新加坡、泰國沿用，則很明顯的是個錯誤。所謂的華僑，僅限於仍然擁有中國籍的中國人，因此該把企業的表現視為外國資本或外國人企業才對。

當然，在這兩國之中，由於前述企業的資本已於當地國累積，且其中的經營者多已取得當地國國籍的例子相當多，因此是應該將之定義為華人系資本、華人系企業。否則，對要在建國過程發揮作用的諸企業，仍舊無法正確地定位。但無論如何，本書的第II部與附錄的「對於日本企業投資海外的相關建議」可說是日本在摸索與東南亞新關係與擬定新方案之前所提出的「基本方案」之際，值得參考並加以活用的良好資料。期待各界的討論。

本文原刊於《エコノミスト》第2023號，東京：每日新聞社，1974年3月26日，頁91～92

《東南亞華人社會之研究》序文

◎ **劉靈均譯**

本書係「東南亞華人之社會・經濟」研究會（1971～1972）之最後報告書。

我們研究會的成員在這兩年來的研究會裡研究發表與聽講，並且透過與之並行的討論達到以下的共識。

也就是，大部分對自己與他人都自稱為華僑的人與其後裔在他們居住的東南亞各國激烈的歷史胎動中，在各種迂迴曲折的事態下，被迫蛻皮成為各居住國的華人系住居民，自己也試著讓自己蛻皮。

因而我們問題意識的第一點，即在於必須正確的描繪出眼前正在建設國家的華人系住民真實樣貌。第二點，是試著認識該國的建國事業中，華人系住民所占的位置以及所扮演（不管是正面或是負面）角色的實際情況。第三點，必須要明瞭華僑在變身成華人的過程及伴之而來的各種問題。

本報告算是我們就前述問題意識所進行的小小嘗試。

自不待言，我們並不能滿足於以上成果。正式的研究從現在才正要開始。還請識者大德不吝賜教。

最後要深深感謝以下諸位：做為本研究會的講師，提供我們貴重意見的伊藤利雄（前印尼大使館一等書記官，現任外務省中國課）、吉田實（前《朝日新聞》新加坡分局長，現任北京分局長），做為討論人參加討論的大山宏（旭化成工業株式會社塑膠企畫管理部，現留學於新加坡南洋大學）、桐村英一郎（《朝日新聞》經濟部）、清水登（本研究所圖書資料部）、原不二夫（本研究所動向分析部，現留學於馬來西亞理科大學〔檳城〕）等諸位。

此外，負責整理參考文獻的張祥義（亞洲大學講師），以珍貴的在地體驗為基礎賜稿的木下俊彥（原日本輸出入銀行駐馬尼拉人員，現任該銀行總務部調查役），以及撥冗執筆本書的諸位，在此也獻上感謝之意。

本文原收錄於於戴國煇編，《東南アジア華人社會の研究》，東京：アジア経済研究所，1974年3月

以科學實證法批判日本殖民政策
——矢內原忠雄《日本帝國主義下之台灣》、《滿洲問題》*

◎ 孫智齡譯

矢內原忠雄於1893年（明治26年），出生於愛媛縣今治的醫生家。

他從以斯多噶（Stoic）教育（禁欲主義）聞名的神戶一中進入一高，1917年（大正6年）春，與日後同樣研究殖民地問題和帝國主義問題的對手細川嘉六一起畢業於東大政治學科。

矢內原在一高和東大時，特別在宗教上，以內村鑑三為師，學問上則師仰新渡戶稻造。

矢內原東大畢業後，曾一度在住友別子礦業所上班。過沒多久（1920年），就以新渡戶稻造的接班人身分回到母校負責「殖民政策講座」。一直到1937年，被當時的法西斯政權趕出東大為止。

《日本帝國主義下之台灣》和《滿洲問題》這兩本書，可以說是矢內原在這段期間所完成的諸多著作中，最能以科學的實證

---

* 矢內原忠雄，《帝國主義下の臺灣》，東京：岩波書店，1929年10月；《滿洲問題》，東京：岩波書店，1934年2月。

性批評日本的殖民政策，是最精采的名著。

《日本帝國主義下之台灣》這本書主要是利用馬克思的經濟理論，為日本殖民統治下的台灣社會發展所做的科學性分析。第一篇第二章的〈台灣的資本主義化〉和第二篇「台灣糖業帝國主義」則從經濟面，尖銳地揭露日本帝國主義的對台統治。

然而，矢內原始終以神的使徒自負：

> 解放受虐之人，提升沉淪之人，以及和自主獨立的人的和平結合，是人類從古至今，包括未來的共同希望吧！希望！以及信仰！我相信和平的保障就在於「堅強的神之子不朽的愛」。

以此為出發點，全書整體上充滿他個人的人道主義。可是，光靠「堅強的神之子」信仰，並無法突破非人道殖民體制的現狀，光靠「不朽的愛」也不能保障和平，這是世界史的史實。在這個意義上，矢內原的本質上可以說跳脫不開溫情主義、改良主義的局限。因此，第一篇第三章的教育問題、第四章政治問題和第五章民族運動中，包含的有關階級對立的分析，就比不上早於他出版，山川均的《殖民政策下的台灣》來得精采。

話雖如此，但如果他沒有信仰、沒有神的正義為出發點的勇氣，在那瘋狂的法西斯主義威脅下，還能對日本的進入滿洲提出批評，甚至提出：

> 日本的對支政策的根柢必須存在於助成支那的近代統一國家化才行。支那沒有統一，日本就沒有繁榮可言，只要支那有排日

運動，日本就不可能幸福。只有敦親睦鄰才是眞正具有合理性、永久性意義的對支政策。（《滿洲問題》）

如上的主張嗎？

參考文獻

《矢內原忠雄全集》2，岩波書店
《山川均全集》7，勁草書房
南原繁等編，《矢內原忠雄——信仰・学問・生涯》，岩波書店
戴國煇，《日本人與亞洲》，新人物往来社

本文原刊於河原宏、藤井昇三編，《日中関係史の基礎知識：現代中国を知るために》，東京：有斐閣，1974年7月15日，頁239

台灣殖民地經營的個人經驗

——後藤新平《日本膨脹論》*1

◎ 孫智齡譯

後藤新平（1857～1929），出生於水澤藩（岩手縣），習醫，從愛知醫院長轉為醫事・衛生行政。1892年，擔任內務省衛生局長。甲午戰爭結束的1895年，在兒玉源太郎部長底下，以臨時檢疫部事務官長的身分，對戰地回來的復員檢疫工作發揮才幹而受到認可。

1898年，因檢疫事業的機緣，被就任第四代台灣總督的兒玉提拔為民政局長。自那以後直到1906年11月為止，將近十年的時間，亦即所謂的兒玉、後藤這對搭檔在殖民地行政上，發揮其糖果和鞭子並用的精明強悍施政。

當初，負責鎮壓抗日游擊隊的遠征軍師團長乃木希典（日後任第三代總督）就曾說過：「如乞丐得馬（指台灣），不能餵養、不能乘騎，終致被咬被踢令人惱怒之結果，貽笑世間。」不難看出面對激烈的抗日游擊隊，曾經一度想賣掉台灣的日本當局窘境。然而，後藤一邊以懷柔政策拉攏地主和本地資產階級；另

*1 後藤新平，《日本膨脹論》，東京：通俗大学会，1916年2月。

方面又將造反者一概視為土匪，以臨機處分之名誘殺的毒辣手段敲下鐵槌，藉此確保治安。

後藤在確立治安過程的同時，也展開周密的舊慣調查和土地調查事業，此外，還施行產業振興等所謂科學的殖民地經營。因為這些成績之故，讓他在日俄戰爭中取得的「南滿洲鐵道株式會社」出任總裁一職*2。他就以「滿鐵」為中心，開始經營滿洲。也就是說，後藤藉著經營台灣和滿洲而和中日關係史有著密不可分的關係。

《日本膨脹論》是後藤以台灣為中心的殖民地經營所獲得的個人經驗和自信，提高到民族的水平，而強調日本民族的優越性。亦即在大日本主義的立場下，日本民族：

> 勃勃世界雄飛的思想，膨脹發展的思想，不只是在歷代天皇的心中而已，更是經常在日本民族全體的血脈裡湧起，絕不能忘記它是不斷在脈動。這民族精神的體現，或是以童話桃太郎打擊魔鬼島的形式出現，或是以神功皇后的三韓征伐，或是和寇，或是豐太閤〔豐臣秀吉〕的朝鮮征伐，或是甲午、日俄戰爭，或是朝鮮合併等的實現。……日本民族的膨脹欲是無限發展的，絕不會膠著、停滯在某一地方。

後藤在書中鋪陳的國家有機體說，正是他在台灣「以生物學原則為基準的治台政策」的體驗，是在他稍早前發表的「國家其實

*2 即「南滿洲鐵道株式會社」，於1906年成立，後藤新平為首任總裁。

就是至高的人體，是非常至尊的有機體」（《國家衛生原理》〔《国家衛生原理》〕，1889年）這個骨架上再添加血肉罷了。

此外，他更極力主張民族個性的掌握和發展，強調發揚民族自覺的必要性，以及國家的盛衰畢竟決定於國粹的消長。同時他自己把大和民族的特色做了解剖。日本民族對世界的使命是「與其鼓吹殖民政策，應先闡揚民族固有的宏大精神，使之活躍為緊急任務」，甚至於「要徹底發揮偉大的消化力、同化力、發展力，把神祕現實化、生生主義，以及文化上的、思想上的征服主義」，除此之外無他。

誠如上述，如此這般的大日本主義太過於露骨之故，以至於後藤的女婿、當時親西歐派的鶴見祐輔剛完成的《後藤新平》，被漠視而不成話題。可是，正是這樣的書，後藤闡揚民族主義的高漲，是在抵抗西歐的民族主義。因此，第二次世界大戰末期，中村哲附加了解題將之「加入新古典中」，甚至把它視為是「大東亞共榮圈」思想的先驅。

參考文獻

中村哲解題，後藤新平《日本植民政策一斑・日本膨脹論》，日本評論社

鶴見祐輔，《後藤新平》全四卷，勁草書房

戴國煇，《日本人與亞洲》，新人物往来社

本文原收錄於河原宏、藤井昇三編，《日中関係史の基礎知識：現代中国を知るために》，東京：有斐閣，1974年7月15日，頁240～241

反軍國主義的思想結晶
——細川嘉六《殖民史》*

◎ 孫智齡譯

細川嘉六和矢內原忠雄同是在日本以科學方法研究亞洲的先驅者。

細川於1888年9月27日，出生於明治維新以後，發生過三次大規模米騷動的富山縣新川郡朝日町泊，父親是漁夫也是魚販。

細川來自貧窮的生活環境，他靠著當書生〔譯註：學僕、寄宿於學者、小說家家中的私人助理〕或送報伕，由正則預備學校、錦成中學、一高英法科，一路念到東大政治學系，在俄羅斯的二月革命，也就是1917年的春天畢業。在一高和東大念書時，說也有趣，細川和同班小他五歲、日後成為學問研究上對手的矢內原忠雄一起學習。

東大畢業後，細川被推薦進入住友本社。同年11月有俄羅斯的十月革命，翌年1月，主張民族自決的美國總統威爾遜發表14條和平原則。甚至同年的8月，著名的米騷動就發生在細川出生地附近的魚津村，後來甚至演變成日本史上前所未有的大規模群

* 細川嘉六，《植民史》，東京：東洋経済新報社，1941年9月。

眾運動。比一般人更血氣方剛的漁民子弟細川，對當時正盛行的民主論深感共鳴，他不是靠頭腦，而是靠身體領悟到俄羅斯革命的世界史意義。長久受到壓抑的勞動大眾米騷動中，在這股強烈的能量中，細川感知到嶄新的歷史氣息的即將到來而辭去住友公司職務，進入市川正一、青野季吉擔任記者的《讀賣新聞》報社。後來，因參加有關公司讓渡問題的罷工運動而辭掉工作。在東大經濟學系，以助手身分正式投入勞動問題、帝國主義・殖民地問題的研究。

細川日後因抗議森戶辰男的筆禍事件而辭去東大助手的職務，轉任於大原社會問題研究所。亦即他以在野身分進行研究與言論活動，甚至後來因實踐運動招來筆禍下獄（1942年）為止，可以說一貫地反對軍國主義、法西斯主義。

《殖民史》是八一五以前，有關他的研究、言論、實踐的最後成果。

這本書由序論、台灣、朝鮮、滿洲、東亞共榮圈五篇章組合而成。不過，最受人矚目的要屬序論部分討論殖民地的根本問題，和殖民地問題在世界史上的定位，提到中日戰爭將日本推向史無前例的國難，指出對中國的戰爭終究就是使「指導中國民眾運動的中國共產黨」更加容易動員民眾，甚至讓中國發展到空前的大統一。以及日本若堅持向來的政策「東亞共榮圈的樹立，其前途將會面臨重大困難，並不容易實現」，這種根據科學性的分析、巧妙書寫東亞共榮圈共兩篇。

在那瘋狂的法西斯主義言論彈壓下，以及祝賀「紀元2600年」的盛大活動中，日本正積極將自己推向超國家主義的1941

年，細川甘冒身家性命，也要公開發表這本著作，對於他的勇氣，我不得不感到敬佩。

附帶一提，本書收錄於《細川嘉六著作集》第二卷（理論社）。

本文原刊於河原宏、藤井昇三編，《日中関係史の基礎知識：現代中国を知るために》，東京：有斐閣，1974年7月15日，頁320

吳濁流《黎明前的台灣》* 及其他

◎ 孫智齡譯

近代日本在對外擴張的過程中，第一個受牽連的中國領土就是台灣。其第一階段就是所謂的台灣征討事件。這個事件雖然是以懲罰殺害遇難琉球人的台灣南部高山族為理由，然而，事件本質則是明治政府做為建設國家的一環，必須確定自己的統治領域。因此，為解決邊疆地域的歸屬問題，勢必要逼使鄰國清朝承認其「琉球處分」，而完成這項策略才是明治政府的最大目的。第二階段則是延續第一階段，以朝鮮問題而強行發動甲午戰爭，其結果則是台灣的殖民地化。

近代日本以琉球處分、甲午戰爭逼使清朝承認它在東亞地區的國家主權。另一方面，以台灣為第一個殖民地統治，實行產業革命，和強固資本主義體制的過程中，必然衝向對亞洲擴張和侵略的道路。除了少數有心的反戰人士之外，一般日本人對於打贏大國清朝，而對中國人的輕蔑感因此滲入內裡。

* 吳濁流，《夜明け前の台湾：植民地からの告発》，東京：社會思想社，1972年；《泥濘に生きる：苦悩する台湾の民》，東京：社會思想社，1972年；《アジアの孤児》，東京：新人物往来社，1973年。

此外，在對抗歐洲先進國家，與其並駕齊驅為主要命題的前提下，甲午戰爭中獲勝的日本，對於以武力為主的民族自信心也開始堅定。接著，對於據台初期激烈的抗日游擊隊，予以鎮壓。還有後藤新平和兒玉源太郎這對搭檔開始步上軌道的「飴與鞭子」的台灣治政，以及「殖民地開發」逐漸開花結果，這些都讓日本人的民族自信和對中國人的輕蔑感更加擴大和落實。而這股被落實、擴大的民族自信以及對中國人的蔑視感，之後在侵略全亞洲時，更被利用在大眾的動員上。 就這一層意義上來說，從被統治者的記述來探索台灣殖民地化和統治的本質，就更顯重要和別具意義了。

做為啟蒙書，以吳濁流的一系列著作最為傑出。

吳濁流本名吳建田。在日本殖民台灣的1895年五年後，也就是1900年，出生於台灣新竹縣。

他於20歲1920年畢業於以台灣人為對象的高等教育機關之一的〔台灣總督府〕台北師範學校，之後，在公學校（以台灣人的小孩為對象的教育機關，相當於小學）擔任教員工作長達20年。1940年因反抗日本人上司的侮辱而辭掉教員一職。翌年，前往汪兆銘政權下的南京政府，在日本人發行的《大陸新報》擔任記者。1942年，因預見日本必敗而返回台灣。1943年開始冒著生命危險，執筆寫下《亞細亞的孤兒》，翌年的1944年，任《台灣日日新報》（後合併為《台灣新報》）記者，直到八一五為止。

台灣回歸中國後，他先後在《新生報》和《民報》一邊擔任記者工作，一邊寫作。

二二八事件（因反抗當局惡政，1947年2月28日發生的蜂起事件）之後，歷任公務人員、中學教員、團體職員等，目前則主持《台灣文藝》雜誌社。是詩人也是作家。

以《亞細亞的孤兒》開始，〈無花果〉（收錄於《黎明前的台灣》）、〈泥濘〉、〈陳夫人〉（皆收錄於《泥濘》），雖然都是小說形式，但其時代背景都是以日本殖民地統治為主，除了描寫在殖民地體制下，老百姓生活的人生百態外，也忠實地把當時的諸項歷史事件編織進小說裡。

這一系列作品，雖然沒有使用明顯告發的詞彙，但對於殖民地體制所帶來戕害人的本質，以及肉眼看不見的殖民地統治的傷痕，可以說是體無完膚地徹底揭發。

日本人對於「台灣的殖民統治是成功的」、「在台灣的殖民地開發促進了台灣的近代化」、「日本人在台灣沒有做壞事」等等的老百姓感情，究竟有多不正確？把身邊周遭的事，吳濁流雖然很低調，卻很誠實地告訴我們。他的作品由於涉及歷史和社會層面很廣，所以相對地有它的普遍性。對於殖民地體制所帶來的諸般情勢，他始終以極其冷靜的眼光描述。因此，做為時代寶貴的證言，今後勢必也會繼續留存下去吧！

其中的《亞細亞的孤兒》和〈無花果〉不單是告發殖民地體制而已，對於日本占領台灣，以及殖民地統治的過程中，將原本是中國人一部分的台灣人，逼到日本和中國的夾縫間。除了使之扮演悲劇主角外，另一方面也導致台灣民眾和正陷於近、現代化苦鬥中的中國大陸民眾分離。其結果是，讓部分台灣本地的資產階級對中國缺乏認同感，甚至形成以台灣獨立為指向的土壤。吳濁流在作品中，將這些經緯過程告訴我們。也就是說，殖民地體制所留下的傷痕，至今仍深深殘留在台灣這塊土地上，甚至繼續衍生著。從這層意義來看，這一系列著作，毋寧是中日兩民族在創造敦親睦鄰的友好關係上，有效的食糧吧！換句話說，日本人對於殘留在台灣這塊殖民地上的傷痕，如果沒有正確的認識，那麼日本今後對亞洲各民族間的友好親善關係是不可能實現的。

《亞細亞的孤兒》由新人物往來社發行；《泥濘》和《黎明前的台灣》皆由社會思想社出版。

本文原刊於河原宏、藤井昇三編，《日中関係史の基礎知識：現代中国を知るために》，東京：有斐閣，1974年7月15日，頁321～322

提示另一種觀點

——《戰後台灣經濟分析：從1945～1965年》*

◎ 李毓昭譯

通常，社會科學方面的學術書籍會讓讀者在閱讀時比較冷靜。可是本書從頭到尾流動的激情漩渦、豐富的鋪陳，換句話說，諸多包括打破「一般想法」範疇的界定、實態解說與分析的「刺激」，在在令我們驚歎，同時感到某種困惑。

然而，本書絕不是「情緒」之書，應該是說不逃避「情緒」，而嘗試以綿密的方法論審訊、檢討，建立分析概念。再加上他出生於台灣，能充分發揮其在台灣大學經濟學系與台灣的金融機關所奠定的學經歷背景，透過資料的審訊與萃取，試圖從結構上揭開台灣戰後經濟的整個過程。就此點來說，本書稱得上是正統的研究專書。

在筆者看來，日本戰後有關台灣經濟研究的主流論點是，把台灣經濟視為僅次於日本的亞洲優等生。而為數不多的馬克思主義者的研究中，則是以「四大家族」的單純移植論、美援的圖式

* 劉進慶，《戦後台湾経済分析：一九四五年から一九六五年まで》，東京：東京大学出版会，1975年。

介紹，以及批判論文為主。

劉先生的基本分析法正是以馬克思理論為基礎，但是他也自行在思想上冒險，針對「四大家族」在台灣的重新整編、美國的介入（後期加上日本），以及台灣本地資產階級的接納與因應，嘗試去分析三者彼此有機的關係結構。這一點相當獨特。

作者的基本觀點是：「戰後的台灣經濟是受到歷史上的日本殖民地遺制、國民黨政權的半封建上部結構，以及美日資本主義的支配所局限」的「殖民地式半封建經濟」。有些讀者或許對這一點有所質疑。但是，在預測台灣將來的動向方面，本書提供了值得參考的「另一種觀點」。無論其說是否正確，我認為應該加以注意。

本文原刊於《日本経済新聞》，1975年5月25日

輯二

讀華僑

質詢何謂「國際交流」

——田中宏《與亞洲人的相遇》*1

◎ 孫智齡譯

誠如大家所知道的，作者田中宏先生是亞洲留學生問題的權威。他不僅是此研究領域上的第一人，作為留學生政策的批判者，以及相關問題的行動者來說，他那讓人望塵莫及的重要存在，更受到眾人矚目。

以現在的流行語來說，他雖然是留學生問題的調停者，卻從未收取不義之財，甚至經常自掏腰包，置身事件當中，「火中取粟」地助人，現在仍持續這麼做的熱心人士。

由於田中先生是「無私」的調停者，因此，對於強烈以「舉國一致」為志向的「日本株式會社」的成員們來說，當他為「可疑」的存在都敬而遠之。相反的，在留學生當中，田中先生卻是可和其袒開心胸、少數被待以兄長之禮的日本人。

本書可以說是將其個人的批判、行動、甚至研究等，有機而且徹底地融入自己生活中的熱心人士——田中先生所作所為文字

*1 田中宏，《アジア人との出会い：国際交流とは何か》，東京：田畑書店，1976年。

化的一部分之「小集成」。

這「小集成」由四部構成：

第一部為日本的生活態度，包含一個證言群、1970年代的「五四運動」、波紋滲透防波堤時、《中日共同聲明》和中國留學生、在日越南留學生的「四月三十日」（祖國解放），「若借了不還會很不好意思」等討論留學生問題的諸篇論文。

第二部由在日外國人，特別是韓國人的民族教育以及與它相對、處於理當對等位置的在外日本人子弟的民族教育，甚至從接受留學生制度的不完備與前述對韓國人民族教育的不當待遇等現況，而提出招攬聯合國大學到日本為時尚早論的諸篇論文所構成。

第三部包括出入國法案和在日留學生、日本「戰後處理」中有關《中日共同聲明》所含的意義、唐突的修正《外國人登錄法》、日本的台灣・韓國殖民和國籍問題、外國人連基本權利的自由權都沒有嗎等論文。亦即由討論出入國管理體制與在日舊殖民地出身者，以及一般外國人的權利、義務等問題的重要論述所構成。

最後的第四部則是由「對岸」我們鄰居的評〈日本和東南亞的關係——日本「亞洲通」的東南亞論〉和評〈「占領新加坡三年半」〉等文章進行翻譯與介紹。

從第一部到第三部，乍看之下，作者好像在討論很多分歧的問題，其實萬源歸宗，亦即日本近代的另一張臉孔——亞洲侵略的善後問題，或是說敗戰日本的「戰後處理」，如何在思想史，更於法理上根據自己的主體性去追究其「理」，更進一步努力與亞洲建立善鄰關係吧！

作者的出發點，說到底是與亞洲人的相遇（大部分是以日本為「場所」），換句話說，重點放在生活者共同擁有的「日常性」。不過，田中先生並不像一般常看到，對亞洲一頭熱、一時性情感的日本人。他堅持自己的民族立場，同時在平等互惠的前提下，讓日本和亞洲的關係遵循歷史脈絡，而在現狀上加以剖析。因此，他對問題的把握經常是以「對比」的立場在分析。最好的例子就是第二部中〈「日本人學校」的死角〉，將在日外國人子弟的民族教育和海外日本人子弟的民族教育以「對比」方式來討論、分析，並尖銳地揭露日本人「自私」之處。

作者相當重視彼此間的直接接觸，雖說以此為出發點，但不局限於此，他更盡可能蒐集資料、提出批評和進行邏輯論證。而且向自身內部鍥而不捨地追問其主要目的「國際交流」究竟是指什麼？

「非」法學家田中宏對國際公、私法學關係學者的怠慢和僵化的法令解釋的毫無成果，暗加批判的〈日本的台灣・韓國統治和國籍問題〉就是其好的結晶之一。論文中，他配合目前在日舊殖民地出身者發起的一連串「日本國籍存在確認請求訴訟」的焦點，從法理上探究他們提出的「國籍」問題。指出其遠因是欠缺當事者參與的舊金山會議片面講和的扭曲，日本國家至今仍和戰前一樣，對舊殖民地出生者的「國籍」問題任由國家恣意地處理。

翻閱此書時，我也將清澤洌的《暗黑日記》[*2]（共三卷、評論社）重讀一遍。將田中先生的論述與清澤洌《暗黑日記》精采

＊2 《暗黑日記：1942-1945》，日本東京：岩波書店，1960年。

的應該是「戰時日本人論」的該日記對照來看，發現清澤的觀點現在猶未褪色，不禁讓人感到難過。

再者，首次得知雜誌《諸君》編輯部拒絕刊載對該刊所載篠崎護撰〈昭南特別市、新加坡1940~1947〉〔〈昭南特別市、シンガポール一九四〇～四七〉〕一文新加坡方的批評文（《與亞洲人的相遇》第四部收錄的〈評「新加坡占領三年半」〉〔〈評「シンガポール一占領三年半」〉〕參見此書後記），感到十分驚訝。

與亞洲人真誠的對話愈來愈重要的此刻，我認為像本書第四部所收入的鄰人的忠告，日本人方面也應有視為良藥而聽取的雅量吧！

我衷心祈求將「忠告」翻譯介紹給我們的田中宏，不會像清澤洌那樣被冠上「非國家主義的自由主義者」的帽子，而遭到排除的情況不再發生。

本文原刊於《朝日ジャーナル》第916號，東京：朝日新聞社，1976年8月27日，頁46～47

溫故知新功效極大

——橋川文三《黃禍物語》*

◎ 孫智齡譯

黃禍論的亡靈豈止還未消失，從此書得知它還在我們周遭，甚或根本就在我們身邊徘徊，不禁讓人感到全身顫慄。

作者引用義大利記者瓦斯可尼（Luciano Vasconi）撰《中國人》一書中：

> （莫斯科亞洲研究所所長葛夫羅夫）教授不僅舉出成吉思汗和「黃禍」說爲例，還肯定地說中國人是「種族差別主義者」，根據其邏輯推論，而給中國人貼上「納粹」的標籤，1964年到巴黎時，呼籲「白種人」必須團結起來，抵抗想要抹殺這個（白種人）的有色人種潮流。從那時以來，莫斯科的宣傳媒體就連操弄這種邏輯，都不再使用各種小技巧了。

從而告知以莫斯科為震源地的「新黃禍論」的存在。

只能說太大意了，我一直以為至少社會科學者和馬克思主義者與黃禍論信仰是無緣的。

---

* 橋川文三，《黃禍物語》，東京：筑摩書房，1976年8月。

所謂的黃禍論，是指黃色人種壓倒西洋文化，更具體的說法，是以數量（人口數）侵害白色人種的看法。這種論調，無非是歐、美系人為自己的殖民地統治，以及為征服他民族野心而尋求正當化的說詞。說穿了，就是為了維護自己的主導權和既得權益而持續利用的一種手段，可說是種族主義的變種之一。

說得再明白一點，是加害者集團畏懼被害者集團數量（人口數）的潛在力量而虛構出來的看法。

人種這用語的魔性只要存在，黑色力量、紅色力量總有一天會派生出黑禍、紅禍等語詞。不，說不定它早已經存在了。

將黃禍論以及與它對抗的各種反論（包括白禍論）都以成對的形式呈現，而包括人物論，其過去與現在也以「物語」形式呈現的橋川先生堪稱居功厥偉。溫故知新的效果甚大。

然而，對於黃禍論，日本人的前輩們則以白禍論，或是日本人＝阿利安人的說法與之對抗。可是，不管哪一方都和黃禍論者一樣，都是種族主義的俘虜，因此毫無成效。最後，是給中國和亞洲帶來了「香蕉禍」（筆者的造語，香蕉皮雖是黃色，內容卻是白色）。

相對於新黃禍論，有部分的記者也提出「兩個白色的」超大國論。不過，這種新白禍論也非生產性的吧。《中日和平條約》中是否插入霸權條款態度的決定，就取決於如何應付新黃禍論的問題。不過，其贊成或反對的議論應該徹底從白禍論的文脈，是自由的。以上是本書給我們的啟示。

本文原刊於《日本経済新聞》，1976年9月26日，第24頁

爲雪冤而戰

——杜斯昌代《東京玫瑰》*

◎ **孫智齡譯**

來到日本也有二十多年了，平時會讓筆者為之瞠目、日本式的「東西」之一，就是出版業的盛況。

伴隨出版的盛況，當然多少也會出現偏頗的情況，儘管如此，可以享受迎合潮流的閱讀樂趣，已讓外國人讀者的我感到幸福了。

杜斯（Duus）昌代女士最近的作品《東京玫瑰》，可以說正是這種典型之一。

「東京玫瑰」，指的是太平洋戰爭時，對南太平洋上的美國大兵，以嬌聲軟語製造厭戰氣氛的謀略性廣播的女性播音員們。然而，儘管女性播音員本是複數存在，在戰後美國異常的狀況下及許多「偶然」的曲折過程中，最後卻竟特定化變成「命運之女」艾娃・戶栗・達基諾夫人（Iva Toguri D'Aguino）一人，並由她一個人負起「東京玫瑰」的戰爭責任。

本書的目的，就是為了替艾娃・戶栗洗刷東京玫瑰的冤罪而

---

* Duus昌代，《東京ローズ：反逆者の汚名に泣いた30年》，東京：サイマル出版會，1977年1月。

寫。客觀地說，它好像也達到目的了。不過，以東京玫瑰這麼好的題材，卻只局限在本書所示狹隘的範圍中，未免太可惜了。光是作者自己預告本書的英譯本即將發行，就讓人深為感慨。

恕我直言，對於艾娃・戶栗生為日本人，身上流著日本人的「血」，以及她後天環境所接受的美國生活和教育背景，甚至價值體系（表現在法律上則是公民權），這兩者在她內心的糾葛和掙扎，是作者未描述完的。

「血緣」和「生活者」的「雙重國籍者」，不單是日系美國人，或僅限於艾娃・戶栗小姐一人而已。「雙重國籍者」的內在糾葛和國家權力的關係，其普遍性若無法清楚掌握，對於艾娃・戶栗小姐爭取恢復公民權的「思想性」就無法敘述這是清楚的。

我並非說「東京玫瑰」的構圖只局限於狹窄的艾娃・戶栗＝「命運之女、弱女子」的「不幸」不好。我只是想說，艾力克斯・哈雷的《根》，在美國成了銷售百萬冊的暢銷小說。它的電視影集更連續八天在晚上的黃金時段創下史上最高的收視率。

在受惠於美國的「現在」，「東京玫瑰」這麼好的題材，若只局限在狹窄的「日本式相互依賴的結構」中而出版英譯本，不管是對美國人的啟蒙或日美關係積極性開展的目的上來說，都太可惜了。

本文原刊於《東京新聞》夕刊，1977年2月26日

「政治犯」的八路軍根據地體驗
——平井巳之助《老根據地》*

◎ 林琪禎譯

依「作者略歷」所述，作者平井巳之助（1905年生，明治大學講師）是位已經過了古稀（75歲）的老社會運動家。

作者於1927年畢業於舊制大阪高校，進入東京帝國大學教育學科就讀。他的經歷如後述，正是當時大多進步派學生所走的過程。

加入新人會（1929年秋），成為東大社會救濟團體的成員，畢業（1930年）後，擔任MOPR（勞動者救援會，Mezhdunarodnaya Organizatsiya Pomoshchi bortsam Revolyutsii〔俄文〕）的地區執委，1931年回到故鄉大阪開始地下活動。同年11月即遭到逮捕，在堺刑務所服刑四年。

1935年出獄。1936年以「大眾政治經濟研究所」（以小岩井淨等人為中心的機構）關西支局責任者的身分多所活躍。1937年2月因為遭疑與人民戰線有關係而再度遭到逮捕。同年9月緩起

* 平井巳之助，《老根処地にて：わが八路軍体験記》，東京：田畑書店，1979年6月。

訴釋放。隔年1938年11月，投靠在北京的朋友平澤榮一，前往中國。

透過以上的略歷可知，作者平井先生也是1930年代所產生的「命運之子」的其中一人。

理所當然地，在日本軍國主義的狂瀾之中，「命運之子」要在日本國內生存，並不容易。但是，日本當局一邊打壓的同時，在對岸製造的「滿洲事變」、「盧溝橋事變」，卻又給日本人帶來了不少的「就業機會」。

這些「命運之子」就這麼因緣際會地，選擇過去自己曾經挑戰過的體制所提供的「就業機會」，獲得糊口的保障。其中，被體制所吸收的「命運之子」中，有一部分的人就這麼順水推舟地神魂顛倒了。但也有一部分的人，消極的憑著個人的善意與良心，主觀地盡其可能站在中國人的利益努力生活，而照樣地挫折。作者正是後者之一。

本書就是一名「命運之子」，刻意保持「良質」，記錄了他非出自本意但不得不牽扯上，與中國人交往的故事。

本書所講由第一部「國、共軍爭霸戰」和第二部「老根據地」，以及附錄「中國逃避之行」三部分組成。所記錄的時間帶為1938年末到1947年末的短暫期間，至於其記述的內容，則充滿了特色。

也許是作者天生的人品使然吧，他的理想是期許自己能像「驢馬般地」付出自我，一心一意地為「革命運動」投注心力的自負經歷之故吧，其不亢不卑、圓熟的筆所描繪的中日關係野史，讀起來令人不忍釋卷。尤其是對於讀膩了老是描寫大事件、以「大」人物為中心的中日關係「正」史的讀者，此書想必會是一大閱讀的「饗宴」。

這個「饗宴」的主要素材，是作者以一名活在當下的「生活者」，記錄下發生在自己身邊的大小事件。空間上的舞台是以華北為中心、延伸至大行山脈的東緣和中心地帶，並橫跨興安嶺南邊，登場人物也是多采多姿。其中一例可舉書中的〈七種日本人〉為代表（頁42～45）。

那是求不挨餓和活下去，幾個日本人，包括參謀中校、憲兵中士、舊特務機關人員，以及疾病纏身、被主人遺棄的妓女等，在過去的敵人「中共」保護下有趣的生活百態。此外，託管這些日本人的「日本人解放聯盟」成員的幼稚理論和毫無忌憚言行的描寫，實在應該更早公諸於世。所謂「現在才可以說」，其實都為之過晚了。有這種遺憾的，相信不是只有筆者而已吧。此外，書中還端出了「成對」的「饗宴」。比如說蔣介石的「以德報怨」和八路軍的「不問過去」政策，作者用臨場感做為根據對這兩個政策所做的解釋相當具有說服力。作者透過雙方對俘虜和「政治犯」的生活狀況，具體地整理出應該是居於弱勢的中共軍，為什麼最後會壓倒性地戰勝國府軍；以及作者對於中共在處理包括作者自己在內的敵性政治犯詳細紀錄，則可說是本書的壓軸。

就我個人所知，本書應該是日本人所寫的關於「老根據地」（中日戰爭期由中共所解放的地區）中包括初期土地改革、清算鬥爭的實際狀況等生活紀錄中，最早問世的書籍。

此外令我驚訝的還有，土地改革與清算鬥爭的實際情形有幽默的一面。比如說身分為地主的老闆娘，為了防止自己的東西遭到沒收，而將鍋子、家具類的東西藏到日本人政治犯的房間去；地主的女兒為了符合「目前有需要的用品」不會被沒收的規定，將一年四季的衣服都穿在身上，像個孕婦般走動的情景。如果這些實際狀況早點被公諸於世的話，那麼眾人對中國革命的理解也會更加多面了吧。得隴望蜀之感頗深。

作者身為一名老社運家，對於無法超越「國籍」的苦惱，想必能引起很多人的共鳴吧。連讀到壞事做盡、不知悔改，最後被判死刑的參謀中校那無名的傷感，也不禁令人歎了口氣。而讀到作者被誤判為政治犯所遭受到的待遇，以及他在字裡行間所陳述的，至今仍得不到中共當局謝罪的心境，不禁讓人深深地體會到要跨越「民族」與歷史藩籬，實在不是件容易的事。

本書確實是久未邂逅的一本好書。對於外國人讀者來說，此書也是理解日本人的一個很好的資料吧。

本文原刊於《朝日ジャーナル》第945號，東京：朝日新聞社，1977年3月18日，頁61～62

對理解第三世界有助益

——列那多・坤斯丹地諾《菲律賓民族主義論（上下）》*

◎ **孫智齡譯**

這是有點靦腆的告白，但我的確完全被它吸引，並且在「某種」持續的激動中，閱讀這麼好的「隨筆」集。

1919年出生的作者，擁有外交官和記者的經歷，現在則是菲律賓的思想家和歷史學家。這本代表第三世界知性的論集，由18篇的「隨筆」所構成，題目包括菲律賓的歷史、政治、經濟、社會、文化（教育、言語問題）等各方面。

雖然討論問題多樣化，但絕不表示本書散漫。在〈第三世界和多國籍企業〉的隨筆中，「像菲律賓這樣歷經四世紀理解力受到歪曲、蒙蔽的殖民主義詐術操弄的國家，批判性分析能力的發育受到妨害，則是思想的一般情況。這一點在外國人的投資或『援助』等問題上更是明顯。」（上卷218頁）其指出的問題就是證據之一。就像這篇小文章，除了討論非常時勢性的經濟問題，作者本人也勇於就歷史、社會、文化等有機的關聯，嘗試和

* 列那多・坤斯丹地諾，《フィリピンナショナリズム論（上下）》，東京：井村文化事業社，1977年8月。

自己內部的美國・西歐對抗與格鬥。

作者坤斯丹地諾所立的前提，可彙整成一點。對他來說，菲律賓戰後的獨立並非真正的獨立。他認為一個獨立國家所不可或缺的民族主體性在菲律賓尚未成熟。為了打破這種不慍不火的狀態，要形成民族的主體意識，首先則必須從西班牙、美國等殖民地統治以來，在已經擴大的自我「被囚」意識上改革起才行。

因此，他的知性營為的重點在重寫菲律賓史。換句話說，嘗試從美國＝西歐式的歷史解釋，換成以菲律賓民眾的、自立的立場來嘗試新的解釋。我尤其推薦讀者諸君不妨從〈第三世界和多國籍企業〉開始閱讀，你就可以知道菲律賓的知性是如何接受合資企業、技術移轉、經濟援助等。

此外，作者所挑戰的課題（主要是如何克服殖民地遺制），這並非只是菲律賓獨自的問題而已，可以說是所有第三世界想要建國時，都會面臨的共同問題。從這一點來看，想要知道第三世界的苦惱和理解民族主義，這本書無疑提供了適切的素材。

從政治、經濟等方面分析和研究帝國主義的統治，顯然比較容易，也可得到較多的成果。但若想要從文化、心理等方面毫不掩飾地去挖掘自己的內部，恐怕就不容易恬淡地描繪出來吧！有心的讀者，一定會感到自己的良心震撼不已吧！

（鶴見良行監譯）

本文原刊於《日本経済新聞》，1977年10月30日

《台灣近現代史研究》創刊號補白

◎ 李毓昭譯

細讀本號所刊載的各篇文稿，結束編輯時，真的有無限感慨。

自1970年初夏以來，每月一次自帶飯盒，幾乎不曾停辦的研究會，終於定出發表的形式，開始擁有會刊，彷彿來到應該玩味「草創易，守成難」這句格言的時期。

同仁要我依循世俗，為創刊致詞，寫出在此之前的經過。

然而，初衷難忘，我辭謝創刊的致辭，選擇「補白」——短文。

我們同仁之間有一些默契。第一是不要期待；第二是要脫離「正統」和既有框架的束縛，保持自由；第三是不把「政治」帶進研究會。大概就是這三點。

以下是同仁至今為止發表的成果。讀者若能藉此洞悉本會的動靜，誠屬萬幸。

本文原刊於《台湾近現代史研究》創刊號，東京：台湾近現代史研究会，1978年4月30日，頁174

《梅苑創史錄》緣起

◎ 蔣智揚譯

之一　梅苑創史錄緣起

大概是1977年5月中旬的時候吧！我還是新鮮人，不，是初來者。記得也就是逐漸習慣於立教大學生活的第二年「黃金週」〔譯註：4月末至5月初的連續長假〕剛結束時。

我說一聲「我們的研習會要不要來一次集訓？」大夥兒都贊成了。

既然要集訓，最好來一點特別的。這樣想也是人之常情吧！

正好成員是四女四男，決定女男各一人為一組，輪流負責燒飯，多出來的我負責最後一天的晚餐，提供「迷」（名）〔譯註：日文的迷與名發音相同〕料理。

大家吃同一鍋飯也是常有的事。成員各自在「迷」加「珍」，各獻手藝做出佳餚，幾天共處下來，飲酒論書倒也別具風味。

食的妙案的前提是，也要保證住宿。我同時提議開放我的工作場所「梅苑」，也獲得通過。不過學生諸君（尤其是女生諸君）所想的是山上別墅、豪邸之類的，過度反應（？）的結果，乃成為日後的笑柄（？）。

暑假中的「梅苑」，其庭院在雨季之後呈現「田園將蕪」的狀態。與學生諸君，可在「公社」體驗半天的農事之樂（？）。這也是一石三鳥、四鳥的算計。

不過去年因連日下雨，農事的一鳥中途逃走了。今年則似乎四鳥都乖乖就擒。

雖然也有不盡完美之處，既已捉到四鳥，爰將《梅苑創史錄》公諸於世。

既然由大家命名為創史錄，想必不會有休刊、廢刊等情事。

又，「緣起」不用說，只是借用佛教用詞而已。

本文原刊於《梅苑創史錄》創刊號，1978年12月，頁1

之二　卷頭語

《梅苑創史錄》的第三號已決定要付梓了。由於三年級生與研究生的研習會成員倍增，梅苑無法再辦「創史」的集訓。此事態是可喜還是可悲，目前無法判斷。中文的學習意願與成果極端提升，可評為第一。想評為第二的是陳梅卿君的加入。她不僅促進研習會的國際化，也給我們帶來了中國民謠。三年級的松澤君為女聲合唱團團員，山本君屬於西班牙吉他社團，期待能更豐富我們研習會的音樂性。片岡君的邏輯展開今後可拭目以待。又，佯裝老實的諸君也快露出本來面目吧！包含我在內，做菜的手藝似乎進步了（？）。報告的「內情」有過多的坑坑洞洞，這點希望互相確認以更正之。

最後，陳君說她能夠享受集訓生活，研習會全員在分工合作、自主管理所發揮的能力與團隊精神，令人驚訝。能夠充分意會日本人諸君的長處，達成學習，謹附記之。〔以上蔣智揚譯〕

本文原刊於《梅苑創史錄》第3號

之三　對同學們的期待*

願同學們分析形勢與談論問題的時候，要「有條有理、層次分明、重點突出、觀點鮮明」，千萬不要「洋洋萬言、言之無物、邏輯混亂、文過飾非」自欺欺人的歪風作怪。

1980年5月21日

戴國煇

本文原刊於《梅苑創史錄》第4號，1980年5日26日

之四　贈給畢業同學*1

我們相信，也應該相信，歷史是一位公正的評判員。而歷史的規律，是不能由任何個人，不管他的地位多高，權勢多大可以

＊、＊1 之三、之四，原文為中文。

左右的。歷史！總是實是求是，它一點都不隱瞞，也不含糊。一點都不自大，一點都不自抑！

1980年12月吉日

戴國煇

本文原刊於《梅苑創史錄》第5號，1981年1日15日

從特殊觀點寫出的「東南亞」
——三浦朱門《從東南亞看日本》*

◎ 劉靈均譯

老實說，本書的確是本獨特的書，但也是本不易閱讀的書。筆者若是出版商小學館的編輯負責人，大概會請本書作者分成「讀東南亞史」與「從東南亞看日本」兩個題目來寫吧。

本書的前半部，可以說是「作家三浦朱門讀東南亞史」。對於筆者而言，首先感到有興趣的是，究竟普通讀者在通勤電車裡，能不能夠讀得下這本書呢？

有鑑於此，筆者想要建議大家讀這本書的方法。這本書的前半（第一章～第七章），我建議讀者應該在自家的書桌上，準備好歷史地圖、地球儀、現代亞洲全圖，慢慢享受、慢慢閱讀比較好。

接下來可能就是我比較雞婆了吧，但為了防止讀者讀到一半讀不下去，建議先閱讀後半部分的第12章〈徬徨的中國人〉、第13章〈東南亞的電影〉、第14章〈四種餐點的意義〉之後再來閱讀第8至11章比較好。

---

* 三浦朱門，《東南アジアから見た日本》，東京：小學館，1976年12月。

要與發揮其偉大業餘愛好者精神的「歷史學者」如何以「讀東南亞史」交手並非一件容易的事。不只不容易，毋寧說是一種苦行。三浦先生完全利用了其做為作家的特權，就像他自己也間接承認的，其寫作相當大膽。我認為他是一邊進行著三種旅行，一邊完成此書的：第一種是用腳走出來的實踐性之旅；第二種是窮搜文獻、特別是透過東西方文學，可說是桌上之旅程；第三種則是看似幽微卻有所嘗試的、做為作家的靈魂之旅。

這樣試著一邊同時進行三種旅程，一邊寫作的筆法，海內外所在多有，然而拙見以為，能夠抵達「絕品」之域的作品並不多。此外，在日本以東南亞為主題，試圖寫出給成人看的作品，本書的作者恐怕是首創的先驅。在這層意義上，應該要給三浦先生的壯志更高的評價。此外，作者的「三種旅程」也常常導入日本的歷史（包括現代），試圖藉由這種筆法來讓日本人讀者的視野更加寬廣並清楚確實。

比如說，雖然三浦先生要說的是菲律賓的殖民地統治，但除了西班牙以外，他還加入了墨西哥、美國等國，與菲律賓相連結，並且試圖提示其有機結構關係的架構。像這樣，三浦先生注入了諸多心血，我們從字裡行間可看出其用心的痕跡。

如同前述，本書是非常有野心、而且相當大膽的嘗試。然而，當讀到一半的時候，總讓筆者有種半生不熟的感覺。這難道是筆者獨有的感覺嗎？

在閱讀此書前，我期待著此書能夠帶領我進入約翰・史坦貝克《查理與我》（John Steinbeck，*Travels with Charley: In Search of America*）的境界；然而大概是因為作者太過冷靜，太努力讓對象客觀化並且脫離意識形態吧？筆者深深覺得，三浦先生做為作家的筆鋒因此被削弱了。

而且，既然都提到了喬治・歐威爾《緬甸時代》（George Orewell，*Burmese Days*）（頁204），卻幾乎沒有言及歐威爾一系列作品中所痛訴的「人類統治人類的罪惡」、「殖民地統治荼毒的不只是殖民地的人民，連殖民地母國的人也因此受到荼毒」，也就是未談及與殖民地體制相關的「靈魂」中，最為本質的問題，實在是相當可惜。

會日語的東南亞人日益增加。這些東南亞讀者對於本書的作者，也就是作家三浦先生所期待無他，正是對於歐威爾世界的理解。歐威爾曾經在殖民地擔任警官，他在煩惱中度過了這段日子，終於掛冠求去。回到母國英國之後一直到他英年早逝為止，他基於自己在殖民地緬甸的體驗，將殖民地統治的罪惡與對獨裁體制的彈劾昇華成了文學作品。如果可能的話，真希望作者三浦先生也能夠像他這樣，將那應該稱為「靈魂」的世界強力地介紹給日本人讀者知曉。

馬來西亞的R君就對我表達前述的熱烈期待。他還指出了，雖然三浦先生將新加坡樟宜監獄的介紹與電影《桂河大橋》（*The Bridge on the River Kwai*）相互對照重疊來寫，他格外地困惑為何不與聳立於新加坡市政廣場的受難紀念碑之關係呢？這可以說是一個疑問點。我之所以在此提出R君的意見，也是因為在本書的最後，作者強調「為了找到一致之處，兩者（日本與亞洲）之間必須互相了解」的緣故，所以記述在此，以供參考。

此外，「馬來」（マレー）、「馬來亞」（マラヤ）、「馬

來西亞」（マレーシア）這幾個詞彙的用法相當混亂，希望能在再版時更正之。眼前以「華僑」文學為首，各國、各地均進行著文學作品的整理與翻譯（井村文化事業社所出版的菲律賓、泰國叢書便是一佳例）。做為一個讀者，筆者期待三浦先生能盡快利用前述資料，寫出類似「追求亞洲的靈魂」（未免自以為是，甚感抱歉！）的書。這也是為了日本與亞洲的親善關係能夠有更美好的展開。

本文原刊於《アジア》第14卷第7號，東京：アジア評論社，1979年8月，頁118～119

對印度的地主制形成等有新觀點

——《亞洲經濟的發展結構》*

◎ 孫智齡譯

眾所周知，本書的編者原覺天教授是研究戰後日本和亞洲經濟的先驅之一。不過，當我翻閱以「亞洲經濟的發展結構」為名的這本書的前言和目錄的那一刻，我感到有些迷惑。因為裡頭並未明白記載成書的經緯。想到可能是與原先生謙虛的為人與僧籍身分有關，我想「應有什麼原因吧」，於是我直接詢問出版社。出版社提供給我的是原版，上頭冠著原覺天教授喜壽紀念會論文集。而在這裡我要介紹的則是市售的版本，由原先生親自寫序，採用12篇主論文，其餘的則割愛。

在原版的書中，誠如川野重任的獻詞所言，這是原先生擔任首任調查研究部長時，由當時在亞洲經濟研究所初期的七位同仁（後來只有星昭先生轉職信州大學）共同執筆而成。這七位前輩都具有寶貴的實地調查經驗，可謂老練的專家。

星昭先生的〈非洲的生產樣式問題〉〔〈アフリカにおける生産樣式の問題〉〕和林武先生的〈開發中國家的都市化問題〉

* 原覚天編，《アジア経済の発展構造》，東京：勁草書房，1977年7月。

〔〈発展途上国における都市化の問題〉〕都同樣以學界、或是20世紀末到21世紀具體的大問題為研究課題，給人不少啟發。

此外，越南、寮國、柬埔寨三國政變以來，做為下一個動盪不安的國家、地域而受到注目的泰國、馬來半島的政治、社會變動等有關聯的，長井信一撰的〈太平洋戰爭期的馬來亞共產黨〉〔〈太平洋戦争期のマラヤ共産党〉〕一文，可說是頗得時宜的論文。只是馬來亞共產黨方面、甚至「華僑」方面的資料與文獻不見被參考和引用，是什麼原因所致呢？

論文的主要課題可說是以萊特（馬共前總書記）為考察中心，但有關馬共和第三國際間的關係，特別是和第三國際第七屆大會決議的關聯，甚至中共的八一宣言（對於抗日民族統一戰線政策的展開）對當時馬共路線的決定有何影響？或者並無影響？全部有待說明。另外，馬來半島的華僑抗日義勇軍著名的領導者莊惠泉，在篠崎護所著《新加坡占領祕錄》〔《シンガポール占領祕録》〕（原書房，1976年）一書中誤植為荘惠泉，而長井信一照樣錯誤引用，這點也希望能予以更正。

我一邊閱讀一邊拿平島成望撰〈英據印度土地市場的生成和地主制的形成過程〉〔〈英領インドにおける土地市場の生成と地主制の形成過程〉〕一文對照台灣的殖民地化過程。以個案研究來說，旁遮普（Punjab）的殖民地化比台灣約早了50年，遠從1849年就開始。據平島先生的說法，在旁遮普的土地私有權的確立過程中，土地私有權（根據地籍調查，關於權利義務關係不明確的「技術上局限地」的廣大部分）由英國當局分配給被統治者的各個階層。大概是在愛爾蘭的計畫性土地沒收引發「抵抗」的寶貴經驗，讓英國當局對印度特別慈悲吧！或者是有關殖民地土地資本的原始積累，只限於印度旁遮普一地，才呈現「特殊」的現象吧？這中間的情況，平島先生並未告訴我們。不過，平島先生以經濟的觀點對該地地主制的形成和日本明治時期地主制的形成作了比較。以世界史的史實來說，殖民地統治權力不但不慈悲，作法儘管有差別，其貪婪則是一致的，不知如何？總體來說，或許是礙於篇幅或時間的限制吧，讓人對執筆者所付出的心力感到意猶未盡，真是可惜。

本文原刊於《日本経済新聞》，1979年9月11日

喚醒書癡感性的美麗書籍

——小笠原莊子《旅衣》*

◎ 孫智齡譯

與書籍的邂逅，有時也和人的邂逅一樣，是一件很奇妙的事。我身為一個年過不惑的社會科學研究者，一邁入工作的盛年期，不僅沒了「富於樂趣」的讀書時間，就連享受當個快樂書癡這種機會都被剝奪了。雖然悲哀，卻是實情。

《旅衣》可以說是一本很美的書，美到讓我重拾許久不再的書癡的感性。作者小笠原莊子女士是本校〔譯註：指立教大學〕1975年畢業的信子同學的母親。自費出版的這本書，由〈母女倆一起走〉、〈書簡往來〉、〈旅衣〉這三篇為中心連貫而成。不只文章流麗，信子小姐的裝訂、剪裁、小插畫（原色的旅行素描）和卷頭的彩色相片，更襯托出這本書的美。

傳統的中國讀書人，莫不期許自己能身兼「三絕」（詩、書、畫）。作者為了讓自己能隨著歲月日增，生命愈彰顯美麗，而與女兒兩人三腳地終於製作出這屬於小笠原家的三絕。何其清新、流暢！

---

* 小笠原莊子，《旅ごろも》，為作者自費出版。

法國留學時（專攻語學和美術），母女間為期一年的〈書簡往來〉，以及拜訪利達（信子小姐的朋友，大概已經成為女婿了吧）家的突尼斯（Tunis）*之旅日記中，在她克制的筆下所描繪的人們，以及作者與圍繞這些人們之間的「情絲」與邂逅的歡喜之情，格外溫暖人心，真的很棒！想要愈老愈美麗，洞察人生、自主地生活的母親們啊！請接續此書之後出版吧！因為天下正太平啊！

本文原刊於《立教》第92號，東京：立教大學，1980年2月20日，頁67

* 突尼斯，現為北非突尼西亞首都。

開拓華僑論的新境界

——《華僑：商才民族的原貌與實力》*

◎ 章澤儀譯

首先，我要特別指出，本書結構有別於同類書籍，讀來極為平易。它是由「日經產業新聞」歷經13個月（自1980年4月2日至1981年4月25日，每週一回）的連載結集並增補修訂而成，每一節都是獨立的短篇文章。

其二，做為一般論，新聞記者諸公之筆大多以實況報導和現況分析見長，而本書由日本經濟新聞外報部成員為核心成立的「華僑特別採訪班」之手編撰而成，不只有跋山涉水的實地採訪，更涉獵文獻、不辭繁瑣地尋找華僑的歷史，探及於苦力，而聯繫到現狀，編輯群付出的心力令人讚賞。

其三，東南亞各國是人類的大半、同時也是華僑人口最為密集的地區，如今正是人種主義及民族國家至上主義風靡人心之際，當地的華僑卻依然為求自保而維持著封閉社會。在這種條件下，華僑生態的動向不易掌握，其複雜的多重結構也不易觀察描

* 日本経済新聞社編，《華僑：商才民族の素顔と実力》，東京：日本経済新聞社，1981年7月。

繪。本書也彷彿對這層障礙做了一番挑戰。

其中，介紹華僑資本的動態和人脈便是一例，像是泰國的陳弼臣（盤谷銀行的創辦人）集團、印尼的阿斯特拉集團（Astra Group）、馬來西亞的郭鶴年集團等等。

且不論熟悉東南亞的日本貿易公司和銀行職員，就一般讀者而言，上述訊息讀來都十分新鮮有味才是。

其四，以往的此類書籍多有偏頗，本書卻突破地開創了新境地。日本在戰後刊行的「華僑」相關書籍中，大多偏重在靜態分析或歷史分析，尤其偏重東南亞。

本書介紹周恩來位於巴黎的故居，還為讀者導覽巴西的亞馬遜州（上溯亞馬遜河1,500公里的內陸）首府馬瑙斯市。再從南美到北美。北美的代表人物有活躍於紐約華爾街的股市名人「蔡」，以及麻塞諸塞州羅威爾的小型計算機製造先驅「王安實驗研究公司」（Wang Laboratories）的經營者王安；本書也介紹了他的經營哲學。

附帶一提，王安出生於上海，自上海交通大學畢業，於1946年赴美，在哈佛大學取得博士學位後的轉行活躍情形。王安公司的文書處理機（結合電腦與打字機，可在螢幕上書寫並編輯文字）部門擁有凌駕於IBM的世界頂尖技術。

豐富多采的登場人物

一向認為華僑不外乎苦力、唐人街或商人資本家的讀者，將在此書中讀到股市名人蔡與上海華僑第一代．王安的生平事蹟，其中王安具有技術研發專家和企業家漂亮地扮演兩種角色，不知讀者會如何看待他們的存在。我很願意洗耳恭聽。

華僑無所不在，幾乎可用「有海水流到的地方就有華僑」來比喻。然而，要在書本中有機地描繪其構圖並不容易。《日經》巧妙地結合了經濟報的獨特條件與外報部成員的能力，嘗試在本書中採用「以經濟活動為軸」的觀點去介紹。書中彷彿以全球為舞台，介紹了許多人物，從第一代到第四代的華僑，有人堅持「家鄉＝中國」；有人一心只想逃離中國；有成功者，也有走私偷渡，或者默默無聞，甚至三餐不繼而尋短者；也有「船難民」。書中對這些華僑的人生報導，深有觀賞「全景電影」之感。

然而，這本書倒也並非毫無缺點。正因為全由短文組成，難免有「不深入」和「見識不深」的陷阱之虞。因為是啟蒙書之故，這些缺點可以置之不問，卻也因為此書很多人讀，所以不能不點出。

本書在第一部約略提及印尼的政商（一般多指華僑系的政商）即為華僑財閥。或許是擔心特派員因此被驅逐出境，書中對此著墨不多，然而我們要知道的是，「政商」的形成、內部結構以及它在政治經濟中扮演的角色極為複雜卻是常識。在這一點上，書中的筆觸不夠鋒利，十分可惜。

在「政商」參與計畫者中，也許有血緣上所謂廣義的「華僑」加入，只不過他們的國籍早就不屬於中國，在社會意識上也與中國人・華僑意識無涉，而且大多數已自外於「華僑」社會。如果這是正確的話，我們不該把他們的資本屬性放在血緣上，反而應該將他們定位為新興官僚和買辦資本才對。新加坡的新興產業資本家的行動已經暗示了這一點。

本文原刊於《週刊エコノミスト》第2432號，東京：每日新聞社，1981年11月3日，頁93～94

序：寫於池田敏雄先生追悼紀念特輯

◎ 孫智齡譯

池田敏雄先生逝世已經快一年了。

我得知訃聞時，已是他入冥界三天後的事。去年〔1981〕4月6日，下午四點左右，我們幾位同仁拖著沉重的腳步，前往弔唁。我們向鳳姿夫人致哀，向收納池田先生遺骨的白木盒合掌。不同於一般的靈堂擺設，白木盒夾在堆滿先生平日珍藏的各類書籍、資料和各式各樣民藝品的書齋裡擺放著。就像池田先生的為人，讓人有種「沉著穩重」的感覺。雖然如此，但還是（不免令人覺得情景）太壯烈了。我片斷地想到復員日本之後，池田先生的生活方式，以及他圍繞著「家」的種種心理糾葛，就感到胸口一陣絞痛。

歸途，沒有誰特意強調，話題很自然地就決定將《台灣近現代史研究》第四號，做為池田先生的紀念追悼號。

現在回頭一想，才發現讓人驚訝的事還不少。首先，對於發行本特輯的理由，研究會同仁之間，就沒有人正式提出討論過。

這是因為和生前一樣，即使池田先生已入冥界，在這研究會裡，還是讓人感受到他如「空氣」般存在。

池田先生是研究會創始以來的同仁。或許因為如此，每個月例行的研究會上，也沒有人會去注意他出缺席的狀況。或許是研究會的自由氣氛使然，讓大家很自然地這麼覺得，也這麼行動吧！

沉默寡言、樸實而反骨的池田先生，以結果來看，或許也在無意識間透過這個研究會，讓我們體會到「君子之交淡如水」吧！

從「年譜」上可以得知，池田先生是發掘文學少女黃鳳姿小姐的人。栽培鳳姿小姐，後來與有心的在台日人聯繫後，將鳳姿小姐及其系列著作介紹給世人的，也是池田先生。

艋舺（萬華）、龍山寺、特別是漢族系閩南人的生活、風俗習慣都深深吸引著池田先生。《民俗台灣》的編輯發刊，是他最精采的部分吧！

池田先生是黃鳳姿小姐的發掘者、也是栽培她的老師，這點很清楚。但反過來說，不，稍稍從側面來看，不會閩南語的池田先生教導小學生鳳姿小姐日語，或許也可以說是他藉著鳳姿小姐為媒介，嘗試進行台灣民俗的採集吧！

池田先生以黃家為核心，艋舺、龍山寺為主要舞台，在鳳姿小姐以及日後成為岳母大人的鳳姿小姐母親大力協助下，不僅吸收、汲取閩南系台灣人的民俗滋養，還予以記錄和形象化。《民俗台灣》、《台灣的家庭生活》〔《台湾の家庭生活》〕可以說是他的顛峰成果。

想想，池田先生自己決定把自己囚禁成為「撰寫者」時，似乎有些為時已晚。這是因為不論在生活上，甚至健康上都有太多不利於他的因素使然。

有志未竟，中途辭世，徒讓後學的我們感到無限悲哀與惋惜。

殖民地底層官僚子弟的池田敏雄先生，與他個人的主觀意圖無關，被編入牢固存在的殖民地統治體制末端組織，台北第一師範學校的畢業生＝公學校教員的池田先生，究竟是什麼樣的契機，以什麼做為精神支柱，讓他如此深深著迷於台灣的民俗呢？在殖民地體制中，對於被殖民的民族，以及被殖民民族的民俗，是絕對不被允許傾注真正的愛情，這是一般常例。但池田先生不顧常規，逆著時代潮流，展現他的反骨精神。這究竟是為什麼呢？我很希望先生能回答我這最基本的問題。

此時此刻，我不打算為池田先生致獻輓歌，或發表表揚之辭。這是因為不管是現在或未來，我都想和我們的池田先生一起邁步前進。

1982年3月29日

戴國煇

本文原刊於《台湾近現代史研究》第4號，東京：台湾近現代史研究会，1982年10月30日，頁11～13

《台灣及南支那視察日誌》* 簡介

◎ 孫智齡譯

誠如《台灣及南支那視察日誌》的序文所說，這是拓務省通譯官尾田滿與拓務屬井手瑞穗兩人的台灣及華南視察日誌。

原本是打字印刷，序2頁，目次6頁，正文136頁，合計144頁的暫時裝訂本。而且暫時裝訂本的封面右上角蓋了管理局長的朱印，序的右上角也蓋了以篆書刻的「佐佐木圖書」的橢圓形藏書印。

順便一提，當時的拓務省管理局局長是生駒高常。生駒歷任台灣總督府學務課長、文書課長、台中州知事，最後就任拓務省管理局長一職，可說是台灣關係的老練者、殖民地高級官僚。台灣霧社事件發生之際，他留下了「生駒文書」——正確的說法是《霧社蕃騷擾事件調查復命書》（詳細參見拙編著《台灣霧社蜂起事件——研究與資料》）。

至於篆刻藏書印的主人佐佐木，在當時的「職員錄」（昭和

---

* 《台湾及南支那視察日誌》，收錄於《台湾近現代史研究》第4號，東京：綠蔭書房，1982年10月。

7年版）的拓務省欄中，並未發現其名字，根據推測，應該是後來收藏此書者之一吧！

提到本書的作者尾田與井手，在當年的拓務省究竟擔任什麼職位呢？在上述「職員錄」第511頁的拓務省一欄裡，尾田的部分分兩條記載：「朝鮮部、通譯官三等三級、從五勳四」、「管理局、通譯官（兼）」。井手的部分則只記載：「管理局、屬五」。

當年的拓務省官制（根據昭和4年6月敕令152號），拓務省由朝鮮部（部長由拓務次官兼任）的一部和管理局、殖產局、拓務局等三局組合而成。尾田與井手所隸屬的朝鮮部和管理局的職責是「在朝鮮部掌管有關朝鮮總督府之事務」、「在管理局……一、除屬他局主管之事務外，有關台灣總督府、關東廳、樺太廳及南洋廳之事務。二、在拓務大臣訂定的地域內，有關移殖民的保護指導事務」。

朝鮮部的通譯官尾田（兼任管理局通譯官）是奏任官三等三級，年俸3,400圓，可說是極高的官位。然而，和他一起視察旅行的井手則是屬於管理局的拓務屬，判任官二等五級，月俸75圓。換句話說，可以說是同屬於拓務省之下的年輕下級官僚吧！

尾田、井手兩人的視察旅行日程為，昭和7年8月3日由東京出發，同年9月8日回到東京，合計37天。此外，在日誌的序上，作者簽名日期為昭和7年9月25日。由此推知，本書是視察調查者回國不久，以日誌形式提出的報告書，立刻受到當局重視，交付打字印刷，當作參考資料而限量分發。

那時候正值世界大恐慌的影響下，環繞日本的國內外情勢，也和歐洲情勢一樣，同處於風雲告急之時。以軍部帶頭，強行推動的大陸政策，陸續發動「滿洲」事變、上海事變。另一方面，從辛亥革命以來的中國革命的潮流，正描繪既複雜又曲折的建國構圖確實地展開著。

此外，有部分殖民地台灣和朝鮮的抗日運動家，為躲避日方彈壓，而選擇中國大陸為其活躍的場所，連帶進行抗日運動，即是所謂「曲線救台」、「曲線救國」的構圖。也就是包含抗日的中國革命運動先取得勝利後，再解放被殖民統治的台灣和朝鮮，這就是當時關係者嘗試的目標和實踐。

事實上，尾田與井手在展開「現地調查」之前的中國大陸，特別是廣東（以中山大學為中心）、福建（以廈門為中心）、上海（以租借地為中心），旅居該地的抗日派台灣人，便一面閃躲大陸日本領事館警察和台灣總督府派遣人員的監視和彈壓，一面展開活動。

毋庸贅言，一方面因世界恐慌而引起的世界革命之時機，另一方面，山東出兵、「滿洲」事變、上海事變及日本對中國革命的干涉和侵略，使得大陸內部不斷地醞釀出一股強大的排日、抗日運動逐漸蔚為頑強的巨流。

這時，台灣發生了霧社蜂起事件。時為1930年10月27日凌晨。

日本的三一五、四一六彈壓，波及台灣之災厄，而在上海近邊躲避災厄的共產黨系抗日台灣人集團，認為機不可失，立刻積極展開抗日支援的宣傳活動和揭發日本帝國主義殖民台灣的實況。

翌1931年，以武力大致彈壓成功平定霧社蜂起的台灣總督府當局，接著將彈壓的矛頭開始轉向在合法活動範圍內從事活動、從中道左派至右派的漢族系抗日台灣人集團身上。

對右派施行給「糖果」的懷柔政策，對中道左派則展開「鞭子」的彈壓政策，而在兩者間更巧妙地操弄惡毒的離間措施。

在對右派展開懷柔策略的同時，也開始對中道左派和台灣共產黨展開接二連三的彈壓策略。

其手法是先對準台灣人唯一的合法政黨——台灣民眾黨下手。

1927年7月10日組黨出發的台灣民眾黨，後來在共產黨系左翼的批判和總督府當局多方面的妨害和彈壓之間隙中掙扎求生，而以《台灣民報》（這是台灣人唯一的報紙，同年8月1日才爭取到在台灣的發行權。這之前只在東京發行。當時日刊化還被阻止，只得以發行週刊為滿足。又該報紙自1930年3月29日的306號，改名為「台灣新民報」）為媒體工具，踏實地伸展勢力。

其中心人物是蔣渭水和謝春木（南光）。兩人所秉持的政治立場是表面上和共產主義劃清界限的孫文主義。

因金融恐慌引起世界恐慌而氣勢高漲的勞工運動、農民運動，甚至影響到世界性規模的殖民地解放鬥爭運動的影響。台灣民眾黨在台灣工友總聯盟（1928年2月組成）的施加壓力下，也逐漸左傾。

1931年2月18日，受到上述的新時機和霧社蜂起事件的刺激與鼓舞下，台灣民眾黨尋求以勞農組織為支持基盤而更加強化黨本身，舉行了第四回的黨大會。當局認為這是好機會，於是頒布禁止結社的命令，逼迫解散台灣民眾黨。

3月24日，當局頒布台灣共產黨的檢舉令。這次的檢舉範圍不只台灣島內，更包括旅居上海的台灣人（翌年1932年5月17日，翁澤生被逮捕，隔年3月被遣返回台，受到判決）。

島內對左翼的彈壓工作，包括從中道左派到台灣共產黨，以謝春木的流放島外（1931年12月11日）告一段落。

不過，民眾黨內由林獻堂、蔡培火、陳逢源、楊肇嘉等人所領導的右派民族資產階級一派，因畏懼黨的主流派的主導權傾向左派，而開始摸索如何明哲保身的策略。

明哲保身的策略，就是另組台灣地方自治聯盟（1930年8月17日）。至此，民眾黨正式分裂。

給民眾黨主流派帶來更嚴重打擊的是蔣渭水的病逝（1931年8月5日）。不過，對當局來說，並未因去除了眼中釘而鬆一口氣，在促進抗日派的內部分裂，他們仍不忘打進楔子。而作為楔子最好的餌之一就是准許《台灣新民報》的日刊化（1932年1月9日），其條件之一就是放逐謝春木。從此，島內的合法左翼運動只剩餘燼，而《台灣新民報》也變成自治聯盟，也就是右派民族資本主義一派的機關報。

尾田與井手兩人的台灣及華南視察，就是在上述的背景下展開。

閱覽過一遍，從尾田與井手兩人的職掌關係來看，其重點應擺在以下的四點：

第一個重點是，特別留意和「要視察（需要監視的）人來往取締」有關的沿岸警備問題。很明顯的，「要視察人」以日本人、朝鮮人、台灣人（包含台灣籍民，有關台灣籍民請參考本雜誌第三號〔1981年1月30日〕收錄的〈在廈門的台灣籍民問題〉和拙稿〈日本的殖民地統治和台灣籍民〉〔參見《全集》4〕）為中心。提到大陸東南沿岸和台灣，甚至台灣和日本「內地」之間的往來之所以受到注目，並不單只限於台灣人抗日派的大陸與台灣之間兩地的往來聯繫而已，日本共產黨書記長渡邊政之輔從上海途經基隆（渡邊於1928年10月6日和警察交火後在基隆港自殺）之事的暴露和滿洲事變的爆發，都使沿岸的警備問題更加受到注意。

第二，對於抗日台灣人和朝鮮人獨立運動者之間的聯繫活動，也是視察調查的重點。在中國大陸，朝鮮、台灣連帶的抗日運動，尤其是1920年代的後半更是如火如荼地展開。其中朝鮮人趙明河在台中對久邇宮邦彥親王的恐怖攻擊未遂事件（1928年5月14日，趙因此於同年10月10日被處死刑），以及同樣是朝鮮人的尹奉吉利用上海天長節祝賀會場引爆炸彈的恐怖事件（1932年4月29日，上海派遣軍司令官白川義則大將罹難，駐華日本公使重光葵則失去一隻腳）等，都讓日本當局對在台朝鮮人繃緊神經皆是事實。

第三，視察的重點擺在台灣島內的治安，尤其是霧社事件的事後處置，以及日月潭電力工程和勞工運動、嘉南大圳和農民運動、台灣共產黨的大檢舉等。

第四，因滿洲事變和上海事變而引來更激烈的包含排斥日貨的反日運動及同運動中台灣籍民和華僑的動向等，都是此行視察的重點。

除了上述諸點之外，兩人也提到在台日人，尤其是商人和農業移民與台灣人關係者競爭失敗之事，這點令人深感有趣。總之，這份資料雖非屬祕密文件，但對想了解日本當局如何掌握當時的狀況，可以說是一部極具啟示的資料。

本文原刊於《台湾近現代史研究》第4號，東京：台湾近現代史研究会，1982年10月30日，頁262～266

誌面有感

多謝編輯先生惠寄貴誌《台灣雜誌》23期（以下稱舊刊）與《台灣與世界》創刊號（以新刊稱）各一冊。讀後感觸良多。特此對貴刊提出一些廣泛的感想。取名為「誌面有感」，聊表謝意。

「改組記事」告訴我們，貴刊有意達到專業化雜誌的水準，很感欣慰。如此一來我這個愛護貴刊的小卒只好一顯「拙手」，提些意見，實事求是、力求進步，我認為如此做才夠意思。對不？

新刊誌對舊刊「脫線」事，有了道歉交代外，另在「讀者公園」欄刊出讀者指摘信，這一種作風甚為可嘉。嚴於律己，接受批評，勇於自我批判乃是求進步者必須邁出的第一步。同欄還登了三封有關謝里法著〈斷層下的老藤——我所找到的江文也〉的讀者來信。這三封信都夠風格，同時它們給了我們對事不對人的好範例。我正期待著能在近期內看到謝先生的回響。

對於謝文，也有些意見。本人歷來對謝氏撰著《日據時代台灣美術運動史》及尋找江文也等先學之生涯事蹟，所下的精神與功力頗為敬佩。但對上揭謝文不敢苟同處卻是不少。在此敘述

一、二以便探討。謝文裡的「回歸的宿命」一節指出：「我們沒有掌握屬於自己的一部完整歷史。的確，近三百年來我們歷史確是以他人的立場在斷斷續續中寫出來的……」這一段是個楔子，值得我們提出來一談的。

謝氏如上的提法當然是多年來傾向於「台獨」思想的同鄉們所樂於發議的。我陳家不造帽子，同時和謝氏素不相識，對謝著欣賞得又不夠精細。因而對他所站的政治立場如何，知之甚少。不管如何，謝文所述「我們」者所暗示的當然亦是「台灣人」。以我的淺見，「台灣人」這個概念尚是很模糊的。在常識上如此，學術上更是不用談。從「台灣人」導出或許說自「台獨」運動過程的政治掛帥「鬼胎」裡產出的「台灣民族」論，始於廖文毅的混血妙論，止於洪哲勝的「科學」台灣民族論，所談的，不一定已確立了它的「公民權」。始終難於獲得有良知、有遠見的鄉親們所接受與肯定的。

我記起曾經在台灣、日本兩地和先住民族（所謂高山族。我們若套一句美式英語，大可譯為Native Taiwanese）系台灣人及客家漢族系台灣人談及「台獨」人士所言及的「台灣人」、「台灣民族」概念及思路與邏輯，他們總是搖頭歎息不已。他們說：「『台獨』人士愛談『台灣人』及『台灣民族』，但這個完全和我等沒有關係。對不起，我們對他們的說法少有認同感。根本上、先天上就欠缺參與感。邀我們參加批判國府、反對國民黨的惡政專霸尚可一商。但他們的武斷台灣民族論卻是我等人所不齒的。」他們同時亦強調說：「『台獨』他們所謂的『台灣話』，通常也少有我們的份。我們少數民族的多種母語及客家話通常都不被算進去的。他們心胸之窄和國民黨當權人士差不多。」

從這些心聲類推，就是承蒙謝氏及其類同意識形態的有識之士，撰成他們認為可以滿意的「近三百年來的我們的歷史」者，我看也未必被肯定。何況在目前的世界裡，很難尋出、有過任何民族或階級已經成功地全面地「掌握屬於自己的一部完整歷史」之例（謝氏邏輯甚為模糊，所說「自己」的歷史是指何範疇而言，難於界定。民族的歷史乎？階級的歷史乎？或是只指純粹個人單純集合體的歷史而言乎？始終不甚清楚。當然就扯不上以「小人物」無名大眾為主的，以大多數民眾為中心的，或是以人民立場來構思的歷史）。

倒得請教一下謝氏，你所構思的所謂自己的三百年史，究竟將站在何種人的立場來撰述？是辜顯榮、林獻堂、楊逵老先生？或者繼承廖文毅、邱永漢諸「台獨」先進的立場來掌握你認為屬於「自己的歷史」的呢？

謝氏的史觀構成他的框框且富於「善意」的推己及人的言談。他繼續道出：「過去的30年，江文也之所以從我們的歷史（亦是武斷、毫無界定的我們的歷史）軌道上消失，追究起來無非是他自我迷失於尋根的路途上」的話。我們有心人該感激謝氏對江學長之關懷與援助。但我們不敢苟同謝氏對「病人」所做的是否有多餘的推測。江氏的一生可能是充滿挫折與失意的。但他當年選擇「回歸」之路所依據者，當然不會是謝氏所構思的「我們的歷史軌道」所內含一類的「偽形」民族主義。這個是可以斷言的。據我兄長（和江氏是同輩，有過交情者）所告，江氏不只是中華民族主義者，他同時亦是一位堅強不撓的社會主義者。

我們都知道蘇新、江文也兩先生吃了不少苦頭。苦頭有些部分或許是來自於台灣、海外關係的。但他們的遭遇的大多部分來因卻和馬寅初、費孝通、彭德懷、劉少奇等先生並沒有不同。我的意思是說，反右、大躍進、文革所帶來的災禍是不依「省籍」而有所分別的。

我們不曾聽說過，有江蘇人特別站出來代費孝通先生、湖南人特別大聲地代劉少奇先生喊冤。並敘述「追究起來費孝通（江蘇人）先生或劉少奇（湖南人）先生，無非是他（們）自我迷失於尋根的路途上」等一類話。

對中共的錯誤路線與政策□□□□□□□我們應該以冷靜、理智的態度來對待，並加以批判。如此做不但是義不容辭的。同時也是完全正確的，鄉親們安慰蘇、江二位先生，關懷他們只有有心人才能做得到的。是應該受到讚美的。但我們在他們沒有明確表示反對中華民族主義・否認社會主義（甚至於共產主義）以前，我們沒有任何權利藉我們唯我獨「真」的「善意」來推測他們的思路的。江文也先生目前可能沒有充分的自由，也可能沒有足夠力氣來表達他自己的意見。但我還是尊重他個人的尊嚴，並等待著他個人主見的表達。

何況諸先進選擇他們自己的「回歸」及「參與」之路子並不在幼兒、少年期。既然是成人期所做的選擇，任何結果都該由他們自己來承擔。江文也先生如何思考、如何總結他坎坷的經驗，筆者不得而知。但據我所知道，蘇新老先生是擔當了自己選擇的任何「結果」。蘇老沒有迴避過任何自己該承擔的責任，一直為了他自己的理想戰鬥到最後一息。值得惋惜的當然是，大陸的政治情況沒有允許他老人家有充分的機會來做他自己的「完全燃燒」以達成他的「自我實現」。這倒是個千真萬確的憾事。

謝里法的「困境」雖不是台灣一般老百姓所共有的，但是也不只是他個人獨特而有的。他正趕上王育德的「謝雪紅論」、「陳若曦論」、「吳濁流論」及溫萬華的「蘇新論」等的熱鬧。

這一類熱鬧本是懶於克服或者是敗於揚棄「殖民地知識分子特有的包袱」的鄉親們所湊成的。據我所看，謝氏險些掉進或已被捲入陷阱泥坑中。或許他不知不覺地正在「自鳴得意」也說不定。因而把它點出來，和諸賢一同來商榷互勉一下。願謝氏對我「苦口婆心」有所見諒。

今天寫到此。下期若不見嫌棄，將對張良澤的文章，聊表小意。

另有建議一併供參考。譯載論文最好能把原文題目、原作者、原載刊物名字等以原文字明示。書評欄別忘揭出該書之出版社、出版年月日、定價等。如此不但可保持文責及學術風格，並方便讀者查尋。

1983年5月18日

本文出處不明，應係未刊稿，署名陳志明

紀念出版與贈書緣起

1979年秋天，當我們日本崇正總會理事會討論第五屆世界客屬懇親大會籌備計畫綱要時，由鄙人倡議影印張祖基編著的《中華舊禮俗》一套（全四冊）以資紀念盛會。筆者有幸，承蒙理事會贊助得以掌理一切。

迄今，除了本書內容能提供的資訊外，我們還無法查明編作者張祖基先生的詳細經歷。我們冀望讀者諸賢，若有所知不吝賜教是感矣。

我們亦特別盼望，中國大陸的客家鄉親尤其是梅縣的父老長輩們能夠供給佳訊。我們認為本書第四集頭頁揭錄的「張祖基之家人」照片，可能是一個最好的線索。

眾人皆知，世界上有關客家禮俗的片斷記述和零碎研究並不少。但如本書，編作者用心於實地調查並一貫地操用客家口音來書寫者，確屬鳳毛麟角。

《中華舊禮俗》雖不能算為「定稿」一類者，但因其為「手稿本」且亦是孤本，故我們敢斷定本書為「鳳毛麟角」的頂尖者。

本書付梓後，在日鄉親大吃一驚。當「文學」來賞讀者有，當學「母語＝客家話」的教材用者有，藉而回味昔日父老「講古」往事者亦真不少。

《中華舊禮俗》得到許多鄉親們的鍾愛後，有些熱心文化事業的鄉親們卻不約而同地提出，何不多增印一些轉贈世界著名圖書館，託其保存我們客家文化遺產並圖廣為傳播，這豈不是一件美事。由而我們特約橋本萬太郎教授用日、英文撰寫有關本書的「簡介」彙編成冊以便讀者參考。

我們認為《中華舊禮俗》不但可拿來為我客家鄉親自己所用，其豐富的內容仍然值得學術界去重視和利用。

謹將這套小小的禮物，奉獻給愛好歷史、文學、民俗，關心中華文化、客家禮俗以及客家文化（包括語言）的讀者。希望它能為有關學術研究事業，起到一點微薄的作用。為了感謝贊助贈書的熱心鄉親，我們特別把贊助者的芳名附錄於後。橋本教授給我們多方面的協助，林傳芳教授（台灣苗栗客家鄉親）賢讓我們轉載他的大作，在此一併鳴謝！是為跋。

芳名錄（以筆畫為序）

芳名	祖籍	現籍	地址
朱向陽	豐順	新竹石光	東京都豊島区西池袋三—三三—一〇
李壽輝	蕉嶺	高雄美濃	神奈川県川崎市川崎区渡田新町二—七—五
宋國火	梅縣	苗栗公館	東京都大田区下丸子一—一三—三
林利章	饒平	新竹竹北	東京都品川区上大崎三—一三—九
林和星	蕉嶺	屏東萬巒	東京都世田谷区上北沢四—二九—三二
林細辛	蕉嶺	高雄美濃	大阪市北区小松原町一—八

邱添壽	梅縣	桃園楊梅	大阪市北区兔我野町三—八
邱進福	陸豐	新竹北埔	東京都北区十条仲原二—十二—十六
范雲舜	梅縣	桃園新屋	東京都杉並区大宮二—五—九
徐德郎	蕉嶺	屏東内埔	東京都世田谷区上北沢五—五—三
張火旺	梅縣	高雄	京都市中京区富小路御池角
張金清	饒平	桃園中壢	東京都北区中里一—七—一
張熾財	梅縣	桃園中壢	東京都渋谷区西原一—五—九
陳達燈	梅縣	桃園楊梅	東京都渋谷区西原三—二—三
詹增銀	豐順	新竹新埔	堺市榎元町三—三—一二
廖號景	海豐	桃園觀音	東京都杉並区和泉二—一九—六
謝坤蘭	梅縣	桃園中壢	兵庫県尼崎市南塚口町二—六—二七
魏湘茂	梅縣	新竹竹北	東京都世田谷区松原二—三二—七
羅清水	梅縣	新竹竹北	神户市生田区北野町二—三一—一〇

本文原收錄於張祖基編著，《中華舊禮俗·解題》，東京：日本崇正總會《中華舊禮俗》記念出版與贈書委員會，1984年11月，頁3～12

對相互交流的獨特建言

——昆頓·印塔拉泰《日本與東南亞的明天》*

◎ **蔣智揚譯**

接連二整天，包含其間的熱帶夜，津津有味地讀了本書。作者昆頓·印塔拉泰博士（Khoontong Intarathai）是泰國人，也是旅日達20年的京都精華大學教授。

真是有如13根大柱的大題目，包括日本民族、日本文化、日本與東南亞社會的相異點、戰後日本與東南亞的關係、日本與東南亞的貿易關係、海外投資、海外援助、在日留學生等等，真是內容極為豐富，厚達302頁的一本書。

透過本書可確認的，首先是除了韓國人、中國人以外的亞洲人之「聲」，可透過日文聽到的頻度已升高，再者以「知日派」亞洲人士著稱的作者，可確認其圓熟度已更上一層樓。這些我樂與讀者諸賢共享。我想這種喜樂也是日本社會近年來努力於國際化所獲成果，值得拍手喝采。

直覺銳利、行動機敏的作者，其繁忙的足跡遍歷日本與ASEAN（東南亞國協）五國，仔細地比較觀察所得，可供給我們

---

* 昆頓·印塔拉泰，《日本と東南アジアのあした》，東京：谷沢書房，1985年7月。

許多問題探討的素材。

一般而言，在日本要成為個別國家或個別領域的專家不是很難，但能就ASEAN全區並跨越政治、社會、經濟、文化而嘗試有「勇氣」的發言，這樣的研究者就很少。昆頓博士似乎有志於成為有這種「勇氣」的箇中翹楚。他充分活用在泰國、日本、美國學習・研究、教學的經驗，嘗試多方面的比較分析，以泰國民族的榮耀為骨幹，指出單是西洋化不能達成近代化，對於東南亞各國，具體列出從日本能學習之處、不能學習之處，以及不應該學習之處。

又對日方所提政策建言也是獨特而具體。為了實現接納10萬個留學生的構想，他提倡私校創設特別授課費體系。再者為了使相互交流更加順暢與深化，他認為應注重社會生活上禁忌的彼此確認與理解。這樣的主張相當寶貴。

基於泰日兩國生活體驗的雙方文化比較論，不僅限於對東南亞關心的讀者，對於要進一步確認自我與自己國家的一般日本人，本書也有許多可供參考之處。甚值一讀，故樂於推薦。

本文原刊於《日本経済新聞》，1985年9月1日，第12頁

視野擴及台灣而適切

——岡田晃《香港》*

◎ **林琪禎譯**

這是一本方便、均衡的書。也是我暑假以來所讀的第四本與香港有關的新書了。

日本是個擁有無限潛力的「出版文化」國家。沖繩問題浮上檯面之時也是，越南問題沸沸揚揚之時亦然，這次輪到香港成為議論的焦點了。只是有點遺憾的是，這些書大多在事情的發展方向已經逐漸明朗時才在讀者面前問世。

在中英會談討論香港地區（香港、九龍、新界）的歸還問題進入高潮時，我剛好人在美國。在加州大學柏克萊分校，是可以自由閱覽到日本與香港報紙的。據說，該校包括「香港人」在內，具有中國血統的學生約1500人，教職員約有90人。

整理在該地關於香港歸還的言論，主要有下列幾點：第一，美國政府與媒體意外地冷靜，其原因何在？第二，狡猾而精於算計、高傲的約翰牛為什麼會答應對不只歸還新界，連香港、九龍都一併奉還點頭，其背後的意圖為何？第三，香港金融市場的猶

* 岡田晃，《香港：過去・現在・将來》，東京：岩波書店，1985年7月。

太系、阿拉伯系，以及東南亞「華僑」資本的動向為何？他們既會搭中國四個近代化的便車，也不可能放過這次機會吧？第四，將「香港人」的反應依階段、階層不同比較分析，發現寫東西的「文人」只是少數。當然他們的少數意見值得重視，但將他們的聲音當作主要的代表意見，又真的適當嗎？第五，北京真的會遵守「一國兩制」的承諾嗎？某人如是道：「政治家的承諾雖然不可信，但香港今後還是會下金蛋的雞，殺掉這隻雞對中共也沒有任何好處。這和台灣統一的問題是不能相提並論的。」第六，台灣的國民政府從政治經濟的利害上判斷，也許不只不會撤出香港，九七年（歸還）之後的國共會談說不定還會以香港為舞台展開也說不定。

由於作者歷經香港總領事的要職，精通中文，也擁有相當程度的中國人人脈，因此我在閱讀本書之前，便對作者如何分析香港現勢，有著相當的期待。

書中的內容符合副標題的「過去、現在、將來」，而擴及台灣的視野，讓觀點更為確切。但說真的，還是希望作者能有更深入問題核心的論點。

無論如何，在適於讀書的秋天，透過本書在這個「魔」都——對中國人而言是屈辱的土地——香港，探索其過去、現在、未來，也是件有趣的事。尤其閱讀書中關於作者個人的生活軼事，煞是有趣。

本文原刊於《日本経済新聞》不明，1985年10月13日

熱烈提倡「內在的超越」

——板垣與一《現代國家主義》*

◎ 蔣智揚譯

在日本學界做為東南亞政經研究的先驅，板垣與一博士已將新著付梓。書名為「現代國家主義」，但並非新寫的，而是論文集。

他以自1962至1972年所發表、與東南亞國家主義政經方面相關的研究論文為重心，將包括〈現代世界的國家主義與超國家主義〉〔〈現代世界におけるナショナリズムとトランスナショナリズム〉〕（在1975年6月國際會議「明日的世界與日本」的主題演說）與〈多國籍企業與接受國國家主義〉〔〈多国籍企業とホスト・ナショナリズム〉〕（1983年7月）二篇等論文加以整理而成本書。

讀了本書，直覺老學者在壯年時做為啟蒙者、外國學說的介紹者、共同研究的組織者之面貌躍然紙上。尤其在各論文文末詳細提示內外的文獻目錄，殊屬難能可貴。

正如啟蒙家，作者喜歡用新名詞，如超國家主義（Trans-

* 坂垣與一，《現代ナショナリズム：視点と方法》，東京：論創社，1985年10月。

nationalism）或接受國國家主義（Hostnationalism）等。他認為不論已開發國家或開發中國家，首先要認識「國際合作」的理念，及其角色對於形成新的國際經濟秩序之重要意義，然後雙方一起從以往的本國中心之狹隘國家主義蛻變，以立於更廣更高之處發揮機能。但並非捨棄國家主義，而是在國家主義的架構內發揮國際意向，以此意義尋求自我超越。將這種國家主義的「內在的超越」之自覺稱為超國家主義，並熱烈提倡之。

不過一般較少聽到的接受國國家主義，是在第七章作者嘗試介紹討論約翰・費維瑟（John Fairweather）理論時出現的。亦即對於多國籍企業的海外直接投資活動所增大的衝擊，做為反作用而呈現的直接投資「接受國的國家主義」的片假名名稱是也。

本書為借用比較文明論，特別是湯恩比（A. J. Toynbee）的〈文化改觀之邏輯與心理〉的理論架構而研究的成果。但是現代國家主義不僅是像文化改觀這樣「軟」的方面而已，我們知道還有不少應該追問的「硬」的方面，如國家主義與國家社會主義或共產主義運動，還有以色列建國之人類史意義，中蘇、中越間的對立與戰爭等等。深切期待作者能做更為廣泛深入的開示。

本文原刊於《日本経済新聞》，1985年12月15日

《更想知道的台灣》序

◎ 林彩美譯

長久以來我有個心願，希望有一天，能把以台灣為舞台的人群，他們如何營生，以開拓極為「今日」的水平座標之意義下重新掌握，綜合地介紹給日本讀者。

今年是台灣光復——即復歸中國以來，滿40年後的第一年。透過本書，得以實踐此一初次的嘗試，首先我感到非常高興。

我們幾位執筆者*的共同想法是：第一，雖以平易為目標，但心中謹記不失學術水準；第二，把台灣社會及文化的「今日的姿態」正確定位，以冷靜地預見其「明日的走向」為目的，在歷史性的關聯中，捕捉並深入注意其社會文化事業間有機的相互關係；第三，希望努力捕捉「台灣」真正的姿態，也著眼於描繪出關於「台灣」內外時空交流躍動之現實；第四，至今對日本人而言，「台灣」仍像是雖近猶遠的鄰人所住之島，雖具有不淺的歷史關係，雙方不只是以經濟和觀光為中心頻繁往來而已，但關於

* 此書之執筆者及譯者，除編者戴國煇外，另包括陳其南、陳國彥、蕭新煌、陳正醍、森久男、羅明哲、宋明順、林彩美、渡邊欣雄。

「台灣」錯綜複雜的「內在」與「外貌」，真正了解者並不多。

本書如有幸能受到日本各方面的人所歡迎，使在「台灣」居住的人群，被他們的好鄰居日本人更進一步地理解，則庶幾達成執筆、翻譯同仁心願的大半了。

以有限的篇幅、有限的時間，要把「台灣」社會的所有側面完全網羅並綜合介紹，當然不是件容易的事。這也是筆者在全力校閱編成本書、得到暢快滿足感的原因，並把目下所感覺的事，向讀者諸君報告。

如介紹欄中所明示的，加入執筆及翻譯陣容者，有我的故友新知，他們都是當世的佼佼者，這些學長學姊有耐力、對我不客氣的「要求」，甚且用心傾聽，本書若沒有他們投注心力是無法完成的，我滿心感謝。只是，今年〔1986〕3月在本書即將完成前，呂炳川學兄突然過世，令我由衷感到寂寞與惋惜。呂兄對於「台灣」民族音樂的整理、保存及研究有不朽的業績，謹祈祝其冥福。

弘文堂編集部的三德洋一先生，嚴格督促並孜孜不倦地要求、鞭策編者，我也想在此鄭重地表示感謝。

1986年4月吉日

本文原收錄於戴國煇編，《もっと知りたい台湾》，東京：弘文堂，1986年5月30日，頁 i ～ ii

輯三

中・台之間

從艾科卡的自傳《反敗爲勝》[*1] 談起

說來倒有些「心酸」但又有趣，自1955年秋天出國以來，一直到1983年春天這段時間，很少有機會想到學駕駛或買轎車的「壯舉」。

不容否認，頭十年的研究生時代，既沒有多餘的時間，又沒有寬裕的金錢，當然免談「壯舉」了。迨1965年開始做事後，照一般情況來說，收入既改觀了，最起碼添一部二手「日產」或「豐田」貨，該是不成問題的。

但一向節儉並具有一點理想主義色彩的內人，卻認為「何苦花了錢，還得頂個製造污染、阻礙交通等幫兇的惡名？還有，你那麼忙，洗車工作一定得丟到我頭上來……我不幹！」她反對購車。

除了內人的反對，我又找些理由來說服自己。日本，尤其東京都地區公共交通設施相當完備，根本無須自己駕車代步。加上服務於研究所和大學的人，通常都可以晚一點上下班，以免擠車。我一直利用搭車的時間來閱讀「岩波文庫」、「岩波新書」

＊1 英文出版資料：Lee Iacocca, *Iacocca an Autobiography*, Toronto, ON, Canada Bantam Books, 1984年1月1日。

等知性書籍，藉而吸取一些新知和教養。偶爾，還有機會遇到風度不俗的日本妞兒，一飽眼福。這些原因，讓我在東京過了27年無轎車的平凡生活。

直至1983年春季訪美客座一年，新大陸的環境終於使我改變了生活方式。我雖超齡（日本習慣，超過50歲以後是不學開車的。偶爾有人學，也得花上五、六十萬日圓左右才能拿到執照），卻想藉這個難得的機會「自我挑戰」一番，顯顯身手，藉此以表示我仍算是個20世紀末期科學時代中的人物。

筆試及路考一次合格，買了福特公司的「野馬」牌，雖然是一輛二手貨，但油程紀錄尚未達一萬英哩，賣方又是熟人，我放心購進。

購車第二天，給東京的兒子們通了越洋電話，說買了車子，是Mustang。東京那邊回答：「爸！那是名牌好車，它的爸爸『IACOCCA』剛上了電視……」我驚問：「什麼？它的爸爸『艾科卡』……」「真是！連『IACOCCA』是何許人都不知道，您還買了他所推出的『野馬』，『IACOCCA』的成名以及風光是始於『野馬』車呀！爸爸。」

從兒子那裡得悉艾科卡就是我的愛車「野馬」的爸爸，從此我對艾科卡的名字感到格外熟悉。

1984年4月初，我和內人回到東京。不多久，在《朝日新聞》看到艾科卡批判日本的的貿易政策，辭鋒銳利，咄咄逼人。雖然在電視上初見，但感覺得出是個相當突出的人物。

同年12月間，在圖書館翻《紐約時報》的書評特刊（在日本的大學圖書館，一般都訂有《紐約時報》，教授們不一定全看《時報》，但通常都會翻一翻其書評特刊）時，知道艾科卡（Lee Iacocca）的「自傳」已經上市，而且深獲嘉評。

我遵從《紐約時報》書評所言：「凡有子女準備向企業界進軍的每一位父母都會想到，送這一本書給他們的兒女作聖誕禮物。」於是我買了一本英文本給大兒子。

最近才知悉，「自傳」的英文本已銷到200萬本，只是略遜於《聖經》的超級暢銷書。根據我手邊的日譯本，又可窺知它在日本暢銷之一斑。譯本初版是在1985年1月31日，到同年4月8日已印到第42版，真是驚人的暢銷。

為了寫這一篇小文，我請本誌編輯部代為收集台灣出版的中譯本。真沒有想到，台灣竟然還有三種版本*2，而且據說銷得不壞。

今年，由於接了系主任，除了教書、研究、寫稿外，還得做些瑣碎的行政工作，而沒有時間把台灣的三種版本都瀏覽過，好好做一下比較的工作。

究竟台灣的三種版本，是否由公平競爭而產生的，我無暇作調查與確認。但剛出版不久的暢銷洋書，在當前的日本出版界是無法也不可能出現多種譯本，倒是千真萬確的事。只約有日本讀者市場的七分之一（依人口數單純計算）規模的台灣，何有充裕的力量來支持這種「社會成本」？真教我無法理解。

艾科卡對美日貿易戰爭的看法與對日方的批判，既尖銳又一

*2 此三種版本分別是：1. 施寄青譯，《反敗為勝》，皇冠，1985年；2. 陳美玉譯，《反敗為勝：汽車業巨子艾科卡奮鬥史》，志文，1985年；3. 賈堅一、張國蓉譯，《反敗為勝：汽車巨人艾科卡自傳》，經濟與生活，1986年。

語中的，對日本通產省和大藏省的官僚制度，以及官僚之高素質認識，也相當客觀。

更值得我們留意的是，他指出日本的政府與產業界的分工運作之妙，以及通產省把自由經濟與計畫經濟政策融合運用自如，確立了日本方式的優勢等等。

我不清楚，台灣的金融界人士對艾科卡的自傳曾經做過詳細的研討否？

若有的話，應該早就可以料見美方對當前的日圓升值、美元貶值的基本態度才對。因為艾科卡早於著書時，就已提出這個問題，同時對雷根政府的財經貿易政策有過尖銳的批判。

6月5日晚上，艾科卡在紐約日本協會的晚餐會有一場演講。他警告說，日本對美貿易順差的500億美元所帶來的損害，對日本要比對美國來得嚴重。因為美國基本上不需要倚靠日本，美國從日本輸進的並非糧食或原材料之類的東西；相反的，日本對美國的倚靠是緊密而且基本的。他再三強調，日本現今過度且偏頗地倚靠美國是危險的。台灣對美國的出超亦已達100億美元之鉅，它將帶給我們凶或吉，是否值得我們早日研討，以備萬一？

眾多的資訊告訴我們，艾科卡很可能是美國下一屆的總統。轉型期的美國或許會像1960年代的愛爾蘭裔天主教徒甘迺迪（J. F. Kennedy）的登台一樣，1988年來個異種黑馬，找上義大利裔的艾科卡當上英雄也說不定？不知國人是否已有人向他壓下寶沒有？壓寶的資訊就在「自傳」裡面。

本文原刊於《日本文摘》第6期，1986年7月，頁98～99

漫談「自傳」學

看完了艾科卡的自傳《反敗為勝》後，不但興奮，實在有萬分的感觸。

台灣的《傳記文學》辦得相當地不錯，據傳早已在海內外史學界樹立了相當高的聲譽。我們立教大學史學系亦收藏了一套合訂本。或許因為筆者的粗心與寡聞，我所曾聽到或是看到的有關評論《傳記文學》的言論和文學，大多數是站在「見證」或史學的立場者來得多，但立於「當為文學的『自傳』或『回憶錄』」來作下評論者卻不曾見到過。

《傳記文學》既然是融合史學與文學的雜誌，且又正名為「傳記文學」，因而我就一直期待著有一天，有哪幾位名家出來，依據「當為文學作品的『自傳』（傳記）或『回憶錄』」的觀點給《傳記文學》所登載的一些大作評估評估，好讓我們能開一開眼界。

讀者諸賢都知道，艾科卡為美國汽車工業界的傳奇性人物。他的自傳能在美、日、台灣讀書界造成轟動，至今仍是暢銷書排行榜的名列前茅者，主要原因不外是下列幾點：1. 它給年輕人帶來了不少激勵和啟示；2. 它給工商界道出甚多可資借鏡之處——

好似⑴不管是在福特或克萊斯勒公司，為了經營好公司，他除了對汽車工業的工程、業務、財務、管理部門有關事項，以及全世界的有關政治、經濟的趨勢都得掌握並且要能達到瞭若指掌才夠稱職。⑵真正一流的企業家應該具備的主體條件為：(A)要有眼光；(B)要有毅力；(C)要有魄力；(D)更要有擔當。⑶站在企業經營決策的最高地位者，一定要具有果斷與敢冒險的衝勁，但在下定果斷和決定冒險以前，一定得先作好調查與研究。⑷招集人才與用人方法以及組織團隊（team）都各具獨特之處，尤其艾科卡重視「人才」係搞活企業活動關鍵所在的觀點，值得台灣企業界領導層特別效法。

除了上列幾點外，艾科卡的自傳還帶給筆者一種閱讀「文學」作品一類的感動和享受。暫時我們不管自傳的文體來自於何人之手，但它的敘述行文的緊湊和韻律是夠迷人的，我感覺。

有人已經在說，未來的文學研究家將會給20世紀後半期定性為「自傳之世紀」，我頗有同感。自從1960年代以後，自傳、回憶錄大行其市，特別是在美國。

美國本來就是比別的國土出版自傳特別多的國家。一般來言，美國人特別崇尚英雄，愛好自傳。他們一方面是屬於基督教文化圈，另一面亦是移民後裔們所組成的一種「人工」國家，加上美國社會尚存有人種歧視和愈來愈覺醒的多種少數民族的集團。由而，他們不但具有向「神」告白和懺悔之宗教生活的傳統，還具有從內心發出來的「尋根」和「訴苦」之強烈渴望。

寫自傳的時尚業已擴張到各種行業，詩人、作家、評論家、新聞記者、運動界明星、學者、企業家、政治家、軍人、演員、明星們寫自傳已經是很平常的事了。特別有趣的是CIA（美國中央情報局）的情報人員既然又敢冒出來寫回憶錄外，還有以賣春為職業的婦女也出來錦上添花，好不熱鬧。

比起美國，日本已落伍甚多。台灣嘛，雖有《傳記文學》帶頭的新風氣，但差美、日都有一段距離，真夠我們稱讚且可讀性甚佳的傳記文學作品，當前筆者能看到的並不多。

日本過去的傳記多數屬於顯彰傳主，不但可讀性低，當為歷史研究材料，一般來言又不甚適宜。當然就免談它的史料價值了。

日本易流於顯彰傳主，我們的台灣，積習難返，又往往是偏失於壽慶詩文和自捧自己一類者。這可能是導因於，東方人缺乏信仰告白，向神懺悔的宗教生活傳統。加上我們有關政治、社會、性的各種禁忌層層枷鎖，無法讓筆手直接吐露心聲是值得留意之處。還有東方人一向是以謙遜為貴，但美國人尊重的反而是自我執著和自我主張。

他們的個人主義習尚，又方便激勵他們努力於自我發現連結他們嘗試自我發展，往往在其敘述自我生涯時，還可吐露出心聲為己辯白。艾科卡在「自傳」裡，對福特二世有涉及之各種批評，抗議等文字雖然有時會給「東方人」情感帶來些不勝其煩和不夠文雅的感覺，但它充滿於戰鬥性以及批判性的活力反而又多方迷住了讀者，不忍釋卷。

眾人皆知，美國人是尊重個人名譽以及人權的國度。律師業又是興旺之行業。因而我們不難猜出，艾科卡對福特二世的一些「攻擊」性的文字是有根且有據的可信文字。不然的話，福特二世的顧問律師還不找他上法庭才怪。

在緊張氣氛裡，毋須用上婉轉圓融式的寫實方式，當然將具魅力吸引著讀者的。

話是如此說，但艾科卡的「攻擊性」或「批判性」文字若只是陷入「自我」辯白小格局的話，即使能招到一些「小」讀者，但絕不能如今般暢銷於世的。

自傳裡所表露的一股恢宏志士之氣，雖附帶有一點霸氣，這當是叫座的另一原因吧。

當然，自傳並不能是統統都是好作品。或者是我的淺識，我認為，當前的台灣，已萌芽有「唱出我們自己的歌」的新氣息，但距「完美」、「成熟」的作品水準尚需我們整個社會來加緊互相勉勵的。

為我們全面現代化和文學界前途著想，我認為民間大可鼓吹「自傳學」、「自傳研究」，藉而催生「可當為文學的傳記」一類好作品之陸續出現。開創新風氣前，也許還需從解除各種禁忌來著手才能真正奏效。這倒是頂麻煩且費時間的困難事業。

本文原刊於《日本文摘》第7期，1986年8月，頁82

以充滿波折的宋家人爲題材

——史特林·西格雷夫《宋王朝（上下）》*

◎ 林琪禎譯

此次我細細地讀了在中國研究者之間蔚為話題的《宋王朝》一書。光就書名來看，一般讀者可能會誤認為所指的是正史上唐王朝之後的宋王朝（或許因為如此，故中文翻譯版的書名多譯為「宋家王朝」）書中的內容並非正史，而是屬於稗史、野史甚至有點「演義」性質的通俗性歷史故事，以人物為中心的描寫為主。

由於是描述中美雙方人物的通俗性故事之故，因此相信任何人都可以讀得津津有味才是。原作者與譯者都是與中國有關係的新聞記者，譯者目前還是電視新聞的評論員，因此由這兩位故事講述人所講關於現在中國宋家的故事，可謂如魚得水，把宋家政事塑造成「講評書」。

宋家，是以宋查理為家長，與其所生，在現代中國很著名的

---

* Sterling Seagrave, *Soong Dynasty*, Sidg. & J, 1985。中譯本：《宋家王朝：支配現代中國的華麗家族》，台北：風雲時代，1995年。日譯本：田畑光永譯，《宋王朝：中国の富と権力を支配した一族の物語》，東京：サイマル出版会，1986年11月。

一家族宋家三姊妹與三兄弟。他們之所以被擬成主人翁登場，主要是因為其父宋查理是孫文的革命同志，同時也是革命資金的提供者。再者，二女慶齡不顧父親的反對，以年僅20的年華，執意嫁給年長自己30歲的孫文，直到晚年都以孫文夫人的身分，活躍於政治舞台。此外，么女美齡成了蔣介石夫人，與夫婿同為國民政府的中樞政要，如今仍然活在波瀾萬丈的人生裡〔譯註：宋美齡在2003年10月23日逝於美國紐約〕。最後，長女靄齡與山西的大財閥孔祥熙結婚，孔氏夫婦與大弟子文同時成為掌握國民政府中國大陸政權時代的財政、金融大權雙璧，君臨政界。這些皆是促成本書之話題性的重要內容。

由宋家所具有的重要地位來說，本書的話題性之不虞匱乏自然是理所當然的。革命、美女、羅曼史、權謀術數等，就算不是愛好冒險的美國人，也會被這些題材所吸引吧。

然而，說句老實話，關於中國方面人物的故事，對於能自由閱讀中文，特別是45歲以上的讀者來說，本書還是少了些新意。

本書最為獨特的部分，勉強地說是以英文將中美雙方的人物交織描繪在「一幅繪畫」之上這一點吧。至於史實的真偽，則需要另外考究了……。

我有個朋友如此巧妙地比喻：「有個叫做美國的天真騎士，企圖透過宋家追求自己的夢想。卻被內憂外患的阿Q給拖進泥沼裡，最後連自己的夢想也破滅了。天真騎士怨恨難平，其後代卻很少去反省自身的錯誤與責任，還不死心地責怪別人欺騙自己的感情。這是故事的中心思想。」正因為這種現象如今仍然不停地重演之故，我們也才會如此迫切地期待以社會科學角度出發的近代中美關係史的相關研究出現吧。本書為田畑光永譯。

本爲原刊於《日本経済新聞》，1987年1月4日，讀書欄

我的三本書[*1]

◎ 孫智齡譯

一、《雨夜譚》[*2]澀澤榮一／長幸男校注

和魂洋才在日本成功，中國的中體西用卻失敗。兩者的分歧點可以從比較同時代兩國領導者們的腳步看出。日本資本主義之父的自傳饒富趣味，充滿啟發性。

二、《西印度毀滅述略》[*3]拉斯．卡薩斯（Bartolome de las Casas）／染田秀藤譯

雖然是基督教徒良心的發現，但我將它視為加害者一方的內部告發。漢族系台灣人對高山族，或日本人對愛奴問題，若想建構自己批判性的理性，可以活用此書。

＊1 本篇係為岩波文庫創刊60年紀念所作，於岩波書店發行之刊物《図書》中，以「我的三本書」為主題，推薦心目中的好書。

＊2 《雨夜譚：渋沢栄一自伝》，東京：岩波書店，1984年11月。

＊3 《インディアスの破壊についての簡潔な報告》，東京：岩波書店，1976年6月。

三、《寄予猶太人問題・黑格爾法哲學批判序說》*4馬克思／城塚登譯

在考察或探討華僑、在外日系人、在日朝鮮人等共通的，既重要又悲劇性的問題等諸側面時，我利用從本書獲得的啟發，將它和猶太人的問題重疊，而致力於原理性的掌握。

本文原刊於《図書》第454號，東京：岩波書店，1987年5月10日，頁51～52。係「岩波文庫創刊60年記念」特刊

*4 《ユダヤ人問題によせて・ヘーゲル法哲学批判序說》，東京：岩波書店，1974年3月。

對許倬雲〈調整朝野關係，落實民主運作〉的一些淺見

容我披露些「知性野蠻人」（intellectual barbarian）的小功能。借鑑於猶太人社會的諺語「客套語＝外交辭令比起謊話更可怕」，來免去一切虛禮客套話。

有關當前全球性變遷之思考框架的一些意見

許教授較著重於政治史方面來整理與分析。其實，自去年〔1987〕10月在紐約股票市場呈現「黑色的禮拜一」（black monday）以來，可說世界經濟已明顯地走向空前總合性調整之關鍵性時刻。

眾所周知，第一次世界大戰前的世界體系，主要由Pax Britannica（英國霸權下的世界秩序）為代表。第一次世界大戰後，英國霸權逐年呈現式微之勢，到了1920年代末期，已完全轉移到Pax Americana。儘管美國領導層，不曾發覺其地位已取代英國而占首位，甚而引發了1920年代末至1930年代初的世界大恐慌。其後Pax Americana延續到1970年代初年。實際上支撐了20世紀後半資本主義成熟階段的世界經濟體系。暫時我們不必給它任

何價值性的評估。

但是到了1973年以後，Pax Americana，固定匯率制度下的自由貿易體系，IMF（國際貨幣基金，International Monetary Fund）——GATT（關稅暨貿易總協定，General Agreement on Tariff and Trade）的體制已崩潰。尼克森（R. M. Nixon）派季辛吉（H. A. Kissinger）赴中國大陸祕訪之經濟理由在於此。迄今，世界主要五大先進國（美、英、日、西德、法）一直在矛盾對立中求其調整，並不斷摸索新的世界經濟的體系性結構。但始終摸不出既有前瞻性亦具穩定性的新秩序結構來。

拖到去年十月，終於在「黑色的禮拜一」凸顯出問題的嚴重性。雖然，當今日本與台灣的股票熱潮暫時隱蔽了根源性的問題，但圍繞著大調整的全球性危機，特別是潛藏在自由世界，經濟結構的難題並沒有根除。

導致這般的狀況，原因當然是錯綜複雜的。但其主脈卻可求於下述世界性大規模的變數。

第二次世界大戰後至1960年代末期，雖有過類似韓、越戰及中東地區之小規模戰鬥，但這些不但是屬於地域性之戰鬥，特別是韓、越戰之「特別經濟需求」反而幫助了日本經濟之成長。更波及至亞洲四小龍進入亞洲NICs（亞洲新興工業國家）的好景。宏觀一下，亦可窺知，美、日、西德為主軸的自由世界，總生產力已遠遠超過世界總消費力。因而達到飽和經濟之巔峰狀態，尋覓不出新的大眾性大量消費屬性的「新主要產品」及市場。所謂日美、日台間之貿易摩擦，背後所潛藏之結構性或根源性原因亦可求於此。美國農產品向日、台之輸出攻勢，只不過是枝微末節之現象而已。就讓美國農產品全面地進入日、台，亦無法消除其貿易赤字，是鐵一般的事實。

上述主脈逼迫雷根以及日本保守派領袖，相繼前往北京朝拜及支持中共現代化路線的「不甚甘願」之外交行為。

蘇俄的改革路線，匈牙利總書記之年輕化和更換，已明顯地向全世界宣布他們之困境。另外，它們兩國已出現在野黨的雛型，新組織亦是個預兆。中共之初級社會主義階段論，以及國際大循環計畫之想法又未曾不可解釋為：社會主義體制下之諸國，已經為著突破窘境和自求延續生存所拋出的因應「高招」。

人所共知，台灣經濟已深深地被編入美、日經濟體系之內。不但如此，它的外匯存底量接近800億美元之高額，及總貿易額占在全世界第12位之經濟規模來說，除非台灣經濟不再追求善循環，持續性的維持當今的生活水平，或決心與美、日脫離關係，否則一定不可能孤立地獨謀「獨行俠」之道。而可選擇因應之空間，亦不可能若1950年代前半期那般的大。

從而可窺知，權衡台灣社會解構與重組之過程與課題，確實不能又不該忽視上述的世界經濟體系，大調整或變遷之框架。

當前朝野關係調整之原理性層次課題之我觀

大調整，原本是內外互動的。朝野關係的調整該是屬於國內屬性者。

在背景上，人人都指著「強人政治」結束後之狀況來詮釋。但不能輕視另兩項固有存在的背景。一為光復後40年來之社會經濟結構之變遷所促成者，即從農業社會走進工業社會的大變遷，所引發的失衡如何調適之問題。二為台灣地區之特殊性所帶來者。前者因與其他社會有相似之性格，較易分析與掌握。但後者卻需以特別留意或關懷來檢討，才能深刻地了解以及謀出因應之上策。

以光復為契機，台灣地區從異族統治政體，逐漸歸建於同族政治、經濟、社會文化共同體（雖然歷經挫折，整合成熟度不夠理想，民怨仍在，省籍矛盾未被克服）。這個過程，雖經歷40年，陣痛期間並未完全經越。我們不否認，台籍人士之疏離感與芥蒂，雖然已有被緩衝和解化之勢。但調適與調整若未予「改制中的朝氣，能動性或動態平衡」健壯之導向的話，富於「草根性情結」的能量（energy）將失控，橫溢於街頭，甚至於氾濫。處理不好，將很可能引發出新且更大規模之悲劇。強人政治結束後的台灣社會，脫韁的野馬屬性的活力早已呈顯無遺。

重組的領導主體，不管是朝或野，其政治領導能力（leadership）及政治藝術將面臨考驗。既往「虛構與矯飾」之一切，將被學界、輿論界或已覺醒的政治家（statesman）而非政客（politician）的菁英所揭發。虛構與矯飾將遭民眾唾棄是必然的，最多亦不過是遲早的問題而已。

我們千萬不能只關注政客們的搶票政治秀，而忘記關懷草根性能量之去向。

冰山上面的新生事物，因顯眼而易於被注目，但冰山下面沉潛的「活力」，卻不易被關懷與發掘。有關這一點，不知許博士有何高見，敢請不吝教示。

其他具體性小子題，將在會議中面請指教。

本文原收錄於《迎接挑戰開創新政——一次海內外知識分子的大辯論》，台北：時報文化公司，1988年7月，頁168～171。於《中國時報》、《工商時報》、時報文化基金會合辦，「迎接挑戰開創新政」研討會之評論文，1988年6月1～3日

另一種「日本論」
——謝新發《誰也寫不出來的日本人》*

◎ 孫智齡譯

作者和我是同一年出生。在台灣，同樣擁有被殖民經驗，因此，對於他的「日本論」究竟內容為何，頗引起我的興趣。

聽說是以導遊接待訪台日本旅客的實地經驗為主所展開的議論，若是如此，那麼多少也可以看出日本庶民的生活狀態，我是懷著這份興致開始閱讀此書……。

以台灣式的粗魯爽快的口吻展開，批評日本人、日本社會和日本國。雖然是亂砍的文章節奏，倒也還技巧高明。全書的三分之二還算有趣。

啊……懂得真不少！是不是看太多說評書和大眾小說了呢？是不是謝先生本人接待過不少日本醉客的關係，多少也被磨得有些「老滑頭」了呢？有一種不得不讓人覺得「得意忘形」。

另一方面，期待比較文化論，以「知日」派自居的我來說，就某個意義上來看是失望的。雖然在有趣又好笑的情況下，我一口氣看完這本書。但包括台灣在內，對中國的自我批判太過於稀

* 謝新發，《誰にも書けなかった日本人》，東京：勁草書房，1988年5月。

薄，這點未免叫人大失所望。

在日朝鮮人、韓國人以及朝鮮半島住民的「日本論」，都已經開始出現很不錯的作品。相較之下，我的同胞們至今猶未能寫出一本好的作品問世，這究竟是什麼原因呢？讀完這本書，讓我陷入沉思。

我們常聽到，人通常藉著對他者的認識，可以更深入認識自己。謝先生的對他者＝日本的認識，如何對自己＝中國（包括台灣）的認識能更深一層，可惜我在本書看到很少。

日本人、日本社會、日本國以及日本文化的獨自性和日本美的獨特，希望能將這些放在和中國比較的觀點來審視，如果可能，再擴大到以世界的視野來定位，期望有更深度掌握的努力與態度。

如果沒有社會科學的素養，要對日本國進行有關國際關係或國際政治的評論是很危險的。本書只停留在表象的比較和觀察，敷衍帶過，實在很可惜。

且不管這些，對於有計畫到台灣一遊的日本人，我推薦務必一覽此書。至少，事先知道台灣人對訪台日人的觀感也不算損失吧！

本文原刊於《中国研究月報》第490號，東京：社団法人中国研究所，1988年12月，頁39

豐富且新鮮的資訊
——矢吹晉《文化大革命》*

◎ 劉靈均譯

最近我們每天都要確認，自己活在一個非常動盪不安的時代。

「六四血腥星期日」所代表的中國新天安門事件，以及由柏林圍牆倒下所引起一連串東歐地區的劇變，任誰都感到非常震驚。

今天發生的社會現象，其實正是過去的歷史在現在的顯現。在這層意義上，今天的這些狀況，也將以歷史的形式與未來互相連結吧。

連日的衛星電視播放中，許多人都兩眼緊盯著天安門廣場的大型示威與集體絕食行動。想起來大概35歲以上的人，在這樣的「景象」的背後，都隱隱看到了手持小紅書《毛語錄》的大群紅衛兵，精力旺盛的「影子」吧？

被《毛語錄》與紅衛兵的赤紅臂章染色的年輕人人潮，所象徵的文化大革命。那麼，對於全體的中國年輕人、對於中國人、

＊ 矢吹晉，《文化大革命》，東京：講談社，1989年10月。

對於人類歷史而言，這到底是什麼？

被稱為「社會主義文化大革命」或者「無產階級文化大革命」的文革結束已經過了十幾年。做為一個現代史的研究對象，文化大革命應該可以說是差不多「成熟」了。中國要往何處去？現代社會主義的未來呢？在這些問題應該被大大討論的時候，本書能夠適時地出版著實令人歡喜。

目次中分為「何謂文革」、「巨大的損失」、「人民公社的夢」、「空洞化的人民公社」、「毛澤東的文革理念」、「紅衛兵——被利用來進行權力鬥爭的年輕人們」、「兩朵妖花（江青與葉群）」、「林彪事件的衝擊」、「中國的赫魯雪夫・劉少奇」、「周恩來的角色與鄧小平復活的前後」、「文革的亡靈」等各章，並且附有文化大革命資料一覽與現代中國簡略年表。做為一本讀本而言相當有趣，而且做為一本研究入門書，其架構也相當完備。

特別是這本書中豐富而新鮮的資訊，令人折服不已。舉例而言，就連毛澤東的御醫李志綏今年夏天在芝加哥公開的「與毛澤東晚年相關的談話」〔譯註：台灣出版的書名是《毛澤東私人醫生回憶錄》，台北：時報文化，1994年〕，在此書中都已經見得，足見其資料的新穎。這只有能夠活用且自由使用電腦與具有現代中文能力的作者才辦得到，就這點而言應當高度評價本書。

然而另一方面，只要是研究者圈內人，大抵都知道本書作者矢吹氏是支持文革的。雖然在本書中他自己也不斷提到自己，但筆者希望他既然說了，就應該加入與文革相關的自我批判，並大聲的用自己的語言來說。

此外與文革相關的諸多現象或者社會主義中國的課題，畢竟是革命＝奪取政權雖然成功了，而在「治國」仍然相當困難之點，特別是「社會主義的原始積累」應有的狀態相關的困境是深刻的。作者是一位經濟學家，在此也希望能夠請教其做為一位經濟學家更深一層的見識。

本文原刊於《週刊東洋経済》第4894號，東京：東洋経済新報社，1989年12月2日，頁112～113

刻畫出轉換期台灣的問題點

——戶張東夫《台灣的改革派》*

◎ **蔣智揚譯**

說到作者戶張東夫，他是位曾經派駐香港（1983～1988）精通中文的《讀賣新聞》記者。很有個性，因為是位少見的能將中國大陸、香港、台灣的問題作有機關聯的掌握而知名。

我一向在香港出版的中文雜誌，拜讀作者的論述，尤其是與台灣相關者。爾來，也一直認為如果將這些論述加以整理，並編譯成日文來出版的話，會有益於日本讀者。

我所期待的書，其第一冊可說就是這本《台灣的改革派》。

該書分為二部分。第一部分（應該是）新寫的〈「解說」轉換期的台灣〉，第二部分為自1985年11月至1989年1月，作者與台灣改革派主要人物的訪談報導，重新編輯而改題為〈聆聽台灣改革派怎麼說〉。

長期以來，日本媒體將台灣視為「盲腸」一般的存在來處理。可能是因為中國大陸的「影子」太大的緣故吧！事實上，進入日本的台灣相關資訊量極少。最近情況稍有變化，因為美、中

---

* 戶張東夫，《台湾の改革派》，東京：亞紀書房，1989年11月。

（大陸）、日的蜜月期架構在東亞已經落實了。是台灣做為亞洲新興工業化經濟體（NIEs）模範生，自1980年代中葉以降開始在世界經濟上嶄露頭角之後的事。

歷史是種種偶然與必然相互重疊而進行著，在其過程中也會突如其來地暴發驚人的事件。

台灣也不例外。正當大家歌頌「台灣經濟奇蹟」時，在1984年10月15日，以《蔣經國傳》而知名的美籍華裔報人江南，被暗殺於舊金山郊外。美國當局搜查的結果，判斷竟是國府台灣的國防部情報局長等人介入，引起內外譁然。以此為契機，強人蔣經國受其衝擊而轉變為改革派，拖著老弱的身體勉強加速走上改革與民主化的道路。

我們讀者首先可由第一部分的解說，回溯1985年以後國民政府在台灣的改革與民主化的概況與經過。

以訪談追尋動向

接著在第二部的１，我們可藉由與台灣人反體制穩健派政治家的康寧祥與外省人（第二次大戰後自大陸進入台灣的人們）第二代以激進分子知名的林正杰之訪談紀錄，來了解民主化胎動的問題點與動向。在第二部的２，1986年9月28日民主進步黨（民進黨）終於組黨成功，可自其首任主席江鵬堅的訪談了解該黨的主張與問題點。又可以從民進黨的攻勢而快速走紅的國民黨少壯改革派領袖趙少康（外省人第二代）的訪談中，我們可讀到其清楚利落的對國民黨各自之批判與改革主張。

編輯巧為安排，同樣在3的戒嚴令解除（1987年），4的台灣記者首次訪中，5的李登輝政權上台（1988年），最後6的蔣經國之後（1989年），訪談報導依照時序持續著。

整體架構可讓讀者按照順序讀下去，轉換期台灣在該期政治經濟上之問題點，就會自然地浮現。再者本省人（台灣人）與外省人之改革派的批判觀點，能夠遍讀無遺，也是難能可貴。不過可能由於急著出版，概念未加充分整理，脈絡的矛盾與發言的錯置也難免散見，誠可惋惜也。

本文原刊於《エコノミスト》第2889號，東京：每日新聞社，1990年3月6日，頁96～97

祝賀與期待

──慶祝《中國時報》創刊40周年

不遠隔洋千里，《中國時報》編輯部的朋友們，在其報社將慶祝創刊40周年的前夕，要敝人趕寫「為我們本報說幾句話」。盛意殷殷，情不可卻。

《中時》創刊以來的40年中，正當台灣地區內外「多事之秋」，地區住民尤其剛自大陸遷台之官民，前半期的當務之意，在於「救亡圖存」。在這一段時期內，人權、民主、自由等普遍性價值之追求，被「救亡圖存」之名而有所犧牲及淹沒。後半期則透過經濟成長求政治穩定為主要追求目標。儘管先後歷經十分艱難的日子，至今為止，能見到「台灣經驗」之顯現，可以說是得來不易。但若是撕開「台灣經驗」美麗的面紗，人人都可以檢視出，人心污染與公害污染已瀰漫了華麗的寶島。

在這個既複雜又艱困的過程中，逐漸成長並自強不息走向成熟軌道的《中時》，扮演了不少正面的角色，滿足了廣大讀者的要求，眾人肯定，有目共睹，人人稱快，舉台稱慶。

台灣地區正面臨大轉型。民主的落實，人人有責，人人應該攜手一起來。大眾傳媒在三權分立的國家，可定位為第四權力。我們係五權分立，因而亦可稱其謂第六權力。不管是第四或第六之權力，大眾傳媒的主角——報紙的角色來得特別重要，大概不會有人存疑的。

自戒嚴令及報禁解除後，台灣的報界走入戰國時代。我們都歡迎，言論自由，百家爭鳴，社會正義等能充分伸張的時代的到來。

我們所期待的言論自由並不等同接受「編造謊言」、「自造新聞」之自由。我們所希望的百家爭鳴又不等同無原則、無哲理的亂鳴。

翻看資本主義社會的商業性報紙，它的主要結構，一為新聞（news），二為評論（views）。眾人周知，自從電視出現以後，新聞不但被要求迅速，還得要詳細。當然迅速性和準確性不是對立的，富於敬業精神的高級報紙的新聞，通常既及時又準確無誤的。一般來言，歐、美、日的報紙，它的第一期為「政論性報紙」，第二期則轉進為「報導性報紙」，當前逐漸有再提升為「解說性報紙」的趨勢。

值得我們留意的是，第一期的「政論」和第三期的「解說」，其主要內容及筆法是有異的。前者則以「社會的木鐸」一類地位來警眾，大有居上而視下之嫌。但後者，以持平的心態，與讀者、民眾一同看待及思考問題，對新聞加以綜合性的分析及解說為重。

資本主義邁進成熟的階段時，民眾將要求「民主主義政治」制度的實現。這個不外係全體住民要求直接抑或間接地參加政治的一種制度。

在這個制度之下，民眾非由自己的判斷來對自己的未來導向

（包括投票行為）做下抉擇不可。所以愈是生動活躍、流動性強、日新月異的動態社會，愈需要報紙及時並客觀報導一切新事物、新情況來做為判斷的素材。

當前的台灣地區住民，教育水平普遍地提高，不但能分清是非，而且因有小耳朵，加上觀光的開放，海峽兩岸的往來趨密，民眾所能掌握的資訊甚為豐富。所以，報紙若有掩蓋真相、編造謊言、報導不公或偏差，甚至於不夠全面性時，該報將被讀者唾棄。民眾對「知的權利」以及「資訊的全面性開放」的訴求，愈來愈迫切是有其理由的。

民智大開的台灣高水平讀者，他們求於報紙的「解說」（也就是views，包括社論、專欄等），已從以往必須讀的「範例」而變為偶爾參照的「參考意見」的地步，價值觀的多元化，資訊媒體的多樣化，迫使社論的魅力褪色，權威下降。台灣看來好似已踏襲歐、美、日報界之後步。功利社會帶來的短暫性眼光，欠缺歷史哲學及政治哲學，隨風點頭的楊柳般式評論過多，被讀者厭棄亦難免是個重要理由。

《中時》近三年來，在報導新聞上能兼容並包，持平且全面，另在社論上，能在狂風中高揚民主及民族大義旗幟而不渝，是值得眾人讚賞的，但我們的讀者，期待《中時》能更上一層樓，以備率領往後之風騷。

本文原刊於《中國時報40周年社慶特刊》，1990年10月2日，35版

那不是印刷的錯

——《廣辭苑》與我

◎ 孫智齡譯

由於我的職業是歷史研究，所以資料或書籍只有不斷買進補充，至於賣書，可從來沒有過。而且，留意版刷次數和出版日期，也成了我的習慣。

幾年前，在美國定居的朋友來找我，要我給他看我的書庫。在書齋，他發現「工具書」的書架上有兩大冊《廣辭苑》並列。他問我，這麼大部頭的書，為什麼要準備兩冊呢？ 以中文來說，詞典或文獻目錄類的書籍稱為「工具書」。正因為如此，詞典之類的書籍是消耗品類，用舊了就丟棄，這是一般的想法。在美國長年講求簡樸生活的他，置身在汗牛充棟（我曾為《廣辭苑》對這句中國成語有精闢的解說而感到驚歎）的書齋裡，對於兩大冊的《廣辭苑》誇示其存在感的光景，也難怪他會感到奇怪吧。

沾滿手垢的第一版第二刷的《廣辭苑》，對我來說，不單只是工具書而已，更是別具意義的紀念品。《廣辭苑》順利地「新生」的1955年秋天，我離開戒嚴的台灣來到日本。我的第二個生日，也就是我在日本重獲新生的契機理當紀念的一年，正巧也是《廣辭苑》的誕生年。當時因祝賀而收到的賀禮就是《廣辭苑》，所以即便使用很久也不能丟棄。我難以忘懷深刻的情感就在這本初版書。

1970年代後期，我為了準備開講鄭成功等人的台灣統治這門課，打算介紹淨琉璃「國姓爺合戰」的戲碼。淨琉璃我可以用日語說，但國姓爺的正確唸法就不知道了。以中國人的常識來說，通常會唸成「こくせいや」。但不知何時曾聽過好像還有別的唸法……。於是我查閱辦公室的《廣辭苑》（第2版第9刷，1975年9月）。

讀音是「こくせんや」。讀法解決了。再往下看，發現原本應該是「國姓爺」（之前一直這麼認為）的，卻寫著「國性爺」。這下子變得有趣了，我認為是岩波的失誤。我興奮地立刻撥電話，詞典部的職員答覆說：「這不是印刷錯誤。因為這是戲劇，一般的看法都認為近松最初的正本就是故意採用豎心旁的性以玩文字遊戲（大意）。」對方大概是百忙當中撥冗答覆吧，對於第一版裡印著的不是「性」而是「姓」卻未說明。

我感到有趣，查閱了近松的資料，找到岩波文庫出版的《國性爺合戰——長槍權三重帷子》〔《国性爺合戦——鑓の権三重帷子》〕。我手上這本書是1952年8月15日第14刷，該書第一刷是戰前的1927年8月1日。總之，是《廣辭苑》第一版的前輩呢。若是如此，那麼《廣辭苑》第一版「國姓爺合戰」的記載，則是未核對上述文庫本而出現錯誤。顯示即使再好的工作，只要是人工作業，都難免會有小失誤發生。

海內外學界和讀書界都認為岩波出版社的印刷鮮少失誤，對出版物的選擇和編輯品質都給高度信賴。以為「性」是「姓」的印刷失誤，是我自己得意忘形的失敗。不過「國性爺合戰」的初演時間，第二版上記載著「1715年11月初演」，但第三版卻記載為一月初演，顯然是後者在校正上有失誤。

越南的海上難民引起世界騷動時，在日本，對於難民中有「華僑」的存在也引起話題。我不禁在意《廣辭苑》對「華僑」一詞的解說。第一版載稱：「定居在海外的中國商人。以南洋為中心，分布於全世界（後略）」。所謂華僑，還包括醫生、學者、作家等，只定義為商人，的確不恰當，容易引起誤會。編者似乎注意到這一點，第二版和第三版則改為「從中國本土移居海外的中國人及其子孫」，南洋也改為東南亞，真讓我感佩將「語言是活的」這句話做了實地的對應。然而，「從中國本土」的說法，我還是抱持懷疑。一般來說，本土並不包含島嶼部分。果真如此，則已將海南島或台灣島出身的海外移民排除了。

由於《廣辭苑》兼具小百科詞典的功用，對外國人的我們也是非常方便好用。因此，我常向中國（包括台灣）留學生建議，與中文的《辭海》或《辭源》一樣，最好身邊常備一冊《廣辭苑》。快點從小型的中日辭典畢業，學習善加利用《廣辭苑》。蓋由我的親身經驗得知，其可作為在日本學習步上軌道的一個里程碑。近年來，台灣的出版界也不斷自我督促勉勵，編輯方面不用說，《廣辭苑》牢固的裝訂應該也是很好的學習對象。

本文原刊於《図書》第497號，東京：岩波書店，1990年11月1日，頁26～27

《更想知道的華僑》代序

◎ 雷玉虹譯

猶太人一直在被誤解，有關他們的虛像，即使在日本也已經獨自流傳了很久。幾乎是同樣的事情也發生在「華僑」（包含華僑與華人雙方使用的場合，用華僑加上括弧來表現）的身上。

所謂「華僑」，原本是指在歷史、文化上與日本有著悠久關係的鄰邦中國，在被捲入世界史的「近代」以來所衍生出來的或者正在衍生出來的人們。他們的虛像，以與實像非常不同的樣貌持續地被想像、被誤解是不妥當的。特別是在日本回歸亞洲，變成經濟大國，開展更為理想的國際化，從而在構築世界和平與應該有的人類史的過程中，日本人的巨大貢獻是公認而被期待的今天，我堅信對作為「鄰人」的「華僑」的正確的理解與認識是不可欠缺的。

我從1970年代初以來，就為了使「華僑」接近其實像這一問題，發表了一些小文章，並做了一些發言。下面我在介紹我的發言與我們研究經過的同時，說明一下本書成書的過程以為代序。

某位友人曾經說過，「華僑研究太難了。如果著手研究的話，恐怕一開始即為了掌握語言就已耗盡自己的精力了。」「還使用多種方言，因為是僅用標準話＝北京話尚不能溝通的社會。此外，聽說『華僑』社會是閉鎖的，因為悲劇性的近代中日關係的陰影還濃重地投影於其上，『外人』很難深入華僑・華人社會的內部。這就形成了二重、三重的瓶頸，使日本人研究者陷於苦境之中」，這位友人補充道。

很幸運的是，筆者係出身於台灣的客家。因此，掌握了客家話、閩南話及北京官話＝標準中國語或者說是華語。順便提一下，客家是源自黃河中下游，講北方語系客家話的漢族一支。此外，閩南話是在福建南部通用的方言，接近廈門話與潮州話，也是占壓倒性多數的台灣在住漢族系住民所使用的方言，現在也被俗稱為台灣話。因此，對我而言，在語言方面的障礙與一般的日本人研究者相比而言較小，甚至可說是站在有利的立場。

一般來說，研究是在對既往的研究或看法嘗試著進行批判與整理同時進行的。做為這種作業的一環，我們將有關華僑研究的關係文獻目錄分成「邦文（日語）」、「華文（中文或華語）」、「歐文」三大類，以所內資料的形式打字後付諸印刷。聽說現在該文獻目錄的暫時印刷本在舊書市場已是洛陽紙貴。

其次是組建共同研究隊伍。首先腦中浮現出來的是學俗接近一事。僅有學究式的成員有淪為「象牙塔」中的「觀念」遊戲之虞。要突破這一陷阱，有賴具有東南亞駐在經驗的外交官、商社人員、記者等的協力。而且不是華僑、華人的，也就是說圈外的研究者對研究對象保持著一定的距離，擁有將其對象化或相對化的有利主體條件。然而，僅靠外邊的人，要踏入內部，就是說從位於「漩渦」之中的寶山中取回珍寶，做出研究成果並非易事。

因此，考慮了採取由外部的人，同時還加上內部的人進行觀察、接近的方法，來強化研究。這就是我們也請求東南亞的華人知己們支援的緣由。其成果以《東南亞華人社會的研究上・下》（亞洲經濟研究所，1974年3月）的形式呈現了出來。

在進行共同研究期間，來自外部的「解明華僑・華人的經濟實態」的要求格外強烈。坦白地說，我的關心並不在「華僑」經濟。本來，「華僑」社會就是閉鎖的社會，僅限於受到疏遠的狀況在持續進行的情況下，他們的經濟活動當然大多也是被隱匿的。因為在沒有統計，實況調查也幾乎是不可能的情況下，即使有關「華僑」經濟的研究對商社的關係部署或銀行的調查部門而言是很拿手的，對我們研究者所擁有的條件而言是不可能的，我是這樣判斷。

從1969深秋到1970年初，我曾到過台灣、香港、新加坡、西馬來西亞、曼谷。此時越南戰爭正處於高潮，馬來半島也正處於五一三事件（1969年5月13日發生的人種暴動事件）之後的戒嚴令下。

西馬來西亞的華人社會一片憂鬱沉悶。某位華人領袖抱怨道：「現在馬來人的政客與激烈的右翼馬來人的年輕人們，將馬來西亞所有的不幸，與政治上的對立、社會諸矛盾的原因，都推給我們華人。因為這樣做對他們自己有利。所有的矛盾做為種族間的矛盾來收拾，使民眾對社會不公正的憤怒的渲洩口朝向華人，煽動排華主義。還有可能會重演九三〇事件（1965年9月30日在印度尼西亞發生的政變事件。以此為契機，蘇卡諾體制崩潰，印度尼西亞共產黨潰滅，華人・華僑也因遭受彈壓而出現多數死傷者）以來的印度尼西亞華人、華僑所處的境遇。這就是我們今天的狀況。華人的馬來西亞化當然是可以的，而馬來化則是開歷史進步倒車般的行為。我們華人也有保持做為人的尊嚴過生活的權利，馬來西亞之所以有今天，也有我們華人的功績，對於這一點，馬來人方面應該給予承認。儘管如此，對狂暴的馬來激進派青年集團，馬來人社會中彷彿有容認、容許對華人施行暴力的『道德上的權利』一般的氛圍存在。這是違反人類正義的，也是非常可怕的事」云云。這使我重新感受到華人社會所擁有進退兩難的深刻程度。

結束視察回來之後，我就圍繞著華人、華僑的誤解應該被解除而積極地開始了發言。首先批判了由於華僑的僑字在當用漢字裡沒有，所以媒體用華商來稱呼華僑是不妥當。指出華僑・華人的職業中不只僅有開中華料理店的或做小買賣的，還有企業家、銀行家、醫生、律師、建築家、藝術家、大學教授等自由業者，也還有工人、農民等。

更指出，他們幾乎都處於已取得居住國的國籍，開始由華僑向華人轉換與蛻變的過程中。並且論及他們所懷有的苦惱矛盾與在外日裔、在日朝鮮人・韓國人，在外印僑以及猶太人在過去與現在所擁有的諸體驗及苦悶的歷史基本上是同質的，擁有共同性的。然後就伴隨著越戰的終結而發生的船民與中越紛爭中的「華僑」問題等也不是僅從現象而是從本質的部分切入進行了分析。將這一連串的工作彙集起來就成了《華僑——從『落葉歸根』走向『落地生根』的苦悶與矛盾》一書（研文出版，1980年）〔參見《全集》11〕。

也許是文體與邏輯過於晦澀了吧，抑或是因為日本社會本來就欠缺如同猶太人與黑人問題，可以說是「幸福」的同質社會，所以不習慣於複合種族（人或民族）社會的多層結構及圍繞於此的錯綜的關係吧，很難得到一般的日本人讀者的理解。幸運的是，聽說此書已成為長銷書，讀者正在漸漸地增加。這真是令我感到欣慰。

去年，受到弘文堂的三德洋一先生的邀求，彙集了《更想知道的台灣》一書。受到讀者的歡迎，很快就發行了八刷（截至現在1991年2月為止）。再次受到三德先生彙編《更想知道的華僑》一書的請求。前面所提到過的我的「華僑」觀基本上沒有變化。在這裡，與敬愛的各位先輩及友人們共同商量，編成了此書。

得到了許多非常優秀的玉稿，從相當的層面能夠提供與同類書不同的新的觀點並提出了新的問題及進行了比較分析，現在我感到非常高興。倘若本書對日本人諸賢的東南亞、特別是「華僑」問題的接近與理解能夠起到一定的作用的話，那將是望外之喜。而且對《華僑》讀者以及其關係者而言，但願能成為其對「華僑」像的素描與再構築的「原案」或參考的素材。

本書不僅對華人的生態進行了歷史回溯，並且嘗試了以臨場感為依據，從多方面對他們的生活現狀進行介紹。另外，就有關華僑民族主義的再檢討與解讀，作為華人民族主義與民族性的「中華人特質」(Chineseness)，以及有關圍繞著華人的認同危機的諸問題，也提示了新的觀點並毫不顧忌地陳述了以世界規模做分析的嘗試。希望能得到諸位的指正。此外，本書的行文中，中文或華文上附有片假名的注音，假名的地方，用O印者為閩南語，用・者為客家語，用△印者為廣東語，無印的為普通話即標準華語。在這裡特此說明。

把自己說得太多，做為編者而言是不太合適的。與完成得太晚一事一同向執筆者諸賢及三德洋一先生表示誠摯的歉意與衷心的感謝。

最後，對在本書的封面上能夠使用東南亞華人的代表性畫家蔡名智（Chua Mia Tee，1931年出生於中國，新加坡國籍）的名畫感到非常的光榮，對允許使用該畫的蔡氏表示由衷的感謝。

1991年4月15日於美國馬里蘭州的旅寓

戴國煇誌

本文原收錄於戴國煇編，《もっと知りたい華僑》，東京：弘文堂，1991年7月10日

裸體、裸體照與裸體像之差異

——評芳賀徹*〈西洋畫的命運——中國與日本〉

◎ 林彩美譯

我雖是美術史與文化史的讀者，卻不是研究者。以一介門外漢來對芳賀先生的論文與報告做論評，說實在我也不覺得很適宜。

但是以現代中日關係史、近代化過程的中日比較論做為研究的一部分，一直對之思考的我來說，芳賀先生這次所論是極有刺激性，也給了我不少的啟示。

〈西洋畫的命運——中國與日本〉，我認為這11個字完全把芳賀先生所要對我們傾訴、提出問題，濃縮起來表現得很好。

雖然很僭越，如恕我改用我的話來說，不知是否如此。

歐洲人帶著自己創出的「近代」來把非歐洲世界歐洲化。最近400年的世界史，正是其具體的過程。這樣說應不會言過其實。

那總合的過程，無非是「近代化」（modernization）。一般地說，對於西方的衝擊，人們的抗爭、抵抗、順應，主要以軍

* 芳賀徹，東京大學名譽教授，時任京都造型藝術大學校長。

事、政治、經濟、社會等的側面寄予更多的關心。但不可忽略的側面是包含美術在內的文化抵抗、接納或者變貌的局面。

可以說芳賀先生是從這文化的局面之中，把「西洋畫」拿出來做為話題。恕我做揣測的話，芳賀先生本來是想以應居於西洋畫核心的裸體畫做為主題。可惜的是錯過了北京的裸體畫展，因此改了論題並擴大為所有西洋畫亦即油畫，我這樣想像。我們第三者的大多數人也與芳賀先生同感遺憾，或許有過之而無不及。因為遺憾不能拜見與拜聞芳賀先生更銳利切入點的評論。

這暫且不說。在日本西洋畫的接納或變貌是在德川時代中期，經由長崎而開始，連接到明治時代的「文明開化」運動，不知不覺之中便紮下根。

比起日本，中國到現在還見不到其紮根。不僅如此，北京裸體畫展展出作品的模特兒女性還有自殺的悲哀傳聞情形。芳賀先生也說受了逆文化的衝擊。

我一邊讀著芳賀先生的論文，一邊想起肯尼斯・克拉克（Kenneth Clark）的名著《裸藝術：探究完美形式》〔*The nude: a study in ideal Art*〕。

克拉克在自著的第一章「裸體與裸體像」敘說，naked（裸體）與nude（裸體像）在英語被分開使用的歷史與經過。令人驚訝的是，他說：「說實話，這個詞彙在18世紀初的批評家們，要讓這欠缺教養的島國的居民，能理解繪畫與雕刻被正當地製作與受評價的諸國，裸袒的人體常是被當作藝術的中心主題，而在我們英國的詞彙中勉強地加了上去。」

從克拉克的敘述，我們可以領會到他的母國英國，曾經過海盜島國的時代，而英語的語彙在18世紀初頭，還沒有nude一語的存在，或者是尚非意味現代藝術的語彙。從而連首先讓產業革命成功、領先世界創出資本主義的生產方式、議會政治制度的原型的英國，裸體與裸體像的區別到18世紀初期還不明確。這個史實可以從這裡確認。如果我的理解沒錯誤的話，克拉克是不相信美學「純粹性」的權威或者神話，反倒像在主張裸體與裸體像之間潛藏著所謂的灰色地帶，亦即刺激官能或者喚醒官能美的因素，我這樣理解。

克拉克又作如下的分析與介紹：

> 裸體就是剝去衣裳，一般人在那樣的狀態，多少含有應該感到的困惑之意。相對地裸體像一詞，用有教養的使用法，並不伴隨不愉快的迴響。投影在我們心裡的模糊形象，並不是縮得圓圓、無防備的身體，而是勻稱、健康、充滿自信，被重新構成的肉體形象。（以上引用高階秀爾、佐佐木英也的共同翻譯）

冗長地引用克拉克的論說。與會的漢族出身友人，以台灣、大陸、香港、美國以及日本為生活根據地的我的同胞，我假託芳賀報告也想向各位請教，在我們的社會生活中對於裸體、裸體照片、裸體畫三者之間的差異，是否意識過。

除了畫家、專家、旅行家之外，我想多數的中國人，特別是一般庶民，知道女性裸體像的存在而對此感興趣，但是知道男性裸體像的存在，對米開朗基羅寄予關心的人應不多。

再回到芳賀先生本質性的質詢。清朝的康熙、雍正、乾隆三帝的時期是中國史上未曾有過的大帝國黃金時代。原因是多歧的吧，但終極的是，看不見從中國內部產生的近代科學技術的飛躍發展，又資本主義的生產方式也沒有產生。同一個時期，西歐在準備「近代」，不久就迎接了近代的黎明期。

裸體畫與油畫在中國人之間未紮根，或不太受歡迎的根本理由，我想是從中國社會內部未產生「近代」的理由完全是同根的。

芳賀先生委婉地說，中國大陸社會主義體制的禁欲妨礙了人性解放，我一方贊成，但以為裸體、裸體照片、裸體畫之間的關係在中國的傳統與歷史雙方的沉重負荷並非無關。從孔子的古老時代以來，裸體被視同野蠻。請參照在家庭內連親子的混浴都沒有的狀況。我想，在漢民族人與神的關係與歐洲社會大異其趣。歐洲近代的前史有將人從神與教會解放的課題，因此才有宗教改革，在其延長線上又才會有文藝復興。

儒教是日本的說法，中國人稱之為儒學或儒家思想，有時也有以儒教表現的，但我想那個教不是宗教的教，而是教育的或是教化的教。早先我就主張，儒學在日本的命運，把日本人的讀法與中國、朝鮮相較，應由此來考察中國人。

眾所周知，孔子所說的是人世，人與人的關係。人的醜陋、裸體的令人不愉快是十分清楚的，所以我的想像是不願直視裸體，沒有與之對決的想法。以衣裳遮住，有通過此來追求美，卻沒有產生出來以裸體追求人體的理想美，使之結晶的想法。中國人從水墨畫、山水畫追求美。中國式美人畫或有《金瓶梅》情欲的強調特殊行為的部分，但沒有對全體性的如希臘式信賴（克拉克認為這創出了裸體畫）那樣描繪裸體的全部。

最後，我想借這個場合請教芳賀先生二、三個問題。第一是，談到岡倉天心是國粹主義派，我有些疑問。天心的綜合重新評價應是今後的課題，做為向歐美主張包含日本的亞洲自我認同的先驅者之一，我想是有可評價之一面。

第二點，嶺南畫派從新丹山四條派之畫風所學不少的指點，正如您說的，但是元祖的丹山應舉之畫風以外，吳春的存在不知如何給予定位？不僅吳的畫風，吳的名字與號，做為前留學生之一的我寄予關心，我未詳細查證過，是否能得到指教。

第三點，開放、國際化是台灣海峽兩岸今後不可避免的應走之路。非侵略與被侵略，而是以所謂「和平的相逢」的，在今後的國際的、全方位的文化交流之中，中國人的畫風會沿著什麼樣的路走去，以大方向而言您如何預料？目前滯留巴黎的范曾，我在台灣看過，他在巴黎的近作展出，不難想像是假託波斯灣戰爭與天安門事件等幾點，在我看來是完全沒有靈魂的拙劣之作。與畫馬大家徐悲鴻所走的路，我禁不住有想將之重疊起來看的衝動。

我有一個提案。本會有台灣財界的「總理」辜振甫先生、銀行界的高層彰化銀行羅吉煊先生、台灣銀行總裁許遠東先生、土地銀行的林太龍前輩，還有今天《日本經濟新聞》有介紹的中國信託商業銀行的辜濂松會長與會。是否能在台灣舉辦海外居住的中國人（包含華僑、華人）畫家的聯合畫展。當然，北京也有中國社會科學院台灣研究所姜殿銘所長與會，如果北京也能做企畫那真感謝不盡。如果能與明年的亞洲公開論壇（Asia Open

Forum）在台灣的舉辦併行的話，也可當作向芳賀先生所提出問題的一個回答吧。

以上以外行人的妄言把隨興的想法逕自講了出來。敬請批判。謝謝。

本文係爲未刊稿，於第四屆亞洲公開論壇京都會議的發言，1992年11月9日（會議時間11月7～10日）

介紹與期待

——《岩波講座・近代日本與殖民地》*

◎ 劉靈均譯

日本已經在第二次開國，也就是國際化方向的選擇上，苦惱並且混亂許久。在經濟大國這個形象已經確立的時機，蘇聯解體、東歐劇變、兩德統一等世界史上的大轉變像巨浪般襲來，顯現一股由外而來強迫日本選擇方向的氣勢。而宮澤〔喜一〕首相成立了「二十一世紀的亞洲・思考太平洋與日本懇談會」以及PKO協力法（關於協助聯合國維持和平等活動之法律）。又聽說天皇在訪問東南亞之後，接著也預定要訪問中國和韓國。

從日本政治主流試著回應時代性的挑戰這點來看，顯然地再度回歸亞洲成為了日本的緊急課題。這樣的話，就必須將過去的殖民地統治置入視野，重新審視日本的「近代」，並且走一趟歷史總結之路是避不開的。為此，我相當期待本講座成為一個良好的素材。

本文係登載於岩波書店的相關文宣品上，約寫於1992年

* 大江志乃夫（はか）編，《岩波講座・近代日本と植民地》（全8卷），東京：岩波書店，1992年11月～1993年6月

立教大學《東洋史學論集》創刊辭

◎ 孫智齡譯

立教大學研究所文學研究科史學專攻課程的東洋史課程，其研究成果發表的「園地」終於創刊了，真是可喜可賀。

認真想的話，所謂「院生」時代即相當於徒弟的修業時代。用詞雖有新舊之別，但修業和訓練的內容卻幾乎完全一樣。現在的人討厭徒弟制度，希望能以現代的人際關係，換句話說也就是平等、對等的橫向關係建構研究上的夥伴關係（包括師生關係）。

眾所周知的，有部分近代主義的理想主義者，以美國學界做為典範。但據我的狹隘見聞所知，美國學界的現狀並不存在我們的理想主義者所夢想的「桃花源」。一位熟悉1950年代日本學界狀況的美國人教授這麼說：

「真的想要研究社會科學及人文科學的人，必須徹底地以求道者生涯自我要求，以自我的方式生存。若仔細思考其脈絡，則日本寺子屋（私塾）式的『院生』指導，以及親手培育的人才育成方式，才是我們應該要好好效法的吧！美國學界到處充斥著只計較眼前的利益，讓以『金錢』為導向的社會風氣污染人們的心靈，這種狀況如今更是病入膏肓。面對花甲之年（60歲），我方深刻感受到『學道之人首須貧』（《正法眼藏隨聞記》）的話中含意。」

我個人以為學習的方法是在「閱讀」（包括見聞）、「思考」、「書寫」之間不斷「往還」的具體過程。三者缺一不可。只要欠缺其中任何一項，學習的成效都無法有好的結果。

有位老師再三激勵我說：「年輕時犯錯是特權，社會也將給予原諒吧！可是，上了年紀還犯錯就是恥辱了。所以，『院生』們應該盡量動手寫書評、寫研究報告，多嘗試翻譯，然後撰寫論文，接受大家的批評。」

本園地期待我們的「院生」諸君共同耕耘與培育。

在共同耕耘與培育本園地的同時，當然也是帶動「院生」自我養成的最佳機會。

「勿謂今日不學而有來日，勿謂今年不學而有來年。」（朱熹〈勸學文〉）遵循此言，以它為契機，讓我們有一個好的開始吧！

1992年12月8日

戴國煇謹誌

本文原刊於《東洋史學論集》創刊號，東京：立教大学大学院文学研究科（史學專攻東洋史），1993年1月，頁1～2

推薦蔡仁龍《印尼的華僑・華人》*

◎ **林彩美譯**

以1972年的美中接近做為開端，接著1989年發生的東歐革命、1991年8月的蘇聯共產黨的解體與蘇維埃聯邦的崩潰，很多人都以為東西方之間，意識形態對立的時代大致已閉幕。

而對局勢的敏感對應當作工作一部分的評論家們，早高聲嚷叫，已是經濟競爭的時代況且是無國界經濟的時代將取代意識形態對立的時代。

好像在對應此一連串的震盪似的，亞洲新興工業化經濟體（即亞洲四小龍，NIEs）的經濟發展浮上檯面，而東南亞國家聯盟緊跟隨著的經濟成長也備受世界注目。世人又在預測21世紀將是「亞洲・太平洋」的世紀，並捷足先登忙著勾勒各種構想與遠景圖像。

急性子的華人學者或新民族主義者的中國人學者們，已打出大中華經濟圈構想抑或華人經濟圈構想而沾沾自喜。對於這種樸素的「民族感情」，本人感到同情與可愛，但沒有絲毫要與之起

---

* 蔡仁龍著，唐松章譯，《インドネシアの華僑・華人》，東京：鳳書房，1993年7月30日。

舞之意。把「華僑・華人」當作「棋子」，忽隱忽現、不顧及別人、粗心的遊戲意圖的諸構想令人不敢領教。我以為那將招來大災難，而且絕不會與光明的將來相連結。

這姑且不說，「亞洲・太平洋」圈構想與其世紀，或「大中華經濟圈」、「華人經濟圈」等的構想，任何一個都不能忽略居住在東南亞的「華僑・華人」的存在。是否以此為最大的理由，近年在日本，對「華僑・華人」問題的關心驟然興起。雖然如此，但稱得上「華僑・華人」問題的好研究卻不多見。

眾所周知，第二次世界大戰後在東南亞的「造國」極盡困難，嚴峻的政情持續良久。置身於漩渦中的大多數「華僑・華人」，當然被迫「忍受」與遭受「迫害」，更甚者是再三、再四被擬成代罪羔羊的角色而流血。在這種狀況下，「華僑・華人」問題被當作禁忌，不要說實際情況的調查，就連在社會上做為話題都有顧慮，最典型的事例發生在印尼。

東南亞在和平裡的「造國」的進展，經濟的持續發展，再者是亞洲全區域的和平的實現，是我們的夙願與期望。

築構亞洲抑或亞洲・太平洋圈應有的遠景，為了促成其實現，我以為要把東南亞歷史之中「華僑・華人」所扮演的角色（包含正負面的），全面地重新做檢討。「歷史的重新檢討」當然是要將過去與當今狀況的實際情況做正確的解明，這個努力不可或缺。

符合對新時代期許的新「華僑・華人」像的築構，沒有比今天更迫切地被期待過。這種感受應不只我一人。

正是在此時機，中國大陸「華僑・華人」問題的代表性研究者蔡仁龍先生的論文集被翻譯成日文即將出版。我在此謹表歡迎與感謝。

我想此論文集將對日本的學界與相關人士綜合地提供新資料、獨特的觀點和很大的刺激，如能一覽便可得知。特此，謹擬推薦之辭。

本文原收錄於蔡仁龍著，唐松章譯，《インドネシアの華僑・華人》序文，東京：鳳書房，1993年7月30日，頁i～ii

小澤一郎與他的《日本改造計劃》

小澤一郎何許人？

經過多年的觀察經驗，我不難想像，現在台灣的讀者知道小澤一郎為何許人者，一定不會很多。理由很簡單，台灣對戰敗後日本的關心，一直傾向於「經濟取向」，基本上都是隨著它的高度經濟成長方向而做出反應，或者是與其共舞；關心的主題，一直都不是它的政治，尤其是日本的國內政治。

民間如此，政府有關當局的對日態度，大體看來差異也不甚大。

四十多年來，戰敗後的日本基本上已不具備侵略我們的軍事、政治力量，它的外交一直受到美國遠東政策以及世界冷戰結構的制約。一言以蔽之，日本只能拜美國核子保護傘之賜，搞它一國和平主義下的經濟成長政策之外，想發揮自己獨特外交政策的主體性和國際空間，對日本而言既欠缺又窄小。

遷台後的國府中央，自遷台的1949年底，迄美國總統尼克森訪問中國大陸（1972年2月）為止，所採取的對日外交，只是附屬於對美外交的一部分而已。它的主要課題在於：(1)運作日本當權守舊派人士，對老總統「以德報怨」的感恩情結（主要對象是對老總統個人）和反共情結，拖住日本當局不接近更不承認北京中共政權。⑵經濟外交：早期是透過「互通有無」（以米糖交換肥料和一些工業產品為主）保持貿易關係為中心；在美援停止（1965年6月30日）時，藉導入日圓貸款（1965年4月26日簽約），來填補美援之缺，從而跨入對日經濟外交的新時代。

國府當局在當時並沒有迫切的需要，來培養對日外交人才，積極拓展對日外交途徑。在老總統的授權下，由張群執掌實權，遙控駐日大使館，依靠老關係、老一輩人士的惰性與守成的「外交」逐漸成型。駐日大使館只有扮演檯面上的「花瓶」或「跑腿」的分兒。

寫到此，我想起了與林以文僑選立委（日本華僑聯合總會會長，已故）的一夕談。時間大約是1972年6月末之某一夜，林委員約我在帝國飯店吃飯，飯局只有我們兩個人，話題集中於日本政情。林問究竟誰會繼承佐藤榮作出任自民黨總裁與日本首相？林所押的寶當然是福田赳夫，並且從他的言談中可以窺知，國府有關當局也把希望寄託在福田的身上。

顯然，台灣方面對新近崛起的福田的最大「敵手」——田中角榮一無所悉；只顧表象、自囿於形式邏輯也懶於思考的人士們，不去注意那位既年輕（當時田中才54歲）又無學閥、門閥、閨閥等背景的「野人」田中角榮的潛力，這是不難想像得到的。

其實，時代的氣息已於早些年開始展現在眾人的眼前。第一個徵兆出現於日本的經常收支統計上，日本的經常收支（國際收支中的貿易收支＋貿易外收支＋移轉收支的總額），自1968年度開始由逆差轉為順差，而漸趨穩定且定型。這意味著日美經貿關係已經開始轉型，同時，日美的貿易摩擦激烈化，也在1969年5月到1971年3月的多次纖維品交涉過程中浮現出來。

1971年4月10日的乒乓外交（美國乒乓球隊自日本轉訪大陸），獲得了中共總理周恩來與美國總統尼克森的積極回應。同年7月15日，季辛吉密訪大陸，發表中（大陸）美聯合公報，震驚了全世界。8月16日，美國公布防衛美金貶值措施條例，同時引發了日本股市的大暴跌。10月25日，由美國等23國家繼續保駕國府在聯合國席位遭到挫敗，國府退出聯合國，由中共取而代之。

眼看著這一股潮流來勢洶湧，日本的政、經、官界開始醞釀調整因應方策，及調整日美關係。

繼承岸信介路線的佐藤榮作內閣，已經持續了七年八個月（樹立日本史上最長的內閣紀錄），福田乍看之下，也只是予人等著「禪讓」的消極守舊派接班人形象而已。

反觀田中角榮，是有備而來、力圖奪取政權的年輕積極派平民政治家。為了準備掌權，田中動員了他的智囊團，累積有關國土綜合開發研討會的成績，彙整成為《日本列島改造論》*，早於競選自民黨總裁和首相之前夜的1972年6月20日付梓成書。

我把上述的時代氣息，加上得自日本報界友人提供的最近資訊告訴林委員，坦率地指出台灣押錯了寶，並勸他可以一讀田中剛出版的《日本列島改造論》。

言歸正傳，小澤一郎便是田中角榮刻意培養的接班菁英之

* 田中角栄，《日本列島改造論》，東京：日刊工業新聞社，1972年。

一，從他的部分政治手法，可以追尋到他師父田中角榮的身影。

小澤為岩手縣人，出生於1942年，父親小澤佐重喜本為律師，後進入政界歷任大臣職。1960年岸信介內閣時，就任眾議院安保條約等特別委員會委員長，為自民黨賣過「命」而頗受注目。一郎雖出生於東京，但為了逃避二次大戰美軍的空襲，三歲時疏散到父親的出生地水澤市，在這兒度過寶貴的幼少年時代。水澤市曾出過高野長英（德川幕府末期的開國論名學者，開罪封建權重的幕府而下獄，不久脫獄隱姓埋名、立論譯書名震一時，最後自裁於江戶）、後藤新平（奠定日帝統治台灣基礎的鐵腕政治家，後歷任大臣職，以具有卓見聞名）、齋藤實（歷任海軍上將、朝鮮總督、首相等職）等歷史人物而出名。

一郎初中三年級時轉學至東京，高中則考入當時的明星高中東京都立小石川高等學校，畢業後投考東京大學三次都失敗，不得已改念慶應大學經濟學院。1967年3月畢業於慶應大學，為了當律師，隨即考入父親的母校日本大學法律研究所，以備司法考試（包括律師、推事、檢察官的綜合考試）。1968年5月父親去世，一郎被鄉親們說服必須繼承父親的選舉地盤，不得不更改志向，而準備進入政界。當時他才只是27歲的小伙子。為了準備競選眾議員，他當然需要在自民黨裡頭，找到能夠歸屬的適當派閥當做靠山，他那時候是初生之犢的二世政治家。

他如果是一般的二世政客，大可以利用父親的人脈，做「近功利避爭春秋」的權宜性選擇。可是一郎並沒有貪戀安逸之途，他獨自決定去敲開田中角榮的大門，拜其為師。後來一郎追述當年的心境與想法時，有這麼一段話：

影響我決定的最大因素有三：(1)我們這一代年輕人早已厭倦佐藤的長期政權；(2)受父親的影響，我對官僚主導型政治，也就是佐藤首相的那套政治手法，一直懷有抗拒感；(3)比起著重保持現狀、只圖守成的小格局佐藤政治而言，田中先生是難得的一位思想清新、識見明快的政治家。他豁達而開朗，又頗具叱吒風雲的大將風格，其輕鬆適意的黨人派（非官僚出身的政治家）行動力，和奔放難羈的豪情，讓年輕氣盛的我神往。我雖年輕，但已經開始追索改造和改革日本社會，以及日本政治之「夢」。

《日本改造計劃》暢銷所帶來的訊息

1993年5月20日，小澤一郎出版了《日本改造計劃》，據說當初他想把這本書題名為「黎明」，這反映出小澤喜好電影的一面。

通曉日本出版界的人士都知道，日本政客出書，無非是為了打自己的知名度，有時候兼為選舉造勢並藉機募金。因此，一般來說除了在著書人的選舉區可以獲得青睞之外，在其他的地區很難有所共鳴，這是日本的通例。

小澤在《日本改造計劃》和田中的《日本列島改造論》都是破格的例子。付梓之後未到半年，立刻登上暢銷榜的前幾名，銷售量也盛傳突破了50萬冊的大關。

田中角榮在1993年12月16日因病去逝，享年75歲。田中雖然蓋棺，但對他的「論定」，我認為還需要一段時間，尤其是對他的《日本列島改造論》一書，及他所主導推行的新國土綜合開發計畫的學術性評估與定位，是不該輕視的。原因無他，《日本改造計劃》和「新國土綜合開發計畫」，並非只屬於他個人的專斷或政策，田中背後，曾經有過一群菁英學者、評論家及高級官僚們，與他同步研判當年的內外情勢，並代為擬定出一個整套性的政策。

有識之士應該都能體會，情勢的研判一定走在政策的擬定與推行前。在政策的推行上，雖然出現了一些失誤與負面性的地價飛漲等後遺症，但是無疑的，田中和他的智囊團在《日本列島改造論》所下的情勢研判，以及所揭示的有關國土綜合性再開發的著眼點，依然是正確而值得後人參照的一部經典名著。

為了敘述的方便，我們還是重返小澤一郎拜師田中、想要入門的那一段插曲談起。

自我期許甚高的保守改革派青年小澤一郎，當然頗具自負。他認為：「我小澤一郎是具有穩定的選舉地盤的二世候選代議士，既有父親的餘蔭，當選不會有問題，田中先生（當時田中第二度擔任自民黨幹事長要職）坐待家中不必花任何力氣，可以獲得年輕弟子的我，有何理由而不為？」

可是，從1969年3月，一郎利用各種管道，多次向田中求見都不見回音。不時還傳來「二世候補的政治家別以為有恃無恐而小看選舉，投身政治不是一件簡單的事」一類訓人的「重話」。

事與願違，陷於窘境的小澤，只好返鄉從基層做起。他一方面借助少年時期的玩伴，組成了「青年行動隊」；另一方面，又利用年輕力壯的體力每日拜訪百戶人家，再接再厲從接近選民的草根性活動做起。

1969年3月，小澤由他中小學同窗校友為核心的青年行動隊，在水澤市體育館主辦了「大家來談明日的日本」為題的時局演講大會，在這麼窮鄉僻壤的地方，熱心的聽眾把體育館都擠滿了，給了小澤很大的信心，老一代的鄉親彷彿在小澤一郎的身上再度看到他父親的身影。從此，小澤不但繼承了他父親所遺留的選舉基盤，還結合了青年行動隊所能動員的新生代草根支援勢力。這支由青壯老三代結合的後援組織氣勢，轟動了當年的日本政界。

4月正是東京櫻花盛開的季節，小澤未再找人引見，乘著大會成功的餘威，獨自駕車直驅田中私宅求見。

田中幹事長（等於中央黨部幹事長）並沒有一句歡迎來訪的客套話，反而嚴厲的告誡他：「選舉本質上要靠自力，勝選的捷徑只有一條，就是親自走入選區，讓選民真正的認識你，存有繼承前人餘蔭的想法，必然會遭到失敗。」

一郎默坐而聆聽，並不以此為悖，更不曾氣餒，他遵守師父田中之言，再返故里繼續歷練，力圖充實自己的政治實力。

快到暑季時，田中幹事長託人通知小澤：「把你後援會重要人士帶來東京，讓我和他們見面。」一郎立刻租了四輛遊覽車，滿載著他的青壯老三代的幹部們，連夜趕了500公里到東京目白的田中私邸造訪。

後援會的一行人，在田中家異口同聲的要求幹事長，提名小澤一郎做為黨的公認候選人，田中這時候才點頭，招呼他們進餐，同時播放了田中政治活動的許多影片給他們參考。

得到田中支持的小澤，在1969年12月27日的眾議院大選中，以27歲的新人，壓倒了老政治家獲得最高票當選，順利的走進了政界。

才華出眾但是沉默收斂的小澤，在他第一屆眾議員的任上，就與前輩代議士們，撰寫了約二萬字的論文〈保守政黨之體質改善論〉，被收進了安倍晉太郎編著的《自民黨改造案——為保守政權的明日而思考》〔《自民党改造案：明日の保守政権を考える》〕（1972年9月，讀賣新聞社出版），這本書的序文，就由已經出任自民黨總裁的田中角榮所題。

小澤思想的雛形或原點，可以追溯自這篇論文，慢慢演變到現在的《日本改造計劃》。這本書已由陳世昌君譯為中文，不必我再來解讀，不過我所介紹的是這本著作所以成書的時代背景，相信能夠對讀者諸賢有所助益。

寡言的小澤真正受到眾人注目，是在他被推舉為黨幹事長的1989年8月，當時他才47歲，比他的師父田中角榮第一次擔任幹事長的46歲，只多了一歲而已。

從1989年8月到1991年4月，他擔任幹事長的期間，正值世界的多事之秋。中國大陸發生天安門事件，東歐激變，蘇聯（包括蘇共）解體，美蘇對立的冷戰結構崩潰，波斯灣戰爭爆發，全世界的民族與國家，一夕之間失去了方向，大力開始摸索尋找自我的定位與世界的新秩序。

為了因應時代變化的緊急課題，小澤邀請了內外學者、評論家及菁英官僚們，組織了一個私人性質的研討會「二十一世紀研討會」，研究的議題廣泛，都是當今世界迫切必須解決的課題。

21世紀研討會的成果彙整成書，在《日本改造計劃》出版之前，就已經以「改革論壇21」的創設聲明，先部分公開於世。「改革論壇21」是在1992年10月28日，因為金丸信逃稅事件引發的竹下派分裂，小澤一郎與羽田孜主導的新派閥的最初名稱，也就是現在新生黨的前身。

日本政界的再整編將往何處去？變數仍多經緯萬端，但是大方向幾乎可以預見，在總保守化的主線上，極右與極左將日趨少數，而剩下的政治勢力，借美國的兩大勢力為模型，可以分成為「小澤一郎共和黨」與「河野洋平民主黨」（河野是自民黨總裁）兩大勢力。

從兩個代表人物的個性與政治理念，更可以區別出這兩大勢力的分歧：一為「改憲」對「護憲」，以及「政治大國路線」對「穩健自由主義路線」的對立。

38年來首次非自民黨聯合內閣的成立，推舉細川護熙為閣揆的幕後導演者，就是小澤一郎。沒有小澤一郎的深謀遠慮、出奇制勝的鐵腕運作，日本新黨與魁黨不可能和水火不相容的社會黨結合，更沒有今天的聯合政權，開啟了日本政界的重編大戲。

小澤一郎更靈活的運用政治影響力，捨除了自己以及戰友羽田孜，推舉了政治經驗還很薄弱的新黨黨魁細川護熙為首相，讓在野八黨派得以合作當政。這手怪招就只能出自於有特殊政客靈性的小澤一郎的政治細胞。

自古高才或異才必然遭嫉，許多的「政治敵手」對小澤一郎所展露的鐵腕政治，自亦難以接受。恐懼者因此批評他為「日本希特勒」，甚至還特別做人身中傷。他從來不加辯解，反而積極造訪，試著以溝通建立共識。已經被說服而成為好友的代表人物，有「連合」的會長山岸章。「連合」係指1989年新創立的「全日本民間勞動組合連合」，是日本最大的工會聯合組織。

小澤在政治組織上，雖然叛離了田中的自民黨，但在人際關係上不曾改變過尊田中為師，依舊執弟子之禮。田中因為貪污案第一審，共開庭191回，小澤是唯一全程旁聽、陪伴著田中受審的念舊弟子。

迄今，小澤及其新生黨的同伴們依然以田中為導師，田中的相片至今仍然懸掛於新生黨的本部。小澤認為，田中不曾善用派閥之力，來掌握住真正屬於他自己的政治權力，小澤自己也學習田中的教訓，拱手將有可能入手的黨總裁及首相寶座讓與他人。他視政治權力為手段，不曾當它是真正的目標，《日本改造計劃》一書，就明白告訴讀者，小澤的最終目標在哪裡。

我認為，我們都應該好好讀完《日本改造計劃》這本書，因為日本是我們重要的鄰邦，而未來左右日本去向的關鍵人物，就是像小澤一郎這樣的年輕一代政治家。

我希望親愛的鄉親們，在閱讀此書的同時，也能用腦筋想一想，日本代表性的政治家及其智囊團們，在研判21世紀的日本與世界時，他們究竟在想什麼？他們的意圖又是什麼？願我們對日本的政情研究，能從此更為繁榮，更為進步。

1993年12月25日

本文原收錄於小澤一郎著，陳世昌譯，《日本改造計劃．代序》，台北：聯經出版公司，1994年2月，頁5～17

輯四

台灣現代史課題

歷史中的照片、照片中的歷史

——《台灣殖民地統治史》代序

◎ 蔡秀美譯

林榮代先生是寫實派作家，並以民間學者身分而獲致許多實際成果。此次他將發掘台灣近現史作業過程中的副產品——照片予以彙集出版，真是十分難得。

如所周知，在日本的台灣近現代史研究是非主流的，同時也是難見天日的領域。

台灣處於日本帝國主義的殖民體制下，比朝鮮・韓國更早（始於1895年），且更長（50年間）。儘管如此，日本人對台灣殖民地統治的「罪惡意識」與歷史意識很薄弱。

進入秋涼時節的九月，第二次世界大戰後第50年夏天的「喧噪」快要落幕了。新的世紀——21世紀即將來臨，許多有心的日本人重新檢視第二次世界大戰期間的日本及日本人的行為應如何評價，在我看來，好像今年夏天消耗相當多的能量。我認為如何判定其具體的成果，尚有必要等待時間的「洗禮」。

今年1995年（平成7年），既是簽訂《馬關條約》的第100年，同時也是中日甲午戰爭結束的第100年。相關學會藉此一時機舉辦了研討會，試著重新檢視日本近代史上的甲午戰爭。

不怕被誤解地寫出來吧！第二次世界大戰後第50年與甲午戰爭後第100年兩者重疊，是否曾有試著在更深層的歷史脈絡上重新探究者，我則因孤陋寡聞而未聽說。

筆者旅居日本至明年已達40年。根據個人未成熟的經驗，一般而言日本人均喜愛歷史。不！也許說喜愛歷史小說、說故事較為適切。然而，儘管日本的政治人物為首稱「喜愛歷史」，但是真正知道歷史重要性的人似乎不多。日本友人們也時常以帶有自嘲的語氣說，日本人有健忘症。姑且不論其是否正確，中國人所看到的日本人一般都是「性急的」。

日本人以明治百年的超短期間趕上「西歐近代」，與其說蓄積，不如說像是撥出更多精力，急著接收流動的新事物，造成其後裔的「性急」，似乎也不無理由吧！

再過五年將進入21世紀，東西冷戰結束了。蘇聯也解體了。讓經濟成長的局限及隨之出現的「虛構」徹底暴露出來的是，泡沫經濟的崩潰、阪神大地震，以及關於奧姆真理教的種種事象。

自1949年10月1日中華人民共和國成立，迄至1971年4月14日中美乒乓外交展開，台灣海峽被視為危險的亞洲三大火藥庫之一。

從外部規範的國際關係之核心乃是中（大陸）美關係，自不待言。關於台灣海峽的國際關係於1970年代發生激變。中美接近→中日建立邦交→越南戰爭結束→中美建立邦交等相繼「融冰」。隨著一連串的變化，促進了情勢的平穩化。

然而，海峽兩岸的大陸地區、台灣地區之內部體制，以及兩岸的相互關係等，僅見緩慢的改善。

由於鄧小平再次復出與中共第11屆三中全會（1978年12月）的召開，大陸地區開始出現真正的變化。隨著「改革與開放」政策的展開，社會主義中國的實際情況也暴露在局外人的視野中。

另一方的台灣地區則隨著海峽情勢的平靜化平行前進，1970年代以降其經濟成長政策漸次步上軌道。缺乏資源之「島國」經濟的台灣，其貿易依存度愈來愈高。顯示不管願意或不願意，其國際化亦漸次深化。經濟成長的成果不久即壯大中產階級階層，並激起台灣住民的政治意識。開發獨裁的「成果」成熟後，終於出現開發獨裁體制本身從根柢被掘潰的好例子。

做為開發獨裁成功的例子，近年來台灣經常被提起。然而，若不注意台灣社會及其戰後史的特殊性，將看不到目前變化的深層。

最近，未經歷第二次世界大戰的世代人數已占絕對多數的日本，知道日本人曾經殖民統治台灣長達半世紀的年輕人很少。

何況甲午戰爭的結果，台灣本島和澎湖群島被中國清朝部分地切開，「割讓」給日本帝國，即使說幾乎沒有人知道此一經過，似乎也不為過吧。

姑且不論年輕世代，壯年以上的日本人在政治面上的台灣觀，大致可分成三個極端。第一可舉出的是，在反共＝反中華人民共和國的立場上，支持蔣介石、蔣經國父子政權的人。第二可舉出的是，台灣關係者，亦即與殖民時期的台灣有一些關係的日本人。他們大多數均是仍待在時光隧道，在對殖民地台灣懷著思鄉病的框架之中，繼續關注最近的台灣。第三乃是以1970年代以降於台灣經濟高度成長期向台灣發展企業的實業家為核心，而形成的新台灣關係者們。

最初主導台灣戰後經濟的國、公營企業，其前身均是日本資本的在台企業。殖民地時期禁止只有台灣人（八一五以前在台灣擁有本籍而居住的人，亦通稱為本省人）經營的公司。此係日本當局因恐懼台灣人資產階級的興起而發布的禁令。日本統治時代，台灣人地主獲准存在。然而，台灣人企業家終究無法獲得誕生的空間。

日本殖民統治以前的台灣，亦即是明清兩代的台灣，乃是中原中國的國內殖民地。以漢族在邊境的移民進行開拓的歷史局限是歷歷可考的。

漢族移民無止境地蠶食侵略既有的居民——當時稱呼為蕃人（移民以漢化的程度將原住民區分為生蕃和熟蕃）的生活領域。侵略者竟傲慢地將此一「事業」稱為「理蕃事業」，將此一紀錄稱為「理蕃誌」。

明治日本對台灣進行的殖民地化，一方面繼承了明清兩代的台灣統治。當然同時在另一方面，也將符合日本的殖民地統治形式的統治體制進行改組和強化。

日本當局，直至霧社事件（1930年以泰雅族為中心發起的武裝抗日事件）爆發為止，仍沿襲明清時代的作法，將台灣的「原住民族」，總括地統稱為生蕃和熟蕃。

也許是因為害怕霧社事件中「日本人皆殺」的怨念之深，日本當局遂正式廢除上述的差別性稱呼。改稱生蕃為高砂族、熟蕃為平埔族。

古今中外的政治史中，統治者邏輯的恣意性格赤裸裸地留給我們。尤其是統治者為異民族的時候，其恣意性更加提高乃是通例。甚至可見到的是，當統治者的統治機構之屬性越近代化，則其統治及為此而進行的動員邏輯將更以道德的糯米紙，「漂亮地」包裝並施行之。做為殖民地統治之母體的國家越近代化，則統治政策的施行將採取更有組織的方式，其破壞範圍甚為廣闊，也更加暴力。

1492年，哥倫布到達「新大陸」。從此，西歐人持續地席捲非西歐的世界，並試著推動歐洲化，以建構所謂的世界史。

以近代國民國家所進行的近代殖民地經營，可說與這裡所說的世界史的形成相連動，做為人類史的一部分而展開。

明治國家的興起，也是世界史形成在東亞之顯現。開始於明治日本時的台灣統治，我認為有必要在此一歷史主脈下掌握其實際狀況。

林榮代先生嘗試進行台灣高砂義勇隊的寫實性紀錄工作，乃是基於日本人的良心的營為。只要一讀已先出版的《台灣第五回高砂義勇隊》〔《台湾第五回高砂義勇隊：名簿・軍事貯金・日本人証言》〕一書即可明瞭。

本書序文中，林先生敘述其發自肺腑的話語：

> 在本國自私的侵略戰爭中，日本人迫使其他民族上戰場，並剝奪和犧牲許多生命，戰後經過了半世紀仍未有日本人對此進行反省，實在是可悲的事。當國家像發狂般地開始發動戰爭，國民就被捲入軍國主義的風暴之中，人類本有的理性與對和平的希望也一併被壓碎了。爲了國家的利益，也變得不關心其他的

民族。

目前，以利用台灣獨立運動的表面熱潮之方式，倉卒的台灣研究突然流行起來。我希望這些年輕的研究者們務必細讀此一良心的發言。

寫真〔譯註：即照片〕具有照出「真實」的語意，寫真長久以來被認為不會說謊。果真是如此嗎？

在一般庶民無法擁有照相機的階段，以及在民眾無法成為照相主體的條件下，照片做為資訊操作的手段而被統治者所活用。

在明白此一局限之上，林先生收錄於本照片集的照片很珍貴。姑且不論照相的契機，照片實在為我們顯示日本統治台灣的高砂族——少數民族之實況。

可以聽見以舊殖民地體制下的高砂族為中心的台灣民眾真正的痛苦和呻吟。並可以感覺在日本的皇民化運動中，不知不覺不能自己地被囚禁進去、無處發洩的悲哀，從照片中顯露，令人以這樣的心情去解讀。

殷望台灣原住系的年輕台灣人精讀本照片集之後，能為自己的「覺醒而奮鬥」，並活用本照片集。順便一提，台灣當局已開始使用「原住民」，做為台灣少數民族在法律上的新名稱。他們以人類學上的九個系統，並在語言、社會組織甚至生活方式仍繼續存在差異之情況下，通稱台灣少數民族為「原住民」，我認為這並不妥當。與其稱為原住民，我寧可將其定義為先住系台灣人。（參見拙著《台灣總體相》〔參見《全集》2〕）。

本寫真集也是做為解明日本統治台灣全體像的貴重資料，自不待言。關於台灣的殖民地史研究，現在正出現將之置於世界史的視野中以進行比較的課題。在此一意義上，本寫真集的史料價值也很高。茲特予推薦。

本文原收錄於林えいだい編，《台湾植民地統治史》，福岡：梓書院，1995年9月25日

台灣現代史上一個重要的課題

——林照真《覆面部隊——日本白團在台祕史》序

現代史因為還未經過時間沖洗，很多部分都不夠透明，像謎般頗難掌握真貌。而台灣又因為威權時代，言論自由、學術自由受到相當限制，禁忌太多，以致有關現代史真相的建構更是困難。這本有關白團事蹟的書，據我所知是中文版《白團》的第一本，但白團卻是台灣現代史上一個很重要的研究課題。

白團在台20年，在本書發表前，距離這些日籍軍官來台已經過了47年，現代史經常會引發人們對某一政治事件的反彈情緒，但在事隔相當時間後，一些解讀歷史不需要的情結與情緒，反而可以被時間沖洗。若能保持一定距離冷靜地凝視，將發現如今談台灣史應該有幾個角度：

首先，國府中央遷台這個部分的台灣史，以官方術語而言，即是中華民國在台灣的歷史，或是台灣在中華民國的現代史，這也是台灣史的一部分，但是在前幾年根本不能有這樣的說法。

現在台灣史變成顯學，但傾向台灣獨立的朋友對台灣史的解釋又是另外的意涵，如果不先釐清這樣的歷史背景，了解白團事蹟其實是從國共內戰後期展開，也牽涉到國府抗戰事後的處理，白團的主要活動地區是在台灣地區（包括金門、馬祖），因而又與狹義的台灣史間存在微妙的差異。

顯然白團取名便是因為反對紅色共產黨而來，不是因為台灣而命名，是蔣介石領導下的國府政權和戰敗的日本將軍們共譜的反共故事。

要特別指出的是，美國曾經發表《中國白皮書》，反映美國人利益而出賣國府，但在台灣一般老百姓、知識分子對美國支援國府、提供美援總是從善意解釋來的，完全忽略美國原意從美東轉型到美西、而逐漸繼大西洋國家兼太平洋國家的史實，最終目的無非是覬覦中國大陸的大市場。

但因為美國起步慢，雖曾經有過「門戶開放」政策的展示，然戰後西歐列強與日本已退出大陸，為建立美國在大陸獨占的局面，自然設法在毛、蔣之間取得平衡才符合他的最大利益，情況就像今春大陸對台軍事演習，美國既不希望台灣反攻大陸，也不希望台灣被大陸吞併，當年的這種基調甚至到今天都不曾有所改變。

白團故事，也反映蔣介石權謀深算的一面，過去國民黨的黃埔軍校生，身經北伐、抗日、剿共多場戰爭，軍官受訓幾個月便要上戰場，一直都是邊學邊打；當國府軍隊在國共內戰敗下陣來退到台灣後，蔣介石為建立強而有力的自保及反攻部隊，留日的蔣介石有意引進他所熟悉的日本的軍事戰略與戰術，任命留日且資歷尚淺的彭孟緝負責白團在台的聯絡工作，就是想藉著彭孟緝與軍方淵源不深的角色，來促進軍方新陳代謝的目的。並且在此同時，欲與在台的美方軍隊勢力保持平衡，以致後來才會引來美式派陳誠與孫立人等人的反對。

在反共、冷戰的大背景下，日本軍官來台固然是為報恩，但實際上戰敗的日本舊軍人受到社會歧視，連生活都成問題。來台施展軍事所長，是為了維護日本的天皇制度，不可否認也有他們個人的目的。而蔣介石也計畫藉著白團日本軍官來穩定及振興軍方士氣，讓他們知道連打敗仗的日本軍官都來台灣拔刀支援了，大家何必氣餒再向外跑。

白團是承繼蔣介石之「華日關係」而來的日本軍事顧問團，當這些日籍軍官來台灣時，才發現台灣民眾不像韓國人、東北人那麼反日，但自白團所體現的華日關係卻有大不同於目前台灣所謂的「台日關係」；有些日本人感念蔣介石的「以德報怨」，華日關係是因蔣家政權而來，他們沒有李登輝情結，對於台灣前途看法頗與台獨派不同，當今華日關係如何本土化，該係另一個課題，是加強台日關係很重要的一層思考。

而且白團這個軍事顧問團非常特別，它不像一般企圖控制本土權力的軍事顧問團，也不是為販賣自產武器而來；蔣介石處於美日間，先靠美國提供服裝與武器，然後再靠日本重整軍事教育，加強軍隊素質及建構動員機制。美國人有豐富的武器、彈藥，看到敵方目標便習慣性一陣亂轟，這名謂「強者兵法」；但蔣介石自認國府軍物質上之短缺，並堅信「弱者兵法」與強者兵法不同，在這方面他以東方式思考，比較相信日本，而靠常備兵訓練建立的動員制度，則是白團軍官留給台灣最大的軍事貢獻。

透過白團這段史實，可以知道1950年代蔣介石意圖反攻大陸的大陸政策內涵；美援與白團，一在明來一在暗，那個時候，美國顧問團團長蔡斯（William C. Chase）即使不甚同意，但也在不違反美國利益的情況下，只能睜一隻眼、閉一隻眼。

有關白團在台灣的史實探討，原本應是一個重要學術研究的課題，我個人雖然是第一個提出此問題的研究者，但是因為過於忙碌，反而沒有辦法把它完成。而台灣在言論自由後，記者活動特別活潑，這個議題由《中國時報》資深記者林照真小姐完成，我知道她花了很多時間採訪與搜集資料，埋沒多年的歷史事蹟才能以熱鬧新聞的面貌出現。這讓我有一個感想，平時學術與傳媒間應該分工，但藉著此一模式，讓人深覺學術（academism）與傳媒（journalism）間，應能建構一個知性共同體，並期待兩者之間在未來建立更多的互動與合作關係。

本文原收錄於林照真，《覆面部隊——日本白團在台祕史》，台北：時報文化1996年7月20日，頁3～7

台灣現代史的深層

◎ 林彩美譯

1995年，對台灣而言，這一年將成為重要的歷史節眼，當然不只是就一般的「世紀末」的文脈來定位而已。

這一年也是日本帝國主義自1895年起殖民統治台灣，到1995年的第一百年。隨著日本戰敗，台灣復歸中國，國民黨政府繼承統治台灣第50年。如眾所知，蔣家獨裁政治落幕，台灣出身的李登輝總統就任，並試行「新政」，使新型態的中國人的民主政治步上軌道的第一任期，在這一年也即將屆滿。

大部分台灣的內外觀察家都認為，此後三年，對台灣將是重大變化的歲月。

而多數的中國觀察家也認為，就中國人而言，此後十年有最好的機會，若讓良機逝去，對中國人來說將再發生混亂及分裂，挫折及悲劇也可能襲來。

無論如何，1949年秋以來，隔著台灣海峽經歷抗爭、對立、對峙的中共政府與國民政府，和解之兆已見，情勢開始在動。人的交流以及文化、經濟面的交流都已在深化，雙方於1993年4月末在新加坡舉行辜汪會談，相關者及有心者都注意著會談後會產生什麼結果。大家都知道，台灣島內存在著獨立的聲音，媒體也報導了參與海峽兩岸關係，懷有意志及實力的政治勢力中出現了民主進步黨。

長期以來，在蔣家國民黨獨裁政治之下，受到壓抑的自由及政治參與、社會參與的熱望一鼓作氣地噴出：「台灣人愛（要）出頭天」的口號，使台灣政治的熱情爆發出來是近年來的情況。

「台灣人愛（要）出頭天」的意思，就是台灣人要有「自己的主張」，要「確立自己做人的尊嚴，確立自己的獨立性」，要「與壓抑對抗，要回復做為人的狀態」。

不用說，「出頭天」是有連結成獨立運動方向的可能。但是也有其他的可能，或許可見到包括台灣的民主化、與大陸的民主統一，包含等待大陸的民主發展、經濟發展為前提的統一志向等，隱藏著多元方向的可能性，這樣看應該是不會錯的。

不管怎樣，台灣或是與大陸分離而獨立，或是兩岸統一，或是兩岸組成鬆散的聯邦還是邦聯（國家聯合），我認為對於東亞情勢亞太區域的和平及新秩序會產生很大的影響，這是無庸贅言的。

在這意義之下，所謂「台灣問題」，將不只是中國國內的問題，也更加體現更濃的「東亞問題」、「亞太圈問題」，甚至「世界問題」的色彩。

立足於「台灣」，從台灣人民的立場，對台灣而言的「世紀的轉捩點」上，我希望能在包括政治觀、社會觀、價值觀（包含生活方式的糾葛與心性），以百年的射程做總結，在其深層加以省察，嘗試展望，尋求明日台灣的相貌、中國的相貌，以及兩者間關係應有的狀態，這是本書的根本目的。

本文係為未刊稿，應係為某書之書序，約寫於1995年

評呂實強教授〈孫中山先生析論馬克思主義的歷史意義〉

當我收到評論呂實強教授的大文邀請電話時，即刻浮現在本人腦際者為以下三點：⑴呂教授的專業業績不見有過孫文思想和馬克思主義相關之研究。但在本屆國際性研討會（有外國學人專家參加）居然提出〈孫中山先生析論馬克思主義的歷史意義〉當然係「有備而來」。應該不欠缺新觀點抑或切入點；⑵台灣地區的馬克思主義研究，據我的管見寡聞，也不過是近七、八年之事，既往看了《資本論》還得冒被送到「火燒島」之險，我懷著一種好奇，究竟呂教授將在何種社會氛圍及學術上的共通基礎上談他的「主題」；⑶後學在很偶然的機會購進了正中書局在民國56年（1967）10月出第二版的《國父思想與近代學術》一書。該書中的第六章為「民生主義與共產主義」（係羅時實先生所執筆）。我還記得，當年（1960年代末期）看完羅文時的感動。斯時根本不知羅氏為何許人（補註：大會作此評論時仍然不知，最近看完了《溫哈熊先生訪問紀錄》【中央研究院近代史研究所，1997年10月版】頁220：「余伯泉有個好朋友叫羅時實，此人也是中央委員，留學英國……云云」才恍然大悟。所以大悟，在於羅文中的註釋三【同書之頁361】提及威第和格【Karl

Wittfogel】*的《孫文與中國革命》〔《孫逸仙と支那革命》〕一書及羅本身和威氏的交往。威氏在1920年代中葉至1930年代的有關中國研究的一系列論述轟動學界。威氏斯時屬於第三國際亦屬於以法蘭克福學派而揚名於世的「法蘭克福社會研究所」的一員。詳細請參照G. L. Ulmen, *The Science of Society: Toward an Understanding of the Life and Work of Karl August Wittfogel*【Mouton Publishers, N. Y., 1978】）。我亦好奇，呂教授將如何超越羅時實先生的業績。

評論人非常感謝大會主辦朋友，促使我能重新細讀孫文先生的民生主義及再乙次翻閱相關書籍。人總是懶惰的，尤其如我這一類平凡之士，沒有「刺激」頗難有再讀非我專業之有關文獻的契機的。

拜讀了呂教授的論文及其註釋後，後進認為呂先生此次的報告該分類為「暖身之作」一類。至於題目定為「孫中山先生析論……云云」，我認為不甚恰當。眾人周知孫先生非屬於學界人士，他在其演講——民生主義，不曾作過析論馬克思主義的。他只不過借用威廉（Maurice William）的社會史觀（social interpretation of history）來比較馬克思的唯物史觀而已。更寶貴的卻在，孫文先生藉他所熟悉的福特汽車公司的工業經濟原理的實例，來駁馬克思盈餘價值理論。三民主義原本係由演講而成。務實的革命實踐家孫文先生的演講，深入淺出並具有滿腔改革中國現狀的熱絡氣氛，迄今仍然教讀者熟讀時不斷地有所感受。

---

* 《全集》譯文中，統一譯為魏特夫（K. A. Wittfogel）。

藉這個機會，後進另外想提示，孫文先生所作民生主義演講時的時代背景，尤其是1922至1924年中國北方的政治情勢。

呂教授提出民國13年也就是1924年在中國近現代史中的重要性。在當今不甚健康的社會氛圍下，特別值得我人讚揚。若能另外指出「奉直戰爭」也就是張作霖與吳佩孚（馮玉祥為吳陣營的大將）的一戰。斯戰背後潛藏有帝國主義間（日本vs.英美）的抗爭。張作霖的敗退加上了1923年9月1日的日本關東大地震的波及，日本帝國主義對華的毒手只好暫時縮回。吳佩孚占據北京，不久，1924年的第二次奉直戰爭又受馮玉祥的倒戈，吳只好沒落，北方局勢因而大為鬆綁，提供了孫文先生為首的革命勢力新的空間。在此不能忽略者係第三國際的成立（1919年）。第三國際的世界革命戰略的焦點開始伸到中國來。中共的結黨（1921年5月）和第三國際在中國的活動，加上蘇聯革命對中國革命青年之影響逐漸擴大。

孫文先生民生主義的歷史性演講（1924年8月3～24日），正是這一種世界暨中國的思想潮流下而所作的。

眾人周知，孫文先生是反對階級鬥爭的。他認為中國所患者是窮，是生產不夠發達，這才是首要問題。並不認為問題的根源在於「所有」。也就是說，問題不在於，因「所有」而所衍生出的分配不均為問題。只能先解決窮＝先富，才能談分配的問題。當今的我人可藉此思考朱堅章教授剛才的演講所提的核心問題。孫文先生在他革命實踐運動的百忙中，一貫地關注歐美的第一國際、第二國際以及第三國際的動態（當然包括其內紛）及其影響和教訓，教我人敬佩，他的國際觀是出眾的。

務實的革命實踐家孫文先生，他主要關注者並非在於「析論」，而是在如何活用蘇聯（包括借鑑其革命之成果）及第三國際所帶來的革命性「能量」，並藉其圖謀凝集中國革命的「能量」為己用，才是其真正所渴望者。

最後，我得指出孫文先生並不反對資本主義的開展，只是在主張改良資本主義。他認為馬克思只可說是一個社會病理家，不能說是一個社會生理家，這一觀點是否出自於孫文先生學醫的歷史背景而來。這是我最後要請教呂教授的一個問題。（謝謝各位，妄言多謝！）

本文係未刊稿，於「孫中山與現代中國學術研討會」之講評文，1998年1月3～5日

讀平川祐弘〈爲何有「漢奸」而無「日奸」〉有感

◎ 李毓昭譯

首先我想要恭喜平川〔祐弘〕先生獲頒紫綬褒章。

又先生「暢通無阻」地（基於我恣意的判斷）採用將小泉八雲和周作人對置以專門手法，若無其事地給了我們中國知識分子一記當頭棒喝。我把它當成是這次報告的意趣。

不用隱瞞，平川先生和我是同年出生的，我是喜歡閱讀先生最早的著作《和魂洋才之系譜》〔《和魂洋才の系譜》〕之讀者。我的問題意識出自中國洋務運動（近代運動）中的「中體西用」（中學為體，西學為用）與日本的「和魂洋才」之比較解讀。

近代日本的形成過程中，首先可以確認有「和魂漢才」→「和魂漢・洋才」→「和魂洋才」的營為。我曾在三木〔武夫〕內閣的永井道雄文部大臣組織的「文明問題懇談會」席上，以委員的身分發言，宗旨如下。報告說日本即將迎向21世紀，將會走上或勢必會走上「和魂和才」之路。（收錄於桑原武夫等人所編的《歷史與文明的探求・上》〔《歴史と文明の探求》・上》〕，中央公論社，1976年6月）

話說回來，日本的標語中有和魂、大和心、大和魂即是靈魂、精神。換言之，要引進「才」（才智、學問、知識）的自覺的主體的存在常是此前提。

希望我沒有誤會……中國和日本不同，不知道為什麼，一般都會疏忽「心」的問題。「中學為體」的「體」可以解讀為基礎或基本，「西學為用」的「用」則是「應用之用」。

因此，依我的解讀，平川先生將小泉八雲視為能逼近日本人之靈魂的外國人（儘管他已經歸化），給予高度評價，不惜勞苦重新定位。至於關係到周作人的「悲傷」，我想在這裡只就「漢奸」的判決來談。關於該審判，有一本方便的日文書籍，即益井康一所著的《漢奸裁判史：1946～1948》（みすず書房，1977年4月），與周有關的部分在頁151～157。

又中國人社會正處在近代法治國家形成期（設定為從清末至包含文革的期間），在法律審判和政治性制裁之間，或前兩者與社會性制裁之間，如果說存在著相當大的差距並不誇張。

我妻榮先生是日本有名的民法學者，他說一板一眼是法律的生命，眾所皆知的「法律之前人人平等」是近代法的大原則。

在台灣，「情、理、法」仍是一般人的常識，社會通常不接受「法、理、情」。人民依舊屈從於「權勢所趨處，財富移動處」，而不忌憚。因此至今仍有很大的呼聲，要求社會各方面的民主化。

時代狀況（尤其是政治情勢）緊繃時，人民會大聲使用激烈的言語。一般而言，中國人吵架多半僅止於互相叫罵，不太會動手。要注意的是動手打人就是輸了這種社會習性。

如同平川先生指出的，大陸正在重新評價周作人。這方面先撇開不提，我知道早在「解放」後的1952年8月，人民出版社就曾委託周翻譯希臘和日本古典文學（文潔若著〈晚年的周作人〉，向弓主編《在家和尚周作人》，四川文藝出版社，1995年5月第一版所收）時，老實說我真的嚇了一下。我深切感覺到，像我這種在台灣出生、在日本舊制殖民地初中念到二年級時戰爭結束，並於1955年秋天渡日留學東大農經系的人，對中國人的理解，與日本學者本來就沒有多大差別。

上述文潔若的回憶中，還提到錢稻孫（日據時期的北京大學校長，在漢奸審判中被判處十年徒刑、褫奪公權六年）也同樣擔任人民出版社特約翻譯員，藉以維持生活。

至於文革中的周作人（88歲時）則沒有觸及。對照劉少奇、彭德懷等中共高幹悲慘的死，認為文人周作人的不遇或悲劇仍值得一提的人，大概也只有自嘲為白面書生的我輩吧。

當此之際，可以說一般人民都已覺得「文革已遠矣」，而不在意地汲汲於日常的物質生活。

平川先生藉著周作人1920年代在《晨報》寫的「親日派」（10月23日）給了我們一記當頭棒喝。在此引用此稍長的段落：

> 中國並不曾有眞的親日派，因爲中國還沒有人理解日本國民的眞正光榮，這件事只看中國出版界沒有一本書或一篇文章講日本的文藝或美術，就可知道了。日本國民曾經得到過一個知己，便是小泉八雲，他才是眞的親日派！中國有這樣的人麼？我慚愧地說，沒有……

周作人寫的雖然是大陸的情況，卻幾乎與當今的台灣無異。歷史總是愛開玩笑。如果周作人沒有在大戰後受到以「漢奸」為名的社會與政治制裁，他能夠留下卓越的日本文學譯業嗎？談歷史時，「if」是禁忌，但此時此刻不免讓人作如是想。

司馬遷的「宮刑」促成《史記》的誕生，如此殘酷的故事也在近現代的中國和台灣之地（柏楊一連串的成果是其中之例）重演。

平川先生在論文中表示：「大陸文化容易流於自我中心、自我完結。」許多人在說明中華思想的根源時，往往無法克制想引用上述理由的衝動。

我採取側面的立場，設定擴散（大陸國家的邏輯）vs.收斂（島嶼國家的邏輯）的圖式。

由於是擴散，所以無法自我完結。「專制主義」所揭舉的是自我完結的政治目標，再依此幻想或虛構沉溺於榮華。對「四字成語」的美辭佳句自我陶醉的事實在太多了，內在是空虛的。要說這是「外華內貧」並不為過。平川先生指稱的「強制附和」應該就是紅衛兵運動中，手持「小紅書」（毛語錄），歇斯底里大叫的狀態。沒有人真正看過那本書。巨大的虛構雖然震撼了世界，大多數中國人仍巧妙地熬了過來，直至現今依然有12億人匍匐在黃色大地上生活。

印尼、菲律賓等多島嶼國家是例外吧，大家都知道，像以前的英國或與日本差不多的島國，只要條件齊備，就是最適合近代化的規模。我認為應該把英國病、現今的日本病症候群、EU（歐盟，European Union）和統一貨幣歐元的出現（1999年1月1日）

等政治哲學對比放進思考範圍的日子已經近了。

人類至今仍缺乏有效方法來統治歷史悠久的大陸國家。「大國」的虛張聲勢雖然可以膨脹，但內在是空虛的，可以形容為「渾沌狀態」，也有人稱之為「黑洞」而畏懼。站在百姓之上的一小撮讀書人享受著在虛飾世界中醉生夢死的生活。可從收斂型日本知識分子身上看到的向學心和飽滿的「敬業精神」（對內面化的工匠精神與職業倫理的尊崇），很難在擴散型中國讀書人的內在駐留。只要是凡事講求功利主義和精打細算的社會，一般人就會對博士學位的身分感興趣，而拚命去取得，有志於真才實學的清高人士數量比大熊貓還少。很遺憾，這就是我們所置身的狀態。這裡暫時要把經常必須與國際競爭的自然科學除外。

人類已經陸續取得大型電腦、航空照片、近代化大量運輸工具、間諜衛星、巨大的核融合能源。克服那些負面因素之後，我預料不久的將來，就有可能將這些技術用來統治如渾沌黑洞般的大陸國家。

我從平川先生的報告中得到啟發，而產生以上的感想。雖不甚成熟，但謹藉此表達我的意見。感謝各位聆聽。

本文係爲未刊稿，於亞洲展望研討會上之發言，1998年11月8日

【附錄】
平川祐弘討論會

◎ 林彩美譯

在這次的報告、平川先生運用自己所專攻的比較文學與比較文化史的手法，暢通無阻地將小泉八雲*與周作人做了對比，若無其事地手持匕首對準我們中國人知識分子，是否有這樣的意味——我有深刻的領會到。

我研究台灣史，經常抱持著——為什麼擁有長久歷史的中國這個國家會處在如此淒慘的狀況——這樣的問題意識。其中的關鍵問題是洋務運動也就是近代化運動。從而我把清末與日本的德川幕府末期到明治維新做一比較，而想著某一個事情。就是有關當時日本的口號「和魂洋才」與中國的口號「中體西用」（中學為體西學為用）。

以前我受了平川先生的著作《和魂洋才的系譜》大受觸發。「和魂」在戰爭中被解釋為「大和魂」強調了負的一面，但本來應與「大和心」有關聯。以現代式的艾力克生（E. H. Erikson）的概念來說是確立自我認同的問題，我以為「和魂」是擁有確立自己存在為前提的柔軟心性。因為有這個所以接納中國的東西，接納外國的東西，雖受當時的世界狀況的影響不免有些歪曲。但都能巧妙主體性地用別的方法解讀將之適用。然而中國人不善於用別的方法解讀。特別是對日本。中國人始終以為日本文化的根在中國。常以這種夜郎自大的態度來面對是大概的情

* 小泉八雲（1850～1904），文學家。英國人，本名Lafcadio Hearn，出生於希臘，1890年到日本。與舊松江藩士的女兒小泉節子結婚之後歸化日本，在松江中學、五高、東大、早大教英語、英國文學。以英文發表有關日本的印象記、隨筆、物語等。

況。因此不能理解日本與日本人，我有這樣的感覺。而平川先生很巧妙地指出了。

曾經有這樣的事情。當我把被稱為日本資本主義之父，澀澤榮一的《論語與算盤》（演講集）在台灣做了介紹時，台灣的企業家幾乎都表示驚訝。對於《論語》與算盤在日本既然被連結在一起，這事是他們完全無法想到的驚訝。因為澀澤的邏輯在中國人之間是不可能成立的。本來商業是以「爾虞我詐」賺錢的，所指望的是「利」。但是論語是談人與人的關係，以談論人際關係為主的言論集。何以《論語》與算盤能連結表示疑問。當時那個場合是國際學術論壇的小組會議，對於我所做的報告，台灣的學者也都不禁啞然，哈佛大學的杜維明教授也在場，他好像也很驚訝。其實杜維明先生們在做的日本儒學研究只是專門做丸山真男先生成果的翻譯而已。丸山先生雖是了不起的學者，但是日本人的儒學研究者此外還有很多。日本的儒學研究者在做什麼呢？也還是在重新掌握儒學在日本被接納的過程中如何以別的方法解讀的問題。所以，日本人在近代的形成過程這種「改讀」（以別的方法做解讀）的能力與精力的存在，我以為特別是自高自大的中國人必須虛心袒懷地領會。

自清末到文化大革命以至當今問題重重的中國，至今還處在近代法治國家的形成期。從法治的側面思考，在中國社會基於法的裁判與政治制裁之間，或者基於法的裁判與政治制裁與社會制裁此三者之間有相當的差距。

日本民法學界最高的權威我妻榮先生以前這麼說：「死板的規矩是法律的生命」。的確如此，死板的規矩自身是法律的大前提。近代法的大原則是，「所有的人在法律之前是平等的」。然而在中國是行不通的，經常被修正。在日本田中角榮被逮捕時，台灣人非常驚訝，「好厲害！這才是法律。那麼我們的法律到底是什麼」如此自問。

志向自我完結的中國大陸

台灣的事物至今猶以情、理、法的順序在運作。這依然是一般人的常識。本來所謂法治國家是法、理、情。然而我們的社會不接納這個，李總統似乎在努力，但還未常識化。所以，現在的台灣人人毫無忌憚地屈從權勢，趨向錢財。我以為這種含糊與周作人的不幸遭遇有很深的關聯。

我在前面所以說「被持匕首相對」，原理性地思考就如上述。「情、理、法」的狀況，現在還根深柢固地存在於中國大陸與台灣。而悲哀的是我們至今還沒有一本像樣的有關日本的書，感到非常自責。

而反過來想，周作人所處的狀況，在台灣與大陸幾乎一樣。雖然談歷史「假設」是禁忌。但是如果周作人未以「文化漢奸」被彈劾而可以自由地活動，是否能留下這麼多周作人所作出色的翻譯呢。比如司馬遷受宮刑而留下《史記》。台灣也有例子，作家柏楊因捏造的罪名而被關在白色恐怖牢獄12年之故，留下一連串的成果。出獄後還領導人權運動。

平川先生說：「大陸文化是自我中心因此容易變成自我完結」。其實，大陸的邏輯是擴散的邏輯、島嶼國家的邏輯是收斂的我將之圖式化來思考。理想是，大陸國家以自我完結為目標，但那是完全的虛構，因太大要內實化很困難；而相反地島嶼國家卻容易收斂、容易匯集能量，所以德川幕府所累積的能量在明治維新爆發而變成其原動力。

在這意義之下，考慮大陸國家與島嶼國家時，要一邊把擴散的邏輯與收斂的邏輯相較，包含今後大陸國家要發展成什麼形式，台灣採取那一條路等，都需要做種種思考。

本文原刊於《諸君》，1999年4月。僅收錄戴國煇的發言

評何耀華〈論孫中山的民族主義〉

非常感謝主辦單位給我很好的機會，再惡補一次孫文先生的民族主義一共六講，重新閱讀。

沒想到何副院長那樣年輕（是61歲），在大陸可能善於保健。我雖然馬上就要滿68歲，不是向您賣老，我認為兩岸關係能對話便是進步。但是我希望往後能交鋒互相挑戰，不然開這種會僅是枉費時間，浪費預算。

我拜讀了以後，我發現副院長只談到第五講。不涉及第六講，將給我們帶來的訊息即便是不要讓「分離主義」者利用。但是要談到21世紀之新的民族主義，我相信大陸現在再也不能走回頭路，只能繼續走下改革與開放之路。

我們都知道在1996年之亞特蘭大的世運上，新發現了很多國家的國旗及名字，從來沒有見過的國名難於記憶。這個現象其實是孫中山先生老早在其新民族主義（一全大會的宣言）給我們的啟示。換句話說它給當今世界帶來的世界性的現象。據我未成熟的了解，孫文先生的舊民族主義是，提倡五族共和，把滿、蒙、回、藏同化於漢族，然後發展出一個大中華民族主義為主要內容。迨至一全大會宣言，他主張承認中國內諸民族的自決權，由諸民族之「自由連合」築構多民族集合體之中國民族。這個新民族主義係具有反帝國主義內涵的。蘇聯的史達林主義、還有東歐的社會主義，既往靠的是「以力壓人」並非「以理服人」之建國或治國，只好崩潰，在強權高壓下的民族終究要「造反」的。照當前台灣的語言是「出頭天」，大陸還該可用「翻身」一詞來套用。我在國外很久（41年），很注意國際間的訊息，但要記起先前所舉的新國家的名字都非常困難，這個現象來看，當今世界極端的傾向分化。但是今天我們在場有鄭竹園名教授在他近年提倡「中華經濟圈」，下午大概可能聽到他的高論。他的中華經濟圈的構思可以說是反「分化」而走向「統合」之路的。除了中華經濟圈外，我們在歐洲早已呈現同一類的趨勢及走向。

歐盟（EU）便是。在EU為基礎，1999年1月1日，歐元（Euro）已經誕生，雖然還不夠明朗化，但這個表示了什麼，既往的國民國家和民族國家（Nation State）正遭受著新的挑戰，他們過去鬥得半死，好不容易才建立的國民國家的框架已逐漸失效。他們發現已不能適應，所以他們要建構Super Nation，這兩個方向究竟是矛盾的呢，或是人類走向的弔詭之一種表相。還有一個比較沒有受到注意的就是原住民抑或少數民族，因為人口是極少數沒有能力建構自己的國家。或者過去沒有過，以國家型態出現的一些弱勢族群或弱勢者的人權，我想這一部分的自救訴求很快就會向強勢族群、強勢者或強權者提出「出頭天」抑或「翻身」的訴求及挑戰。在這個切入點來講，我期待著何院長能夠告訴我們，在大陸經過49年的經驗，他怎麼修正孫文的民族主義或者利用馬克思、列寧的民族問題之解決方法，但是他的論文沒有告訴我們有關這些的任何一個字。

我們該知道孫文先生的民族主義是動態屬性的一種主張。因為他先是職業革命家，後才成為思想家，他並不是學術界人士。在1924年以前，他所主張的是舊的民族主義。1924年1月在國民黨第一次大會的六講，該可以當他的新民族主義來看待。他在總結他的民族主義時所達成的最高深境界。但，這個理解也有些問題；好像美國的人口100年以後將增加為10億人將會把中國打敗，其實我們中國有12億人口，和他預測完全錯誤。另外他很樂觀地把移民到美國的人們視為將成一種新民族，可以叫作美利堅民族。其實並沒有出現如他所冀望的「進化」抑或「演化」，對這些我們應該做學術性批判；但是我們一直對孫文學說沒有過批判，大陸學界若站在真正的馬列主義立場的話，過去應該有所批判，若有批判，為什麼您們不到台灣來講清楚，讓我們能夠學習，相互激盪讓我們把它綜合，並創造性的來繼承孫文學說，發展孫文思想。

我們都知道現在全世界大概有四個和我們的國土面積相當規模、但人口比我們要少得多的國家。第一個蘇聯崩掉了！USSR那是一個聯邦，我們簡稱蘇聯。USA基本上是美國聯邦，但是我們為什麼那麼崇拜美國，稱呼為「美」國，日本倒是把美國看成比較客觀的存在，日本人僅叫它為「米」國（一笑）。

歐盟已略略提過。另有西南亞的印度，它在渾沌狀態，在此就不討論它了。

我們若不把孫文先生神格化，一直追索他民族主義主張形成過程的話，我們不難發現，身為革命家的他，所面臨的迫切課題，在於動員及凝聚革命的「能量」，並不是我們學界人士可以隨便用觀念論或學說來套它的。所以它需要變化，孫文先生那個時候怕年輕人，不講民族主義直接跳至世界主義，但是他沒有講明世界主義是什麼？世界主義，世界的英文講的Universal或者是Communism（共產主義），他沒有講，但是他也講無政府主義，界定的很清楚。現在蘇聯垮掉了，以後的確孫文先生講為什麼應該先有民族主義，沒有民族主義的人套世界主義一定完蛋！我們大陸的朋友沒有指出來，所以不是能夠隨便跳的。應先把正面的民族主義先鞏固才能談其他。

新的挑戰來了，台灣有個新興民族主張。但是台獨的朋友們若好好看孫文先生的民族主義，的確可以利用孫文先生，因為孫文先生早把美國人當作美利堅民族、新興民族來看待。其實這在社會科學，並沒有變成通論抑或常識。我們一直認為美國沒有民族，僅有人種、種族，但是孫文先生那時不曉得為什麼這樣寫？美國人已經變成新興的民族。所以我想台獨、民進黨的朋友在偷懶，假如我當顧問的話，可能對國民黨的挑戰會更厲害（一笑）。

在此我想建議，我們的確馬上要迎接21世紀，21世紀是什麼？蘇聯垮掉，美國能不能維持下去，歐盟能不能明朗化、實質地實現，還剩下我們中華民族，不是我們的問題，是全人類的實驗，能不能成功由這個觀點來考察，然後我們來思考西藏的問題、新疆的問題，究竟既往所言的五族共和的「回」是什麼？「回」大家把它口號化、符號化，「回」究竟是宗教？是民族？但是好像是民族，是不是指維吾爾族呢？

我記得1991年，我們夫婦第一次去大陸開會，我跑到烏魯木齊、吐魯番邊疆去看，中共當局領導人出來做簡介，我勸他趕快把新疆的名字取消，新疆是什麼？你要多看一下美國的紅人覺悟運動，新疆是什麼？以我們漢民族的立場來思考，只是新變成漢民族國家的一個版圖新領土而已！沒想到最近新疆已經發生問題，我們一定不要迴避，我們要從全世界，21世紀的走向，來思考我們中華民族的課題，這一個需要時間，用大智大慧來解決我們的問題，才是重要。並不是一直誇獎孫文學說，他沒有對學問有過足夠的時間做研究。其實他只是革命家，在實踐的過程把些許理論結合後成為思想家而已，不是為了做學問而學問，謝謝各位（周富美整理）。

本文原收錄於《第二屆孫中山與現代中國學術研討會論文集》，台北：國立國父紀念館，1999年5月16日，頁419～421

第二屆孫中山與現代中國學術研討會第四場總結報告

引言人亦是撰稿教授，台灣則由文化大學的中山所暨中文系教授朱秉義先生擔任，題目為「中山先生文行忠信四教之承啟意義」。打對台的大陸教授則有南京大學哲學系教授暨江南文化研交培訓學院院長兼孫中山研究中心主任李書有先生擔任。他的題目為「孫中山對中國傳統文化的繼承與發展」。

兩位教授的主題該是「通底」的，也就是說，孫文先生對他自己所倡導的三民主義來源詮釋之第一項「我國固有之思想」，多所筆墨。場內的議論固然頗多卓見，但藉此寶貴的十分鐘，我必須傳達的卻是場外的心聲。完場後有一位年輕朋友，感歎地對敝人說，在場內老先生們、老權威的面前，他小蘿蔔頭不便發言。中山先生的三民主義是演講。孫文先生不是在演講中先點出，「有思想的人對三民主義都聽慣了。但透徹了解它，許多人做不到」。

今天到場的沒有幾位年輕人，以老先生們、老權威們較多，本來易懂的三民主義把它「神格化」，還有藉解讀之美名在展示自己對國學造詣之深，如此這般，下一屆大會，年輕人可能更不願到場領教了。這個「當頭一棒」是否值得我們這一輩人，藉此而有所反省的呢？他亦說，有關當為繼承傳統思想主體的孫文先生，為何都沒有被涉及。孫文先生在推行革命，透過實踐的掙扎和坎坷的過程，若能更具體且動態地描述出來的話，我們年輕一代才能易於體會的呀。只叫一些人人都熟悉的「民族、民權、民生」抑或「自由、平等、博愛」等口號是無濟於事的。論文的參考書目沒有一本是外文的，亦叫我晚輩驚奇！喊口號喊久了會失效的。時代在變，我們年輕一代需要認知的卻是變成口號之前的、更具體的有關「整個過程」的解讀。把三民主義和孫文變為「老一套且過時」的責任，大概不在孫文先生本身，而是與後一代的「祖述者」的「惰性」有關。

這個「場外」話，教我一再思考。害我昨晚沒有睡好！但我看，並非一切都是悲觀的。

馬慶忠先生，廣東省社會科學院孫中山研究所研究員，在他的論文「孫中山論中國現代化」所提的現實性課題，以及三位評論人，北大的王曉秋教授、台灣師範大學的趙玲玲教授、空中大學的段昌國教授等，都是年輕教授，他們兼包宏觀、微觀的視野，雙管齊下地研討了問題，是一場不能忽略的莫大收穫。

總之，辛亥革命為真正開端的中國現代化及振興中華、既要復國又企盼奉獻予全人的緊急課題，並不因時間流逝而消失。

21世紀即將光臨，若沒有中華民族的繼續發展及振興，東北亞、整個亞洲甚至於全世界既和平又美好的未來是難於確保的。本人得強調為了達成上述的美好遠景，不但需要兩岸全體人民以及海外華僑、華人大家一起繼往開來、腳踏實地的艱苦奮鬥，係不必諱言的。謝謝各位！

本文原收錄於《第二屆孫中山與現代中國學術研討會論文集》，台北：國立國父紀念館，1999年5月16日，頁619～620。原題「分組總結・第四場研討會」

掌握與分析印尼華僑動態
——唐松章論文*審查筆記

◎ 林彩美譯

前言

「華僑」（包含華僑、華人雙方）研究在東南亞地域研究所占的地位很重要。圍繞冷戰後世界新秩序的形成，在亞洲全地域的焦點之一就是「華僑」問題，不能否定的，許多有識之士在重新給予注目是實際的情況。

近年，高唱環亞洲・太平洋圈、大中華經濟圈、華南經濟圈或華人經濟圈等構想。構想的發展與其恰當與否的議論暫擱一邊，「華僑」在這諸種構想中，是被想作不可或缺的「柱子」是不用多說的。

那麼，東南亞被認為有約2,500至3,000萬人的「華僑」散居於各國各地。「華僑」在各居住國社會占居中產階級和更上層的社會階級地位，擁有龐大的社會經濟能源，特別執經濟牛耳之

* 學位論文題目〈印尼華人社會經濟論——有關其（「華僑」）社會經濟地位變貌的研究〉。

說，已經被散布流傳很久了。

或許是歷史機緣的不佳，真不幸，圍繞「華僑」社會，第二次世界大戰結束後的東南亞情勢，一言以蔽之，可說是很險惡。

「華僑」的處境，在一方受居住國愈來愈激昂的民族主義排除與白眼相待的對象。他方是展開成世界規模的冷戰結構在亞洲的顯現（基調徹底是美中【指大陸，以下同】對決）的框架下，被視為「中共第五縱隊」而被壓抑。

對「華僑」社會與其經濟力的居住國政權的壓抑政策，以及一般社會瀰漫著的排「華」感情，一有事即遭襲擊、暴力事件頻發的狀況之下，使得「華僑」社會的成長發展不得不變形。對經濟發展的「負」的影響如果僅留在「華僑」社會那還算好，但是「華僑」在歷史上是長期地，在實際情況下也與居住國的經濟結構根深柢固地關聯著。因此「負」影響的枝生，是無可估計之大。與排「華」運動併行施行的排「華」政策，變成對居住國經濟社會的現代化和經濟成長發展的主要阻礙原因，卻少能成為促進發展的原因來發揮功能。這種事例在史實上不勝枚舉。

「華僑」社會所處的險惡歪曲的內外諸環境開始好轉，是在1972年起步的中美接近，相繼的中日樹立國交以降的事。當然這中間有過中越對立所引起的越南「華僑」從越南逃脫的突發性「慘劇」發生，是記憶猶新的事件。

總之，1989年以降的東歐激變，以及蘇聯解體與消滅為契機，後冷戰時代開幕了，此變化瞬間波及亞洲全地域。中國的積極的善鄰外交與「改革開放」政策的積極展開也有關係吧，亞洲、太平洋全地域的和平新秩序形成的胎動還持續著，這是近來的情況。在此影響之下，意識形態的對立與抗爭後退了，相關者的主流已轉向經濟發展的競爭與協調寄予關心並奮勵圖進。

話雖這麼說，但情況當然不可能一次就有180度的轉變。依然被囹圄於冷戰時代對決的結構中，還殘留著不能從排「華」（包含中國與華僑、華人雙方）觀念的束縛中獲得自由的人群。但是，人類向21世紀邁出新步伐的潮流是不可逆轉的，激流已開始成形。

與這個急劇的現實變動相連結的情形，以東南亞「華僑」社會經濟的實際狀態的把握為動機的研究課題與「華僑」像重新構築的緊急課題，出現在我們東南亞地區研究者面前。

正是在這樣的時機，唐先生將數年來的研究成果以「印尼華人社會經濟論」整理完成並提出〔譯註：做為博士論文送審〕，可謂恰得時宜之舉。

一、本論文的基本特長

一般地說，「華僑」研究有以下一些難關。

（一）「華僑」社會內部的原因

1. 「華僑」社會長時期處於「被埋沒者」的待遇之故。持有活在匿名下的習性。「華僑」避談自己是一般的情況。
2. 「華僑」經濟活動的「外」面環境，至今猶帶有殖民地遺制與前近代社會的屬性。因此保持非公開性與非透明性，依然根深柢固地在他們的觀念之中。從而「華僑」的經濟活動不易理解。

3. 「華僑」社會的結合原理，尚被血緣與地緣的雙方強固地支配著，因此容易採取不讓「外人」接近的生活方式。有很濃的閉鎖社會屬性。
4. 「華僑」社會所使用的語言範圍很廣之故，訪問調查，首先便是受挫於使用的語言。非中國系研究者挫折的事例特別多是眾所皆知之事。
5. 特別是，印尼的「華僑」在第二次世界大戰結束以來，基本上有繼續被壓抑的歷史。因此「華僑」社會自身的結社、團體等處於潰滅性的狀態。欠缺調查研究的管道，外部的人嘗試做研究的接近並不容易。

（二）「華僑」社會的外在原因

1. 除了新加坡以外的東南亞諸國，至今猶視「華僑」問題為禁忌，不歡迎外來者的調查研究。
2. 統計資料根本上的欠缺。例如，部分「華僑」關係的統計資料，即便有也是非公開，所以使用上一般來說是有顧忌的。
3. 一般而言，位居上層階級的「華僑」是改了姓名的，很多場合與政權的中樞部分保持勾結攀扯的關係，汲汲於保身。因此，要以社會科學方法分析其實際狀態，是有困難，也被認為可能伴隨危險。

上面所舉的難關，能夠克服到何種程度，即是能否完成研究，是研究者必首先面臨的挑戰。

在談作者的論文內容與其完成程度之前，先來斟酌唐先生對前舉的難關克服到何種程度，也並非徒勞之事。

傳聞唐先生的出身是福州，又是出生於台灣的華僑。自1895至1945年約半世紀，台灣受日本的殖民地統治。在這期間，雖是少數，但有保持中國國籍而定居於台灣的漢民族出身者。日本當局把這些人定位為華僑，相關者稱呼他們為「台灣在住華僑」。

作者是福州出身的在台華僑之故，其母語為福州語，與家庭之外的漢民族夥伴講的是閩南語（別稱廈門話、台灣話），在殖民地學校則以日語學習並使用之。日本的戰敗，台灣回歸中國之後，唐先生又學了北京話並運用自如。這些中國系語言與目前東南亞「華僑」社會所使用語言一致。在此意義上，唐先生做為「華僑」研究者，可說保持了他的優勢。

在談到難關之項所舉的「華僑」社會本來持有濃厚的閉鎖社會屬性。因此「血緣」、「地緣」以及「語緣」（擁有共同語言而產生的關聯與親近性）為基礎的人脈，特別寶貴與方便。

與印尼的現蘇哈托總統的政權，保持最佳關係的「華僑」團體，是與作者祖籍一樣福州出身的林紹良（請參照本論文第五章蘇哈托體制下的華人）所率領的三林集團。

作者利用此人脈，數次訪問印尼是很重要的事實。在這中間積累了「臨場感」，直接接觸印尼「華僑」社會的實際狀態其意義是很大的。假如沒有這些根據，在整個論文可看到的生動筆鋒行文，我想是不會產生的。

又作者以壓抑的筆致，不刻意把自己的人脈，在當地國的體驗以文章寫出之點也是我們所應注目，給予高評價之處。

做當地調查很困難，這是學界所共認的。為補足這個欠缺，作者試著透過與蔡仁龍的研究交流來彌補。蔡先生是當今在中國大陸研究印尼「華僑」問題的第一人，他是出生於印尼的「歸國華僑」，聽說熟知出生地的印尼。中國與印尼的關係好轉以降，中國大陸與印尼「華僑」社會的交流在非政治領域也呈現多邊進展。蔡先生也乘此機會再訪印尼，活用其豐碩的收穫，發表了令人注目的論文。

作者在撰寫論文的過程，聽說訪問蔡先生於福建省廈門大學的南洋研究所（東南亞「華僑」研究的發祥地），獲得資料與證言，並與之交換意見。作者不但把蔡氏的研究成果，編入自己的研究之中，更將蔡先生的諸論文（有一部分係以筆名發表）翻譯成日文，輯為論文的附錄以作介紹。

這之前，日本的有關學界對蔡先生成果有所知道的研究者不多。唐先生對蔡先生一連串的成果，尤其以匿名發表（大部分）的論文，翻譯提供給日本學界的功勞，應該是不小。

如上所述，作者具備了其他研究者不容易擁有的諸條件。唐先生充分驅使諸論據而完成本論文。

論文的副題是「有關『華僑』社會經濟地位變貌的研究」，作者的意圖就很明確。

既然規定為「有關變貌的研究」那麼，靜態的把握與分析，再是變貌以前的定位是當然的前提。作者的最終目標當然是放在變貌，即動態的把握與分析和其去向的追求。這可從論文的結構窺知。

二、論文的結構（從略）

（諒石橋重雄教授必會做總結，在此恕不重複）

三、論文的要旨（從略）

（諒石橋重雄教授必會做總結，在此恕不重複）

四、論文的評價

為了理解今日印尼「華僑」社會經濟的實況，亦即，要解明與理解使印尼「華僑」有今日面貌——既複雜又錯綜的經過，便應該以「現在」的觀點與新概念來重新構成「華僑」史與重新構築「華僑」像。

作者正是為了有效完成這個課題，首先嘗試華僑與華人的區別與概念的規定。又把華僑（保持中國國籍暫時居住外國的中國人）在華人（取得居住國國籍變成居住國一員的原中國人）化過程所惹起的緊張與糾葛，套用自我認同（identity）理論加以說明。而變成居住國國民的華人與原住民族集團的區別，便以民族性與少數民族集團的新概念來整理。

恕我敢於引申解釋的話，可評價唐氏已成功地把印尼社會變動、建國〔譯註：殖民地→國家的新生〕與華人系少數民族集團之間的種種關係，做了動態的把握與分析。

不會講希伯來語的多數猶太人還是保持著堅固的猶太人意識

之例很多。冷戰後在東南亞新秩序之下的「華僑」社會是否會呈現這種現象。即不會講華語（中文）的華人有沒有可能保持著華人少數種族性而做主張呢？檢討圍繞印尼華人的少數種族性與自我認同（ethnicity與identity）的諸問題的第一章第三節「華人的少數種族性」可評價為本論文的菁華部分。我也很想以上面的問題向作者提問的同時，當作今後檢討的課題對作者的期待。

第二次世界大戰之後，印尼「華僑」幾乎全部處於險惡的逆境，是眾所周知。

然而作者認為，蘇哈托政權之下，華僑的確被強制同化，在社會文化面做了犧牲，但是在經濟活動面反而是向正面轉化了。唐松章以1984年3月23日舉辦的「迎接民間民族企業第四次五年計畫對話會」的政府當局的發言當作事例來提示。

亦即，以往區別原住民企業與非原住民企業（其大部分是指「華僑」企業）推行歧視政策，政府在今後要改為將全體都認定為民族企業，公開表明平等對待。

作者又在同化政策於政治方的積極面敘述如下：1990年8月，在首都雅加達的華人居民卡上的特別代碼「0」被廢止取消了。同是印尼國民，而只歧視華人的事態被改善了，是唐氏的評價。但是作者又不忘慎重地做了「華人至少表面上從以往所受的不當歧視被解放了」的保留。

總之，蘇哈托長期政權下的華人同化政策與高度經濟成長政策之下，華人的聯合大企業誕生了。分析了這個過程的第五章「蘇哈托體制下的華人」很新鮮。作者又因一部分華人企業者的成功案例，給一般印尼住民對「華僑」植下錯誤形象的現狀表示畏懼。無論如何，這些現實的動向的介紹與解明，對新「華僑」像的構築，貢獻可說不小。

在最後一章，作者嘗試與後冷戰新秩序形成有關聯的蘇哈托政權的華人系大企業對策的介紹與分析。

蘇哈托總統於1990年3月4日，在西部爪哇的茂物（Bogor），邀請著名的華人大企業家27人，請求企業家集團把持股的25%賣給印尼的協同組合。

這中間的情形，作者的看法是：

> 蘇哈托政府基本上是當作國民經濟的一部分在策劃保護與培育華人經濟。但是至今還有不認爲華人經濟是國民經濟不可或缺一部分的一些印尼國內輿論，對華人企業表示激烈敵意。因此政府對本來不做區別的華人企業，爲了使輿論安靜下來，因此必須公開表示一定的讓步，而做了這個請求。
>
> 華人企業進行著多國籍化的今日，對於華人企業，有過多過大請求或逆向歧視，對印尼國民經濟全體來說，是個很大的負荷，也是危險。藉改正貧富差距或民族間經濟差距爲名，勒緊管束華人企業，對印尼經濟營運上或許成爲致命傷。恐怕最擔心華人資本的往國外流出，最最畏懼的應該是印尼政府自身吧。
>
> 已經在社會水平上，印尼的華人同化已迅速進行著，僅以印尼語爲母語的華人也很多。這樣的他們，萬一有再回到華僑的情事發生，那是經濟爲主要原因，也就是華人資本不被認爲是印尼的民族資本，受不當歧視與繼續受不當要求之時，做爲其反

> 動而發生。不讓華人資本回歸爲華僑資本，而以印尼民族資本紮下根來，這才是今後印尼政府最需要留意、努力之點吧。

做了如上的結論。

以上是把最新的資訊資料編進來所完成的本論文，可評價為對學界有十分新鮮而獨創的貢獻。

本審查筆記於1992年春提呈東京・拓殖大學

石橋重雄（拓殖大學教授）

本文係爲未刊稿，寫於1999年6月

由生活者意識出發的華僑研究

——唐松章博士論文推薦辭

◎ **林彩美譯**

作者唐博士是筆者就讀台北建國中學以來的同窗與畏友。

由日本統治台灣的殖民地時代，唐君出生的家庭是所謂的華僑的身分。他的祖父、父親是出身台灣對岸福建省省會福州市，沒有加入日本籍之故。亦即保持中華民國的國籍，在台北謀生計。日本統治期的台灣，尤其在「滿洲事變」以降的嚴峻中日關係期，維持華僑的法律上身分，繼續在台灣生活，那是非常艱難的。唐一家被日本當局視為中國的間諜，處在監視之下是不難想像的。子女的升學以及在社會生活上的種種場合都受到歧視與屈辱，也只有忍耐。

1945年8月15日，唐一家超越了無數困難而迎接了光復，亦即迎接了台灣復歸中國之日。當時唐君是某私立中學的二年級生。（因教育上的差別，唐君只能考私立中學。）

以光復為契機，他的華僑身分當然也消失了。他名正言順地轉學到有台灣第一之譽的台灣省立台北建國中學。自那時經過四十數年後，唐君在事業經營上成功，將經營權讓給年輕人，功成而退。嘗試他遲來的夙願回歸學究生活，而終於如願以償，那是

1990年前後的事。

聞說，他選「東南亞的華僑與華人問題」做為專攻的主題時，做為他舊友的筆者，我能完全領會、記憶如昨。

爾來，唐君在自己不得不據以為生的原點與唐家的歷史，一再地做了反芻咀嚼。聽說是為了不間斷地嘗試「生活者意識」的昇華之故。那不斷的思維令他不久便領悟問題所在，譬如做為華僑、華人的自我認同危機的問題，華僑、華人在居住國法律上身分與不安定的問題，職業選擇只有商業的窘境，或是因為是華僑、華人之故，在資本活動上的制約與風險性，以贖罪羔羊被當作國內矛盾的犧牲品被供上政治祭壇的恐懼感等諸問題，他能內發性的抓緊，比起其他任何華僑、華人研究者，他有可從內部把握問題的條件，這樣說是不會言過其實的。

他又擁有另一個有利的條件。那是他在回歸學界之前，以企業經營者，嘗過無數辛酸的經驗。換言之，對東南亞的華僑、華人的企業經營（以商人、商業資本為主流），以及做為企業經營者的華僑・華人的生態、行動的方式，再是思考方式等，唐君係有學術性解剖的手術刀。應該說是因禍得福吧。

他驅使了上述的有利條件，所取得的研究成就已早在1993年，東京鳳書房相繼出版的《印尼華人社會經濟論》〔《インドネシア華人社会経済論》〕與《印尼的華僑・華人》兩書已見到其成果。

東南亞華僑・華人問題的「重點」國家第一是印尼，第二是馬來西亞。

唐君的研究射程從印尼而及於馬來西亞是他的慧眼。又，內發性研究的方向，可以說是當然的。

那成果就是，此次問世的《馬來西亞・新加坡華人史概論》〔《マレーシア・シンガポール華人史概說》〕（1999年8月，東京：鳳書房），著者的手法有更加一層的精煉，溢於字裡行間，應是一讀即可令人滿足吧。特為之介紹於世。

又，做為一讀者，對作者更深的期待也附記於下。

1965年初秋，發生於印尼的九三〇事件，是第二次世界大戰後，在東南亞爆發的充滿了謎、而且是最最血腥的事件。很多華僑、華人被當作「犧牲」。又前年（1997）以金融危機為契機，社會政治不安擴大蔓延，包含燒搶、毆打華僑、華人的暴動事件相繼發生。蘇哈托長期政權終於崩潰，上月總選舉才閉幕。「危機之中潛藏著可能性」這是世之常情。這事例，在印尼也不例外，對印尼華僑、華人的排斥運動、燒搶暴動，以聯合國為首的世界規模的輿論站出來彈劾。不僅如此，居住印尼的華僑、華人也站起來抗議，開始積極參與總選舉。這是將迎接21世紀，東南亞長久以來未見過的新事象。做為新胎動的一環應可好好把握它吧。

站在以往的研究業績上，無論如何，希望作者能從華僑、華人方，去追蹤印尼的新氣息。

不只期待，對唐君的精進，今後我也不惜大大給予鼓掌。

1999年6月

戴國煇

本文係爲未刊稿

第三屆孫中山與現代中國學術研討會第三場（思想組一）總結

台灣詹哲裕先生（政戰學校政治研究所教授）報告的題目為「中山先生知行觀與國民精神建設」，並由中國文化大學朱秉義教授評論。報告人暨評論人之精湛之論，在場內披露無遺，敝人認為不必重複。特此改變通例，由後學表示一些感觸及不成熟的些許拙見，提供給諸位先進可能是比較有效，以下不妨採此方式，請多包涵。

一、有關詹教授的報告，我認為欠缺「時間軸」階段性考察，雖然借用外國學者及文獻，但多限於心理學層面者。其實，孫中山先生的「孫文學說」係「建國方略」之一重要部分。用當今的英文用詞該等同於Nation Building過程中的：（一）凝聚並整合「眾人意志→建國精神」之一種重大過程。（二）亦是破帝國體制（由滿族把持）改變成共和制（由漢人【多數決原理的釋出暨呈現】主導）過程中，如何建構新價值體系＝相應的時代精神。（三）由滿清統治及以英國為主的西歐（包括日帝）列強的內外夾攻中被扭曲，及被迫荒廢暨「自我迷失」良久的心靈如何重塑並擴充以多數人為主體之自我認同（「ego identity」成為national identity）以資建國。如上述方式採納通行當今世界的一般易懂的詞義來解讀，是否比較能夠吸引年輕學子之青睞及來會參與，是我對大會整體氣氛的期待。

二、來自於大陸武漢大學的吳劍傑教授給我們所報告的「孫中山的公僕意識與廉政風範」及蔣永敬教授的評論，來場的諸先進都會有「雖是老生常談，卻是我國族之最痛」，有識者更會深感「風範」者被常談暨讚揚；反面不外是，中國人一貫做不到，解決不了，我「劣根性」之難度。在場有位女士把我國人之「痛處」給「相對化」自己安慰一下。她亦可滿足大漢民族主義不至有失「面子」之補償「自卑感」。其實，這種形式主義的比較是無濟於事的。各國都有腐敗、貪污沒有錯，但我們絕不能說「天下烏鴉一般黑」來打馬虎眼。他之所以然，與我國人之所以然及各自的重輕度，其內涵之對比研究才是我們目前真正的至上課題。既往，我們用嚴法來對應（甚至常用死刑），並沒有任何有關貪污腐敗周邊的相關結構分析，權宜性的以掌權者之對下嚴苛的政策常常變成真理，便是我們常言的政策等同於真理，掌權者忽視學術研究之憾事，兩岸都至今絕不鮮見的事例。

在此我提議朱教授以及對相關研究課題有興趣的同仁們，能參考美國法律學者之大著*Folded Lies-Bribery, Crusades, And Reforms*（By W. Michael Reisman, 1979, The Free Press, A Division Of Macmillan Publishing Co., Inc.），此書可以給我們不少的啟發，若尚未被譯出，不妨亦可以一試。

三、日本來的山田辰雄教授給我們報告的題目是「初期孫文的傳統認同與國民國家認同的交錯（交叉重疊）」，評論則由陳鵬仁博士擔任。此文的可貴處：（一）他用「時間軸」——歷史的連續性（continuity）及其階段性視角來切入。這一種切入法是仍在傳統思維框架中掙扎的我國學界人士最欠缺的。上述詹、朱兩位先生同樣。其實孫中山先生是生活於「洋學文化背景」，因此故，早期對國學之基礎脆弱還惹發了「光復會」（以浙江一帶的書香文化背景成人者為主要成員）人士們之輕視。

但孫先生之「時髦」、「務實」（敬重實學）且具世界觀的才華是出眾的（所以被推舉為領袖）。我一直在內心向多數國人研究孫學的好學人士質疑，為何把自己的「路」愈走愈狹窄，愈溯及愈近古。很可能孫先生本身都沒有看過的一些古籍來炫耀國粹，難怪年輕學子敬而遠之的風潮愈成難於「輔導」之勢力。山田論文除了學術上的創見外，上述的啟示對我國人是否要來得更重要？妄言有所見諒。

本文原收錄於《第三屆孫中山與現代中國學術研討會論文集》，台北：國立國父紀念館，2000年5月16日，頁583～584。原題「分組總結‧第三場研討會（思想組一）」

探索《台灣警察沿革誌》*1有感

——《台灣抗日運動史》中譯本出版代序

1895年，《馬關條約》割讓台灣後，台胞即成立「台灣民主國」推舉唐景崧為總統，抵抗日軍侵台。

主持本書出版的王曉波教授，囑我在本譯書的前面寫一篇序，使我頗感惶恐，因為我一直不願與搞政治／社會運動的朋友們走得過於「親近」。雖然，我尊重朋友們在其社會行為上所做的諸種自主性選擇，但我一直堅持著要我朋友們，亦能尊重敝人不介入任何黨派的政治／社會運動之生活信念。筆者一貫地自我期許，更盼望能出「污泥」而不染，繼續在學術界盡一點棉力。

李敖兄說得好：「歷史的史／資料不會自動地來找你，但政治這個東西，儘管你不願接近它，政治還是會很積極地來找你麻煩的」（大意，無法詳細明示李的全文及其出處甚為遺憾）。此文，則是為了堅持民族及準學術大義破例之一舉。

當我開始關注及蒐集台灣近現代史相關史／資料的1950年代中葉時，甚快發現了《台灣總督府警察沿革誌》的存在。給予線索的則為下列三本書：

---

*1 此書全名為《台灣總督府警察沿革誌》。

⑴蕭友山編著《台灣解放運動的回顧》（台北：三民書局，中華民國35年9月15日初版）。

⑵張深切著《在廣東發動的台灣革命運動史略附獄中記》（台中：中央書局，民國36年12月10日出版）。

⑶鷲巢敦哉著《台灣警察四十年史話》（發行人，台北市，鷲巢敦哉，昭和13年【1938年】4月28日發行。按此書無標價，亦欠發行所，該是自費出版一類書）。

⑴之蕭編著為日文小冊子。據其出版日期可以判定，作者在光復不久就編著成的教宣用小冊子。在其〈前言〉末尾，編作者明示了本冊子的資料主要來源為：台灣總督府警務局特祕刊行物《台灣總督府警察沿革誌二・中》，另亦引用了《日本帝國主義下之台灣》（矢內原忠雄著）。

迄至1960年代前葉，筆者尚不知蕭友山為何許人，當今從事台灣近現代史研究的同仁們，都該知悉友山即是蕭來福。蕭在上揭〈前言〉裡的「台灣總督府警務局特祕刊行物《台灣總督府警察沿革誌二・中》」一行字喚起筆者近20年的探索之路。

繼⑴之蕭編著，筆者蒐集到⑵之張著（當今，《張深切全集》，1998年1月1日已由台北文經社出齊，本書則可在其《卷四》參看），此書中洪炎秋所寫〈序〉（原書之頁2～3）的一段話提醒了我對《台灣總督府警察沿革誌》的警戒心。洪說：

> 深切兄既有了上述那麼一大段的鬥爭光榮史，所以對於以往抗日的經過和日寇對於愛國志士的壓迫，都是身歷目睹，知悉詳盡。現在鬥爭經已告終，獲得了勝利，收復了故土，而且行憲

在即，一切如願以償，所有民族鬥士，任務已畢，功成身退，均已解甲歸田，身體精神，按理是早獲自由，從此可以坐享太平清福，甚或進而搖身一變，改換作風，夤緣高位，好漢原可不談當年勇了，只是他們所保存的寶貴史料，價值仍高，如不設法公開，則研究台灣革命歷史的人，不得不僅靠日寇所發表的資料，如《警察沿革誌》之類，成了片面官司，對於民族正氣，影響很大，所以深切兄這些紀錄的出版，是很有意義的。*2

另外，張也在其著頁20明寫著：

當時的組織內容如何，經過這二十年的光陰，參加者自己也大多忘記，而當時的紀錄，均已散失無遺；現在可供參考的只有《台灣總督府警察沿革誌》一種資料。但是這部書也極其杜撰無比，實難可靠。例如當時謝文達並未在廣州，他們揑造爲本團的總務部長。又洪紹潭原非革命青年團員，他們不知何故，也列他爲財政部長。諸如此類，《警察沿革誌》這部書，除作台灣革命家的回想錄外，絕無絲毫的價值。*3

張的這個指摘告訴了我們，日本警察亦有「虛構」、「誣陷」及「誤認」之可能。

從事歷史研究的友好皆知，被殖民方是具有劣惡條件才會被殖民、被鎮壓的。不然被殖民方大可把侵略者在來侵時就打回其

*2 請參照張深切，《張深切全集・卷4》（台北：文經出版社，1998年1月），頁65。
*3 參照同上，頁98。

老窩的。當被治方自殖民主義體制的桎梏解放，隨後為了奪回自我歷史的重建及創寫，立即有搶救史／資料的緊迫性課題。因為，被殖民地通常欠缺史／資料之故。

侵略及支配方，尤其日帝在第二次世界大戰敗戰之後，有被追究侵略責任及賠償之可能，日方相關當局盡其所能掩蔽其「罪行」，而忙著燒毀有關檔案及史／資料。

我看到蕭編著及張著後，立即自心底湧出一股探索《台灣總督府警察沿革誌》的使命感。儘管日本當局有其「虛構」、「誣陷」，資料仍然值得我們去確保。著手的第一步，當然是查尋大學圖書館收藏之概況。但遍查都查不出，蕭編著所揭示的台灣總督府警務局特祕刊行物《台灣總督府警察沿革誌二・中》的收藏機關。

直至1970年代蒐集到《台灣總督府警察沿革誌》一共三編全五冊（另，據傳有《別篇詔敕、令旨、諭告、訓達類纂》，昭和16年【1941年】刊）時才弄清楚真正鑲嵌有祕字及刊行號碼者只有該誌第二編《領台以後的治安狀況（中卷）——（社會運動史）》一本而已。

我們得再返回上列⑶之鷲巢著《台灣警察四十年史話》之有關著述。在探索的過程，筆者陸續蒐集到鷲巢的多種著作。其中比較明確地描述有關他受命主編《台灣總督府警察沿革誌》事項者則為⑶之專著。雖然鷲巢在其〈自序〉道出，《沿革誌》僅印300套以供官署參考而已。但筆者曾經閱讀過鑲嵌有「No. 314」的原版書。可見鷲巢本身也有誤記之處。

不管如何，這一本祕本之原版書在當今的台灣除了情治機構以外，私人所存藏者不會超出五本，是筆者的揣度。日／台兩地的存藏都出奇的鮮少，這個又可當為我們好奇人士探索的另一個子題。

言歸正傳，這一次將被翻譯出版的並非極祕本，不過對我們來言仍然不失其珍貴性。但千萬勿忘，這一本《沿革誌》同是我們敵方人士所編著，我們僅能當作參考來利用。真正立於我們民族主體性的抗日運動史撰述，還有待我們大家的努力。

拉雜寫下一些零星的記憶及感觸，聊以做為這本譯書的代序。

2000年8月3日於台北新店・梅苑

本文原收錄於台灣總督府警務局編，張北等譯，《台灣抗日運動史》，台北：海峽學術，2000年8月，頁5～9

譯者簡介

李毓昭

1961年生。中興大學社會學系畢業。曾任出版社編輯，現爲專職譯者。譯有：《銀河鐵道之夜》（晨星）、《顏面考》（晨星）、《霍去病》（實學社）等。

林彩美

1933年生。中興大學農經系畢業，日本東京大學農經系博士課程修畢。旅日長達40年，中華料理研究家，曾主持梅苑中華料理研究室（日本）二十餘年。致力於梅苑書庫的保存與研究，長期投入《戴國煇全集》的編譯工作。

著有：《中菜健康瘦身法》（文經社）、《新灶腳的健康料理》（文經社）等；主編：《戴國煇文集》；策劃：《戴國煇全集》等。

林琪禎

1978年生。文化大學日文研究所碩士，現就讀於日本一橋大學大學院言語社會研究科博士後期課程。譯有：〈戰後初期台灣的「國語教育」（1945-1949）〉、〈故宮博物院所藏1848年兩件浩罕文書再考〉等。

孫智齡

1963年生。現就讀於輔仁大學比較文學研究所博士班。譯有：《宮尾本平家物語》（遠流）、幕末（遠流）、天璋院篤姬（如果）等。

章澤儀

1971年生。政治大學資訊管理學系畢業。曾任職出版社、網路科技公司及廣告綜合代理商，現爲專職自由翻譯。自1993年起從事英、日文筆譯。譯有：《大地的咆哮》（玉山社）；小說《熾熱之夢》（蓋亞文化）、《鹽之街》（台灣角川書店）等。

陳仁端

1933年生。中興大學畢業，日本東京大學大學院農學博士。曾任職於台糖公司花蓮糖廠、日本大學教授。譯有：《土地利用の経済的研究：台中（台湾）地域における》（東京：農政調查委員会）等。

陳封平

1967年生。東海大學外文系畢業，外貿協會ITI日文組畢業。長年從事資訊業，現任職於軟體公司，業餘翻譯。

陳鵬仁

1930年生。美國西東大學文學碩士、東京大學國際關係學博士。曾任東吳大學日本文化研究所兼任客座教授、東京大學客座研究員、中國國民黨中央委員會黨史委員會主任委員等，現爲文化大學日文系教授、武漢大學客座教授。編譯著有：《被遺忘的戰爭責任》（致良）、《日本近現代史》（空中大學）、《近百年來中日關係》（水牛）等一百七十餘本。

雷玉虹

1964年生。北京中央民族大學民族研究所碩士，現爲上海復旦大學國際關係與公共事務學院博士候選人。曾任北京中國社會科學院台灣研究所助理研究員，日本東京立教大學文學部獎勵研究員，兼職英日文翻譯。譯有：〈台灣的民族性和交叉文化關係〉、〈印度——馬來西亞群島的史前史〉、〈泰國的苗人〉等。

蔡秀美

1981年生。台灣師大歷史學系博士候選人，專攻日治時期台灣社會史。譯有：〈殖民地統治法與內地統治法之比較：以日本帝國在朝鮮與台灣的地方制度爲中心的討論〉、〈關於《隈本繁吉文書》——殖民地教育資料之介紹〉等。

魏廷朝

1936～1999。台大法律系畢業。曾任《美麗島》雜誌編輯，日本大阪經濟法科大學講師。因反對強權統治，三度入獄，失去自由17年2個月，曾旅居日本2年8個月。譯有：《安部公房》（光復）、《細雪》（遠景）、《台灣霧社蜂起事件——研究與資料》（國史館）等。

蔣智揚

1942年生。台灣大學外文系畢業，美國西海岸大學電腦學碩士。曾任職大同公司，現專業翻譯。譯有：《不老——新世紀銀髮生活智慧》（遠流）、《閒話中國人》（馥林）等。

劉靈均

1985年生。現爲台灣大學日文所碩士生，專攻日本殖民地時期詩歌，並任中國文化大學推廣教育部、台北市立成淵高中等兼任講師，兼職日語口譯及筆譯工作。譯有：《第九屆亞洲兒童文學大會論文集日文版》（共譯，台東大學）、《歐洲統合史》（共譯，五南）。

（以上依姓氏筆畫序）

日文審校者・校訂者簡介

◆ 日文審校

吳文星

1948年生。台灣師範大學歷史研究所博士。曾任美國哈佛大學及史丹佛大學訪問學人，東京大學、京都大學等校外國人客員研究員及招聘外國人學者，歷任台灣師範大學進修部教務主任、歷史學系主任、文學院長，現爲台灣師範大學歷史學系教授、台灣教育史研究會會長。研究專長爲台灣近現代史、中日關係史。

著有：《日據時期在台「華僑」研究》、《日治時期台灣的社會領導階層》、《台灣史》等；〈東京帝國大學與台灣「學術探檢」之展開〉、〈札幌農學校と台灣近代農學の展開——台灣總督府農事試驗場を中心として——〉、〈京都帝國大學與台灣舊慣調查〉等論文一百餘篇。

林水福

1953年生。日本東北大學文學博士。曾任輔仁大學外語學院院長、日文系主任、所長；高雄第一科技大學副校長、外語學院院長；興國管理學院講座教授；東北大學客座研究員等，現爲台北駐日經濟文化代表處台北文化中心主任。專攻平安朝文學、近現代文學，兼及台灣文學、翻譯學。

著有：《他山之石》、《現代日本文學掃描》、《源氏物語的女性》等；譯有：遠藤周作《影子》、《沉默》等；谷崎潤一郎《夢浮橋》、《細雪》等。並於《文訊》雜誌開設東京見聞錄，《聯副》開設東京文化現場專欄。

林彩美

（簡介略，見前述）

（以上依姓氏筆畫序）

◆ 校訂

呂正惠

1948年生。東吳大學中文系博士。曾任清華大學中文系教授兼系主任，現任淡江大學中文系教授。研究專長爲漢魏六朝詩、唐詩、現代小説、戰後台灣文學。

著有：《殖民地的傷痕：台灣文學問題》、《抒情傳統與政治現實》、《杜甫與六朝詩人》、《戰後台灣文學經驗》等書；共編：《現代文學精品選：小説選讀大陸篇》（以及台灣篇）、《台灣新文學思潮史綱》等。

戴國煇全集 17
【書評與書序卷】

著 作 人　戴國煇
策劃／總校　林彩美

編輯製作　財團法人台灣文學發展基金會
10048台北市中山南路11號6樓
02-2343-3142
編輯委員　王曉波　吳文星　張錦郎　張隆志
陳淑美　劉序楓（依姓氏筆畫序）
主　　編　封德屏
執行編輯　江侑蓮　王為萱
美術設計　不倒翁視覺創意

出　　版　文訊雜誌社
發 行 人　王榮文
發 行 所　遠流出版事業股份有限公司
10084台北市中正區南昌路二段81號6樓
（02）2392-6899
http：//www.ylib.com

排　　版　浩瀚電腦排版股份有限公司
印　　刷　松霖彩色印刷事業有限公司
初　　版　民國100年（2011）4月
定　　價　全27冊（不分售）精裝新台幣16,000元整
ISBN　978-986-6102-00-4（全集17：精裝）
978-986-85850-4-1（全套：精裝）

國家圖書館出版品預行編目（CIP）資料

戴國煇全集．17，書評與書序卷／戴國煇著．
－－初版．－－台北市：文訊雜誌社出版；遠流
發行，2011.04
冊；　公分
ISBN　978-986-6102-00-4（精裝）

1. 史學　2. 文集

607　　100001713